B·I-HOCHSCHULTASCHENBÜCHER

748

LINEARE ALGEBRA UND ANALYTISCHE GEOMETRIE

Band 1

VON

WILHELM KLINGENBERG

O. PROFESSOR AN DER UNIVERSITÄT BONN

PETER KLEIN

WISS. MITARBEITER AN DER UNIVERSITÄT BONN

BIBLIOGRAPHISCHES INSTITUT · MANNHEIM/WIEN/ZÜRICH

B·I· WISSENSCHAFTSVERLAG

Druck und Bindearbeit: Anton Hain KG, Meisenheim/Glan
Printed in Germany
ISBN 3-411-00748-6
C

ERRATA-Liste zu BI HTB 748 : Klingenberg/Klein :

LINEARE ALGEBRA UND ANALYTISCHE GEOMETRIE I

p. 14 : 15.Z.v.u.: lies: "Urbild von y"

p. 41 : Mitte: Streiche den Satz "Man kann sogar die Existenz..."

p. 67 : 13.Z.v.o.: lies: "bijektive Abbildungen" statt "Isomorphismen"

p.115 : Bei 6) ergänze: "...,falls R ein Ring mit 1 ist"

p.117 : Beisp.a),2.Zeile: lies: "...außer 1 und -1..." statt "außer der Eins"

p.126 : 2 Zeilen vor (67o): lies: " (o,1).(o,1) = = (d1,o) "

p.128 : 2 Zeilen nach (71o): Ergänze: "..,falls z≠o ist "

p.145 : 7.Z.v.o.: lies: b$\in \mathbb{N}^*$ein Teiler" statt "b ein Teiler"

p.154 : Vor der 2.Zeile vor Th.9.7 füge ein: "Der Nachweis der restlichen Modul-Axiome ist trivial"

p.199 : Vor dem letzten Satz: "Formulieren wir..." füge ein :

"Korollar 13.14 : In jedem endlich erzeugten Vektorraum hat jede Basis gleich viel Elemente

Beweis: ...... "

(Den ausführlichen Beweis können wir hier nicht angeben; der Leser findet ihn in dem Übungsband auf Seite 17o; wir begnügen uns hier mit einer Beweisskizze :)

Beweisskizze:

Seien B,B' Basen von V. Sei $n:=|B|>o$.
Es gibt $a\in B'$ und $C\subset B$ mit $a\notin C$, so daß $C\cup\{a\}$ Basis von V ist (nach 13.13).
Definiere $f\colon V \longrightarrow V$ durch $f|_C := \mathrm{id}$ und $f(a) := o$. Dann ist $V/[a] \cong [C]$ nach dem Homomorphiesatz.
Entsprechend folgt: $V/[a] \cong [B'\setminus\{a\}]$
In $[C]$ hat die Basis C höchstens n-1 Elemente.
Mit Hilfe von vollst. Induktion nach n folgt:
$B'\setminus\{a\}$ hat höchstens n-1 Elemente.
Daher ist $|B'| \leq |B|$ qed

p.2oo : 5.Z.v.o.: lies: "$\{f_1,\ldots,f_m,b_{m+1},\ldots,b_n\}$ ist eine n-elementige Basis ... "

p.2oo : Streiche das bisherige Kor.13.14 und den Beweis dazu (er ist falsch)

p.22o : In Kor. 14.2 setze voraus: Alle $V_i \neq 0$

p.231 : 6.Z.v.o.: Ergänze: " ...,falls alle $U_i\neq 0$ "

p.235 : 6.Z.v.o.: lies: " $\sum_{i\in I}[F_i]$ "

p.24o : Beispiel: lies: " ..., wo y ein beliebiger, von x l.u. Vektor...."

p.243 : 2.Z.v.o.: lies: " $\dim V<\infty$" statt "$\mathrm{rg}\, f<\infty$"

p.269 : Beweis zu 18.7: Beachte, daß die Surjektivität auch schon aus 13.24 folgt! Der hier angegebene Beweis gibt explizit ein Urbild an

FÜR HINWEISE AUF WEITERE FEHLER SIND DIE VERFASSER DANKBAR

Vorwort

Der vorliegende Band ist der erste von vorläufig zwei Bänden "Lineare Algebra und analytische Geometrie". Er geht auf eine Vorlesung zurück, die Herr W. Klingenberg im Wintersemester 1963/64 und Sommersemester 1964 an der Universität Mainz gehalten hat. Die Herren K.H.Bertsch, P.Klein und K.Steffen stellten damals ein institutsinternes Vorlesungsskriptum her, das einen guten Erfolg auch an anderen Hochschulen hatte.
Dies veranlaßte uns, nun im Rahmen der BI-Hochschulskripten, eine überarbeitete Fassung dieser Skripten vorzulegen.

Der vorliegende Band ist von Herrn P.Klein bearbeitet worden.

Die Bände wenden sich in erster Linie an Studienanfänger zum Gebrauch neben und nach der Grundvorlesung über lineare Algebra und analytische Geometrie. Dementsprechend ist der Text breit und ausführlich gehalten. Es werden, vor allem zu Beginn, viele Beispiele diskutiert, um dem Leser die vielen neuen Begriffsbildungen nahezubringen.
Auf der anderen Seite soll das Buch auch noch für Studenten höheren Semesters als Leitfaden durch dieses Gebiet dienen. Daher haben wir uns auch um eine gewisse Ausführlichkeit in der Themenwahl bemüht. Wir haben ein ausführliches Inhaltsverzeichnis und ein ausführliches Register beigefügt, die es erleichtern sollen, einzelne Themen schnell zu finden, ohne zuerst einen ganzen Paragraphen durchlesen zu müssen.

Für den ersten Band ergaben sich zwei Kapitel.

Das erste Kapitel führt in die Grundlagen ein, wie Abbildungen, Gruppen, Homomorphismen, Äquivalenzrelationen, Verbände, Ringe und Körper. Das Ziel dieses Kapitels ist weniger, die angeschnittenen Themen umfassend darzustellen, als vielmehr dem Leser durch viele Beispiele die eingeführten Begriffe zu erläutern.
Das erste Kapitel kann als eine Art "Einführung in die höhere Mathematik" dienen, die die Lücken, die immer noch zwischen der "Schulmathematik" und der "Hochschulmathematik" klaffen, schließen hilft.

Das zweite Kapitel bringt eine möglichst umfassende Darstellung der elementaren linearen Algebra von Vektorräumen über kommutativen Körpern. Wir betrachten im allgemeinen beliebig dimensionale Vektorräume. Es schien allerdings geboten, sich bei der Einführung des Dimensionsbegriffs auf endliche Dimensionen zu beschränken und so Kardinalzahlen zu vermeiden.

Im zweiten Band werden Matrizen, Determinanten, Eigenwerttheorie und Normalformenproblem für quadratische Matrizen, euklidische und unitäre Vektorräume behandelt. Angefügt sind einige Übungen zu dem Stoff beider Bände. Übrigens findet man im Text beider Bände zahlreiche Übungen eingestreut, in denen dem Leser die Ausführung einzelner Beweisteile oder Beispiele überlassen bleibt.

Der Stoff der beiden Bände stimmt thematisch etwa mit dem Stoff überein, der an den meisten Universitäten in der zweisemestrigen Grundvorlesung über dieses Gebiet behandelt wird. Allerdings ist die Darstellung in diesem Buch im allgemeinen ausführlicher, als dies in einer Vorlesung geschehen kann.
Gelegentlich werden in den Vorlesungen über dieses Gebiet noch weitere Themenkreise berührt (die auch in der oben erwähnten Vorlesung von Herrn Klingenberg berührt wurden).

Zu den beiden Bänden "Lineare Algebra und analytische Geometrie" werden daher später zwei Ergänzungsbände erscheinen (Bände 3 und 4). Band 3 wird sich mit Sesquilinearformen und quadratischen Formen sowie mit multilinearer Algebra befassen. Band 4 ist mehr der Geometrie gewidmet; besprochen werden affine, projektive, elliptische, hyperbolische und euklidische Räume.
Band 4 wird von Herrn K.Steffen bearbeitet und erscheint unter den Autorennamen Klingenberg/Steffen.

Wir bedanken uns bei den Herren Ganter, Karras, Kreck, Scharf und Wassermann für ihre Unterstützung bei der Fertigstellung des Manuskripts.
Ferner danken wir dem Bibliographischen Institut für seine Unterstützung und Geduld.

Wilhelm Klingenberg

Peter Klein

Inhaltsverzeichnis

Inhalt von Band 2 :

Hinweise zur Benutzung des Buches

Das Buch ist eingeteilt in Kapitel und Paragraphen ("§"). Die §en sind über das ganze Buch durchnumeriert. Innerhalb jedes §en sind Definitionen, Sätze, Theoreme, Lemmata, Korollare durchnumeriert, und zwar in der Form "n.m" , wo n die Nummer den §en und m die Nummer des Satzes (oder der Definition etc.) ist. Zum Beispiel bedeutet " Lemma 18.22 " : Lemma mit der Nummer 22 in § 18. Hinweise auf frühere Sätze (oder Definitionen etc.) erfolgen ebenfalls in dieser Form.

Hinweise auf bestimmte Seiten erfolgen in der Form " p.231 " (Beispiel; = Seite 231).

In zwangloser Form sind wichtige Textstellen am rechten Seitenrand mit in runde Klammern eingeschlossenen Nummern versehen, die stets auf Null enden. Sie werden jeweils innerhalb eines Kapitels durchnumeriert. Hinweise innerhalb eines Kapitels erfolgen in der Form " (82o) " (Beispiel; = Textstelle (82o) desselben Kapitels); Hinweise auf Textstellen in anderen Kapiteln erfolgen unter Angabe des Kapitels, etwa: (I,83o) ist die Textstelle (83o) aus Kapitel I, oder: (o,11o) für die Textstelle (11o) aus § o, der zu keinem Kapitel gehört.

Das logische Ende eines Satzes (oder Korollars etc.), einschließlich Beweis, wird durch das Zeichen " QED " angezeigt; kürzere Beweise im Text werden durch " qed " abgeschlossen.

Wir bemerken noch, daß wir aus technischen Gründen nicht zwischen den Symbolen "O" und "o" unterscheiden. Ferner findet man das Multiplikationszeichen "·" stets am unteren Ende der Zeile; also " a.b " statt " a·b " .

Außer den allgemein üblichen Abkürzungen verwenden wir die folgenden Abkürzungen:
" Th. " = Theorem (wichtiger Satz); " Vor. " = Voraussetzung; " Kor. " = Korollar (Folgerung);"Beh." = Behauptung ; "Ann." = Annahme; "p." = Seite ; " OBdA. " = ohne Beschränkung der Allgemeinheit (unwesentliche Beschränkung einer Voraussetzung); "Def." = Definition; "Beisp." = Beispiel; "Bem." = Bemerkung; "Wspr." = = Widerspruch; "Ind." = vollständige Induktion; "l.a." = linear abhängig; "l.u." = linear unabhängig

§ 0 : Überblick über logische Symbole und Mengensymbole

Zu Beginn geben wir einen Überblick über die elementaren Symbole, die wir im Laufe des Buches verwenden. Wir legen keinen Wert auf Vollständigkeit oder Systematik. Der Leser sollte prinzipiell mit allem, was in § 0 enthalten ist, bereits vertraut sein. Daher ist es nicht unbedingt erforderlich § 0 vollständig durchzuarbeiten.

A und B seien Aussagen, etwa:

A_1: "2 ist eine natürliche Zahl" oder

A_2: "Deutschland liegt in Europa" oder

A_3: "Frankreich liegt in Asien" .

A_1 und A_2 sind richtige Aussagen, A_3 ist eine falsche Aussage.

Wir können nun mit Hilfe der logischen Symbole

$\wedge, \vee, \neg, \Rightarrow, \Leftrightarrow$

neue Aussagen bilden:

$A \wedge B$, gelesen: "A und B". (10)

Die Aussage $A \wedge B$ ist richtig genau dann, wenn sowohl die Aussage A als auch die Aussage B richtig ist.

Beispiel: Wir verwenden die Aussagen A_1, A_2, A_3 von oben.

$A_1 \wedge A_2$ ist richtig.

$A_1 \wedge A_3$: "2 ist eine natürliche Zahl, und Frankreich liegt in Asien" ist falsch.

$A \vee B$, gelesen: "A oder B" (20)

Die Aussage $A \vee B$ ist richtig genau dann, wenn eine der beiden Aussagen A oder B richtig ist. ("oder" ist also zu unterscheiden von "entweder-oder").

Beispiel: Die Aussage $A_2 \vee A_3$: "Deutschland liegt in Europa, oder Frankreich liegt in Asien" ist richtig, da die Aussage A_2 richtig ist.

$\neg A$, gelesen: "non A" oder "nicht A" oder "Negation von A". (30)

Die Aussage $\neg A$ ist richtig genau dann, wenn die Aussage A falsch ist.

$A \Rightarrow B$, gelesen: "A impliziert B" oder "Aus A folgt B". (40)

Die Aussage $A \Rightarrow B$ ist falsch genau dann, wenn die Aussage A wahr und die Aussage B falsch ist (in allen anderen Fällen also richtig).

$A \Leftrightarrow B$, gelesen: "A ist äquivalent zu B". (50)

Die Aussage $A \Leftrightarrow B$ ist richtig genau dann, wenn die Aussagen A und B richtig sind oder die Aussagen A und B falsch sind.

Wir wollen nun den Zusammenhang dieser fünf logischen Symbole mit den entsprechenden Mengensymbolen beschreiben.

Zunächst eine Bemerkung zur Schreibweise:
Ein ":" vor einem logischen Zeichen heißt immer "per definitionem".
Zum Beispiel: $x := 2$ bedeutet: "x sei per definitionem gleich 2".
$A :\Leftrightarrow B$, wo A und B Aussagen sind, heißt: "Die Aussage A gelte per definitionem genau dann, wenn die Aussage B gilt."

Sei eine Menge M gegeben. Wenn x in M enthalten ist, sagen wir: "x ist Element von M" und schreiben:

$x \in M$

Entsprechend: x ist nicht Element von M: $x \notin M$.
Mit Hilfe von logischen Symbolen können wir dann also folgendermaßen schreiben:

$x \notin M \;:\Leftrightarrow\; \neg(x \in M)$.

Haben wir eine Aussage, in der die Variable x vorkommt, so schreiben wir dafür auch A(x).

<u>Beispiel</u>: A(x) ist die Aussage: $x \neq 2$
" " " " : x ist eine ganze Zahl
" " " " : x ist eine natürliche Zahl und ist teilbar durch 16

Mit Hilfe einer Aussage A(x) und einer Menge M könner wir eine neue Menge B bilden, wie folgt:
x_0 sei Element von B genau dann, wenn $x_0 \in M$ und die Aussage $A(x_0)$ richtig ist.

Man verwendet dafür folgende Schreibweise:

$$B := \{x_0 \in M \mid A(x_0)\} \tag{60}$$

Oft läßt man auch die Menge M weg und definiert

$$C := \{x_0 \mid A'(x_0)\} ,$$

wo $A'(x_0)$ eine Aussage über x_0 ist.
x_0 ist dann Element von C genau dann, wenn $A'(x_0)$ richtig ist.

<u>Beispiel</u>: a) Sei $\mathbb{Z}$ die Menge der ganzen Zahlen. Dann sei $B := \{x \in \mathbb{Z} \mid x^2 = 9\}$
Die Menge B besteht dann genau aus den ganzen Zahlen 3 und -3.

b) Sei $\mathbb{R}$ die Menge der reellen Zahlen. Dann sei $B := \{x \in \mathbb{R} \mid x \geqslant 0 \wedge x \in \mathbb{Z}\}$.
Dann ist $B = \mathbb{N}$ der Menge der natürlichen Zahlen (einschließlich der Null).

c) $C := \{x \mid x \in \mathbb{Z} \wedge x \neq 2\}$.
Dann ist C gleich der Menge der ganzen Zahlen, die von 2 verschieden sind.

Endliche Mengen definiert man oft auch dadurch, daß man explizit die einzelnen Elemente aufzählt, etwa

$$B := \{-2, \{1, \text{Apfelbaum}\}, 1/3, \text{Bierglas}\}$$

Die Menge B hat also als Elemente die Zahlen -2, 1/3, die Menge $\{1, \text{Apfelbaum}\}$ und das Element "Bierglas".

Seien nun zwei Mengen A und B gegeben. Betrachten wir die Aussagen

$\tilde{A}(x) := (x \in A)$ und

$\tilde{B}(x) := (x \in B)$

Offensichtlich gilt:

$$A = \{x \mid \tilde{A}(x)\} \wedge B = \{x \mid \tilde{B}(x)\}$$

Wir können nun mit Hilfe der logischen Symbole (10) bis (30) die Aussagen $\tilde{A}(x)$ und $\tilde{B}(x)$ verknüpfen und mit Hilfe von (60) neue Mengen bilden:

$$A \cap B := \{x \mid \tilde{A}(x) \wedge \tilde{B}(x)\} = \{x \mid x \in A \wedge x \in B\} \qquad (10')$$

heißt der <u>Durchschnitt</u> der Mengen A, B. Diese Menge besteht also aus allen Elementen, die sowohl in A als auch in B enthalten sind.

$$A \cup B := \{x \mid \tilde{A}(x) \vee \tilde{B}(x)\} = \{x \mid x \in A \vee x \in B\} \qquad (20')$$

heißt die <u>Vereinigung</u> der Mengen A, B. Diese Menge besteht also aus allen Elementen, die in A oder in B liegen.

In (30) müssen wir aus logischen Gründen vermeiden, den Ausdruck

$$\{x \mid \neg\tilde{A}(x)\} = \{x \mid x \notin A\}$$

zu betrachten. Die Gründe dafür können wir hier nicht erläutern. Wir wollen vielmehr bei (30) immer noch eine weitere Grundmenge B hinzunehmen und können dann definieren:

$$B \setminus A := \{x \in B \mid \neg\tilde{A}(x)\} = \{x \in B \mid x \notin A\} \qquad (30')$$

$B \setminus A$ heißt <u>Komplementärmenge</u> von A in B und enthält alle Elemente von B, die nicht in A liegen.

Es ist nützlich, sich diese drei elementaren Mengenoperationen zu veranschaulichen. Wir denken uns die Mengen A und B als ebene Flächenstücke:

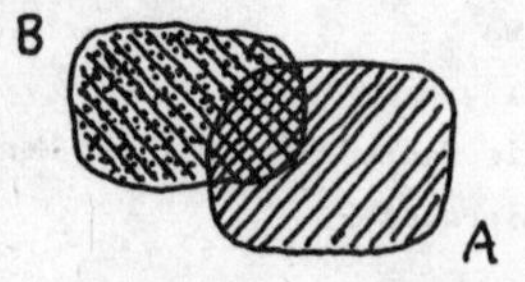

Dann ist $A \cup B$ das ganze Flächenstück, $A \cap B$ das doppelt schraffierte Stück und $B \setminus A$ das gepunktete Stück.

Seien die Mengen A, B gegeben.

A heißt Teilmenge von B, in Zeichen: $A \subset B$, wenn gilt

$$x \in A \Rightarrow x \in B \tag{70}$$

Beispiel: Die natürlichen Zahlen $\mathbb{N}$ sind eine Teilmenge der ganzen Zahlen $\mathbb{Z}$, die wiederum eine Teilmenge der rationalen Zahlen $\mathbb{Q}$ sind, die wiederum eine Teilmenge der reellen Zahlen $\mathbb{R}$ sind.

Zwei Mengen A, B wollen wir gleich nennen, in Zeichen $A = B$, wenn sie dieselben Elemente enthalten; d.h. also:

$$A = B :\Leftrightarrow (x \in A \Leftrightarrow x \in B)$$

Nach (70) haben wir damit:

$$A = B \Leftrightarrow A \subset B \wedge B \subset A$$

Man beachte, daß $A \subset B$ auch bedeuten kann, daß $A = B$ gilt.
Wenn $A \subset B$ ist, aber $A \neq B$, so nennen wir A auch echte Teilmenge von B und schreiben dafür: $A \subsetneqq B$.

Beispiel: a) $\{1, 3, -7, \text{Apfel}\} = \{\text{Apfel}, 1, 3, -7\}$

b) $\{-7, \text{Apfel}\} \subsetneqq \{1, 3, -7, \text{Apfel}\}$

Erwähnen wir noch einige Beispiele von Mengen:

a) Die leere Menge, Standardbezeichnung: $\emptyset$, ist die Menge, die kein Element enthält. Sie läßt sich etwa definieren durch

$$\emptyset := \{x \mid x \neq x\}.$$

Die leere Menge ist offensichtlich Teilmenge jeder Menge.

Als Übung zeige man: $\emptyset$ ist die einzige Menge, die in jeder Menge enthalten ist.

Die leere Menge läßt sich also dadurch eindeutig charakterisieren.

b) Sei M eine Menge. Die Potenzmenge $\mathfrak{P}(M)$ sei definiert durch

$$\mathfrak{P}(M) := \{A \mid A \subset M\}$$

Die Elemente in $\mathfrak{P}(M)$ sind also genau die Teilmengen von M.

Speziell ist $M \in \mathfrak{P}(M) \wedge \emptyset \in \mathfrak{P}(M)$.

c) Für einige Mengen, die im Text oft verwendet werden, verwenden wir Standardbezeichnungen:

$\mathbb{N}$ sei die Menge aller natürlichen Zahlen (einschließlich der Null)

$\mathbb{Z}$ sei die Menge der ganzen Zahlen

$\mathbb{Q}$ sei die Menge der rationalen Zahlen

$\mathbb{R}$ sei die Menge der reellen Zahlen

$\mathbb{C}$ sei die Menge der komplexen Zahlen

Grundkenntnisse über $\mathbb{N}$, $\mathbb{Z}$, $\mathbb{Q}$, $\mathbb{R}$ werden vorausgesetzt; komplexe Zahlen werden wir an späterer Stelle definieren.

Lassen wir bei den eben definierten Mengen die Null weg, so setzen wir bei den entsprechenden Symbolen einen Stern dazu.

So ist etwa

$$\mathbb{R}^* = \mathbb{R} \setminus \{0\},$$

entsprechend: $\mathbb{N}^*$, $\mathbb{Z}^*$, $\mathbb{Q}^*$, $\mathbb{C}^*$.

Betrachten wir bei diesen Mengen alle Zahlen, die größer oder gleich Null sind, so fügen wir ein "+" hinzu:

$$\mathbb{Z}^+ := \{x \in \mathbb{Z} \mid x \geqslant 0\}.$$

Entsprechend $\mathbb{R}^+$, $\mathbb{Q}^+$.

Analog verwenden wir das Zeichen "-":

$$\mathbb{Z}^- := \{x \in \mathbb{Z} \mid x \leqslant 0\}.$$

Entsprechend: $\mathbb{R}^-$, $\mathbb{Q}^-$.

Wir haben nun noch zwei logische Symbole nachzutragen, die in gewisser Weise eine Verallgemeinerung von "$\wedge$" und "$\vee$" sind:

$\bigwedge$ heißt Allquantor und tritt in folgender Form auf:

$$\bigwedge_{x \in M} A(x).$$

M ist dabei eine Menge und A(x) eine Aussage über x.

Man liest: Für alle $x \in M$ gilt A(x).

Beispiel: a) $\bigwedge_{x \in \mathbb{N}} (x \in \mathbb{Z} \wedge x \geqslant 0)$ ist eine richtige Aussage.

b) $\bigwedge_{x \in \mathbb{Z}} x \in \mathbb{N}$ ist eine falsche Aussage.

$\bigvee$ heißt Existenzquantor und tritt in folgender Form auf:

$$\bigvee_{x \in M} A(x).$$

M ist eine Menge und A(x) eine Aussage über x.

Man liest: Es gibt ein $x \in M$, für das A(x) gilt.

Beispiel: a) $\bigvee_{x \in \mathbb{N}} (x \in \mathbb{Z} \wedge x \geqslant 0)$ ist richtig.

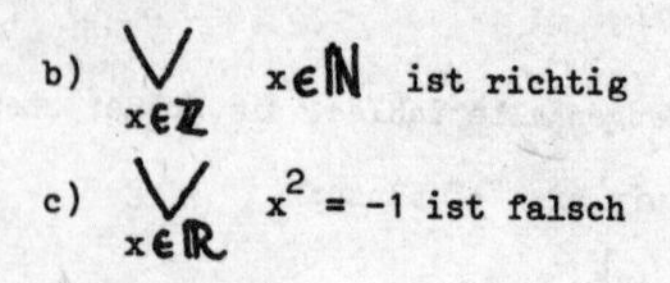

b) $\bigvee_{x \in \mathbb{Z}} x \in \mathbb{N}$ ist richtig

c) $\bigvee_{x \in \mathbb{R}} x^2 = -1$ ist falsch

In Zusammenhang mit dem Existenzquantor verwendet man auch die Bezeichnung

$$\overset{\wedge}{\bigvee_{x \in M}} A(x)$$

und liest: es gibt <u>genau</u> ein $x \in M$, für das $A(x)$ gilt.

Die genaue Definition ist:

$$\overset{\wedge}{\bigvee_{x \in M}} A(x) :\Leftrightarrow \left[\bigvee_{x \in M} A(x) \wedge ((y \in M \wedge A(y)) \Rightarrow x = y) \right]$$

<u>Beispiel</u>: $\overset{\wedge}{\bigvee_{x \in \mathbb{Z}}} x^2 = 9$ ist eine falsche Aussage

$\overset{\wedge}{\bigvee_{x \in \mathbb{N}}} x^2 = 9$ ist dagegen eine richtige Aussage.

Wir erwähnten eben, daß $\bigwedge, \bigvee$ in gewisser Weise Verallgemeinerungen von $\wedge$ bzw. $\vee$ sind. Illustrieren wir den Zusammenhang an einem Beispiel:

Sei $M = \{x_1, x_2, x_3, x_4\}$. Dann ist

$$\bigwedge_{x \in M} A(x) \Leftrightarrow \left[(A(x_1) \wedge A(x_2)) \wedge A(x_3) \right] \wedge A(x_4)$$

$$\bigvee_{x \in M} A(x) \Leftrightarrow \left[(A(x_1) \vee A(x_2)) \vee A(x_3) \right] \vee A(x_4)$$

Bemerken wir schließlich noch einige Rechenregeln für den Umgang mit logischen Symbolen und Mengensymbolen:

$\wedge$ und $\vee$ sind <u>assoziativ</u> (d.h., es kommt auf Klammerungen nicht an):

$$(A \vee B) \vee C \Leftrightarrow A \vee (B \vee C)$$
$$(A \wedge B) \wedge C \Leftrightarrow A \wedge (B \wedge C) \qquad (80)$$

entsprechend für die zugeordneten Mengensymbole:

$$(A \cup B) \cup C = A \cup (B \cup C)$$
$$(A \cap B) \cap C = A \cap (B \cap C) \qquad (80')$$

$\wedge$ und $\vee$ sind <u>kommutativ</u> (d.h., die Reihenfolge der Aussagen ist beliebig):

$$A \vee B \Leftrightarrow B \vee A$$
$$A \wedge B \Leftrightarrow B \wedge A \qquad (90)$$

entsprechend:

$$A \cup B = B \cup A$$
$$A \cap B = B \cap A \qquad (90')$$

$\wedge$ und $\vee$ verhalten sich distributiv zueinander, d.h., es gilt:

$$A \wedge (B \vee C) \Leftrightarrow (A \wedge B) \vee (A \wedge C)$$
$$A \vee (B \wedge C) \Leftrightarrow (A \vee B) \wedge (A \vee C) \qquad (100)$$

entsprechend:

$$A \cap (B \cup C) = (A \cap B) \cup (A \cap C)$$
$$A \cup (B \cap C) = (A \cup B) \cap (A \cup C) \qquad (100')$$

Für die Negation von Aussagen gilt folgendes:

$$\neg (A \wedge B) \Leftrightarrow (\neg A) \vee (\neg B)$$
$$\neg (A \vee B) \Leftrightarrow (\neg A) \wedge (\neg B) \qquad (110)$$

Entsprechend

$$\neg \Big[\bigwedge_{x \in M} A(x) \Big] \Leftrightarrow \bigvee_{x \in M} (\neg A(x))$$
$$\neg \Big[\bigvee_{x \in M} A(x) \Big] \Leftrightarrow \bigwedge_{x \in M} (\neg A(x)) \qquad (120)$$

<u>Beispiele</u>: a) Negieren wir die Aussage: Für alle $x \in M$ ist $x \in \mathbb{Z}$ und $x \geqslant 0$

(In Zeichen: $\bigwedge_{x \in M} (x \in \mathbb{Z} \wedge x \geqslant 0)$):

Es gibt ein $x \in M$, so daß $x \notin \mathbb{Z}$ oder $x < 0$

(In Zeichen: $\bigvee_{x \in M} (x \notin \mathbb{Z} \vee x < 0)$).

b) Negieren wir die Aussage: Es gibt ein $x \in M$, so daß $x \in \mathbb{Q}$ oder $x^2 = 3$
(In Zeichen: $\bigvee_{x \in M} (x \in \mathbb{Q} \vee x^2 = 3)$):
Für alle $x \in M$ gilt: $x \notin \mathbb{Q}$ und $x^2 \neq 3$
(In Zeichen: $\bigwedge_{x \in M} (x \notin \mathbb{Q} \wedge x^2 \neq 3)$)

Bemerken wir noch folgendes:

$$\neg(A \Rightarrow B) \Leftrightarrow A \wedge (\neg B) \tag{130}$$

$$(A \Rightarrow B) \Leftrightarrow [(\neg B) \Rightarrow (\neg A)] \tag{140}$$

Gleichung (130) läßt sich sofort zeigen, wenn man beachtet, daß

$$(A \Rightarrow B) \Leftrightarrow (\neg A) \vee B \qquad \text{(vgl. (40))}$$

Damit haben wir

$$\neg(A \Rightarrow B) \Leftrightarrow \neg[(\neg A) \vee B] \Leftrightarrow \neg(\neg A) \wedge (\neg B) \Leftrightarrow A \wedge (\neg B)$$

Gleichung (140) ist oft für Beweise nützlich. Soll die Richtigkeit von $A \Rightarrow B$ bewiesen werden, so kann man statt dessen $(\neg B) \Rightarrow (\neg A)$ beweisen.

Beispiel: Wir wollen zeigen: Sei $x \in \mathbb{R}$. Dann gilt:
$x^2 = 2 \Rightarrow x \notin \mathbb{N}$.
Wir zeigen statt dessen:
$x \in \mathbb{N} \Rightarrow x^2 \neq 2$.

Beweis: Wenn $x \in \mathbb{N}$, so ist $x = 0 \vee x = 1 \vee x \geq 2$
Für $x = 0$ ist $x^2 = 0 \neq 2$.
Für $x = 1$ ist $x^2 = 1 \neq 2$.
Für $x \geq 2$ ist $x^2 \geq 2^2 = 4 > 2$. Daher ist auch in diesen Fällen $x^2 \neq 2$.

Geben wir noch zwei Beispiele für Negationen von Aussagen:

a) $\bigwedge_{x \in \mathbb{R}} (x \geq 0 \Rightarrow x^2 = 3)$

Negiert: $\bigvee_{x \in \mathbb{R}} (x \geq 0 \wedge x^2 \neq 3)$

b) $\bigwedge_{x\in\mathbb{R}} \bigvee_{y\in\mathbb{Z}} \left[x - y \in \mathbb{Q} \wedge \left(\bigwedge_{z\in\mathbb{N}} z\cdot x\cdot y = 3 \right) \right]$.

Negiert:

$\bigvee_{x\in\mathbb{R}} \bigwedge_{y\in\mathbb{Z}} \left[x - y \notin \mathbb{Q} \vee \left(\bigvee_{z\in\mathbb{N}} z\cdot x\cdot y \neq 3 \right) \right]$.

Zum Abschluß dieses Paragraphen erläutern wir die Beweismethode der vollständigen Induktion:

Satz A: Sei $x_0 \in \mathbb{Z}$ gegeben. Sei $A(x)$ eine Aussage, die für alle $x \in \mathbb{Z}$ mit $x \geqslant x_0$ definiert sei.

Behauptung: Wenn gilt:

(i) $A(x_0)$

(ii) $\bigwedge_{x\in\mathbb{Z}} \left[(x \geqslant x_0 \wedge A(x)) \Rightarrow A(x+1) \right]$,

dann gilt:

$$\bigwedge_{x\in\mathbb{Z}} (x \geqslant x_0 \Rightarrow A(x))$$

Folgender wichtiger Spezialfall tritt meistens auf, den wir getrennt formulieren wollen:

Satz B: Sei $A(x)$ eine Aussage, die für alle $x \in \mathbb{N}$ definiert sei.

Behauptung: Wenn gilt:

(i) $A(0)$

(ii) $\bigwedge_{x\in\mathbb{N}} A(x) \Rightarrow A(x+1)$

dann gilt

$$\bigwedge_{x\in\mathbb{N}} A(x)$$

Satz A und Satz B beweisen wir nicht, da man äquivalente Bedingungen dazu bei einem systematischen Aufbau der natürlichen und ganzen Zahlen als Axiom vorraussetzen muß.

<u>Beispiel</u>: Wir wollen zeigen:

$$n^2 > 2n + 6 \quad \text{für alle } n \in \mathbb{N} \text{ mit } n \geq 4 \tag{150}$$

Nach Satz A haben wir zunächst (i), den sogenannten <u>Induktionsanfang</u>, zu zeigen:

In unserem Fall nehmen wir $x_0 = 4$. Dafür gilt:

$$16 = 4^2 > 2 \cdot 4 + 6 = 14,$$

d.h., die Aussage $n^2 > 2n + 6$ ist richtig für $n = 4$.

Wir zeigen nun (ii), den sogenannten <u>Induktionsschluß</u>:

Sei $m \in \mathbb{N}$, $m \geq 4$ und die Aussage für dieses m richtig (die sogenannte <u>Induktionsannahme</u>), d.h.,

$$m^2 > 2m + 6.$$

Wir haben zu zeigen: Die Aussage ist richtig für $m + 1$, d.h.,

$$(m+1)^2 > 2(m+1) + 6$$

Beweis: $(m+1)^2 = m^2 + 2m + 1 > 2m + 6 + 2m + 1$ nach Induktionsannahme

$= 2(m+1) + 2m + 5 > 2(m+1) + 6$, da $2m + 5 > 6$ für alle $m \geq 1$.

(Unser m hat ja sogar die Eigenschaft: $m \geq 4$)

Damit haben wir nach Satz A die Behauptung (150) bewiesen.

Der Leser, der mit dem Beweis durch vollständige Induktion noch nicht vertraut ist, beweise zur Übung die folgenden Behauptungen durch vollständige Induktion:

$$\bigwedge_{n \in \mathbb{N}} (n \geq 5 \Rightarrow 2^n > n^2) \tag{160}$$

$$\bigwedge_{a \in \mathbb{R}} \bigwedge_{b \in \mathbb{R}} \bigwedge_{n \in \mathbb{N}} (a \cdot b)^n = a^n b^n, \tag{170}$$

wobei definiert ist: $\bigwedge_{a \in \mathbb{R}} a^0 := 1$

$$\bigwedge_{n \in \mathbb{N}^*} \sum_{i=1}^{n} i = (n+1) \cdot \frac{n}{2} \tag{180}$$

$$\bigwedge_{a\in\mathbb{R}} \bigwedge_{b\in\mathbb{R}} \bigwedge_{n\in\mathbb{N}^*} (a+b)^n = \sum_{i=0}^{n} \binom{n}{i} a^{n-i}\cdot b^i \qquad (190)$$

("binomischer Lehrsatz"), wobei definiert sei:

$$\binom{n}{i} := \frac{n!}{i!(n-i)!} \quad \text{und}$$

$$n! := \prod_{i=1}^{n} i = 1\cdot 2\cdot 3\cdot \ldots \cdot n, \quad \text{sowie } 0! := 1.$$

Der Satz von der vollständigen Induktion läßt sich auch etwas anders formulieren (beachte den Unterschied bei (ii)!)

<u>Satz C</u>: Sei $x_0 \in \mathbb{Z}$ und $\mathbb{Z}_0 := \{x \in \mathbb{Z} \mid x \geqslant x_0\}$. Sei $A(x)$ eine Aussage, die für alle $x \in \mathbb{Z}_0$ definiert sei.

<u>Behauptung</u>: Wenn gilt:

(i) $A(x_0)$

(ii) $\bigwedge_{x\in\mathbb{Z}_0} \left[\bigwedge_{y\in\mathbb{Z}_0} (y < x \Rightarrow A(y)) \Rightarrow A(x) \right]$

dann gilt:

$$\bigwedge_{x\in\mathbb{Z}_0} A(x).$$

Bei Beweisen mit dieser Formulierung des Prinzips der vollständigen Induktion setzt man also in der Induktionsannahme sogar vorraus, daß die Aussage A für alle y richtig sei, die kleiner als ein bestimmtes $x \in \mathbb{Z}_0$ sind. Im Induktionsschluß zeigt man, daß dann die Aussage auch für dieses x richtig ist.

Kapitel I: Algebraische Grundbegriffe

§ 1: Mengen und Abbildungen

A, B seien Mengen. Unter einer Abbildung von A in B, in Zeichen

$$f: A \to B \tag{10}$$

verstehen wir ein Tripel (A, f, B), wo A, B Mengen sind und f eine Zuordnungsvorschrift, die jedem $x \in A$ genau ein $y \in B$ zuordnet. Für dieses eindeutig zugeordnete y schreibt man dann auch f(x). Dieses Element $y = f(x)$ nennt man das Bild von x (unter f). Etwas ungenauer bezeichnet man auch oft schon die Zuordnungsvorschrift f als Abbildung. Mißverständnisse sind dadurch allerdings kaum zu befürchten, da wir Abbildungen immer in der Form (10) angeben.
Die Menge A heißt auch Definitionsbereich der Abbildung f und die Menge B Wertebereich der Abbildung f.

Sei $y \in B$ gegeben. Jedes $x \in A$ mit $f(x) = y$ heißt Urbild von x (unter f).
Sei $x \in A$ und $y = f(x)$. Um auszudrücken, daß x durch die Abbildung f auf y abgebildet wird, schreibt man auch

$$f: x \mapsto y.$$

Man beachte, daß wir den einfachen Pfeil "$\to$" immer zwischen Definitionsbereich und Wertebereich der Abbildung f schreiben. Den Pfeil "$\mapsto$" schreiben wir immer zwischen solche Elemente (aus diesen Mengen), die durch die Abbildung aufeinander abgebildet werden.

Zwei Abbildungen

$$f: A \to B$$

$$g: C \to D$$

sind gleich genau dann, wenn gilt:

$$A = C \wedge B = D \wedge \bigwedge_{x \in A} f(x) = g(x) \tag{20}$$

Beispiele:

a) $f: \mathbb{N} \to \mathbb{Z}$
$x \mapsto -x$
ist eine Abbildung.

b) $f: \{A, B, C\} \longrightarrow \{D, E\}$
$A \longmapsto D$
$B \longmapsto E$
$C \longmapsto D$
ist eine Abbildung

c) $f: \{A, B, C\} \longrightarrow \{D, E\}$
$A \longmapsto D$
$B \longmapsto E$
ist keine Abbildung, da dem Element C kein Bild zugeordnet wurde.

d) $f: \mathbb{R} \to \mathbb{R}^+ = \{x \in \mathbb{R} \mid x \geqslant 0\}$
$x \mapsto |x|$
ist eine Abbildung.

e) $f: \mathbb{R} \to \mathbb{Z}$
$r \mapsto [r]$:= größte ganze Zahl, die kleiner oder gleich r ist,
ist eine Abbildung.

f) $f: \mathbb{R} \to \mathbb{R}$
$r \mapsto \sqrt{r}$
ist keine Abbildung, da für $r < 0$ die Abbildung nicht erklärt ist. Außerdem ist für $r > 0$ nicht erklärt, ob die positive oder negative Wurzel genommen werden soll. f läßt sich zu einer Abbildung machen, durch

g) $f: \mathbb{R}^+ \to \mathbb{R}^+$
$r \mapsto +\sqrt{r}$

h) $f: \mathbb{R} \to \mathbb{R}^+ \setminus \{0\}$

$r \mapsto e^r = \exp(r)$ (Exponentialabbildung)

ist eine Abbildung.

i) $f: M \longrightarrow \{1\}$

$m \longmapsto 1$

wo M eine beliebige Menge sei, ist eine Abbildung. Offensichtlich ist es die einzige Abbildung von M in $\{1\}$.

j) Sei M eine beliebige Menge. Dann gibt es genau eine Abbildung

$f: \emptyset \longrightarrow M$

Diese Abbildung mag zunächst etwas obskur erscheinen, aber tatsächlich erfüllt f alle Forderungen:

Wir müssen jedem Element $x \in \emptyset$ genau ein $y \in M$ zuordnen. Da $\emptyset$ aber kein Element enthält, brauchen wir auch nichts zuzuordnen.

Angenommen wir hätten eine zweite Abbildung

$g: \emptyset \longrightarrow M$,

so ist, da $\emptyset$ kein Element enthält, die Aussage (20) automatisch erfüllt, dh. es ist $f = g$. f ist also die einzige Abbildung von $\emptyset$ nach M.

f heißt auch die leere Abbildung.

k) Dagegen gibt es für $M \neq \emptyset$ keine Abbildung

$f: M \longrightarrow \emptyset$,

denn wir müssen ja jedem $x \in M$ ein $y \in \emptyset$ zuordnen. Das ist aber nicht möglich, da $\emptyset$ kein Element enthält.

Nach der Definition der Gleichheit von Abbildungen müssen wir zwischen den drei folgenden Abbildungen unterscheiden:

$$f: \mathbb{R} \to \mathbb{R}, \quad x \mapsto |x| \tag{30}$$

$$f: \mathbb{R}^+ \to \mathbb{R}, \quad x \mapsto |x| \tag{40}$$

$$f: \mathbb{R} \to \mathbb{R}^+, \quad x \mapsto |x| \tag{50}$$

Zwar handelt es sich in allen Fällen um dieselbe Zuordnungsvorschrift, aber die Mengen, zwischen denen die Abbildungen definiert sind, sind verschieden.

Sei $f:A\to B$ gegeben. Sei ferner $C\subset A \wedge D\subset B$. Dann definieren wir:

$$f(C) := \left\{y\in B \;\middle|\; \bigvee_{x\in C} f(x) = y\right\} \tag{60}$$

$f(C)$ ist also die Menge aller Bilder von Elementen aus C unter der Abbildung f.

$$f^{-1}(D) := \left\{x\in A \;\middle|\; f(x)\in D\right\} \tag{70}$$

$f^{-1}(D)$ ist also die Menge aller Urbilder von Elementen aus D unter der Abbildung f.

Falls $C = \{x\} \wedge D = \{y\}$ mit $x\in A \wedge y\in B$, so schreiben wir statt $f(\{x\})$ auch einfach $f(x)$ und statt $f^{-1}(\{y\})$ auch einfach $f^{-1}(y)$.

Seien A', A'' Teilmengen von A, und B', B'' Teilmengen von B, ferner $f:A\to B$ eine Abbildung. Dann gilt:

$$A'\subset A'' \Rightarrow f(A')\subset f(A'') \tag{80}$$
$$B'\subset B'' \Rightarrow f^{-1}(B')\subset f^{-1}(B'') \tag{90}$$

Beweisen wir dies kurz:

Sei $x\in f(A') \Rightarrow \bigvee_{y\in A'} f(y) = x \Rightarrow \bigvee_{y\in A''} f(y) = x$,

da nämlich $y\in A''$, weil $A'\subset A''$. $\Rightarrow\; x\in f(A'')$.

Sei $x\in f^{-1}(B') \Rightarrow f(x)\in B' \Rightarrow f(x)\in B''$, da $B'\subset B''$.

$\Rightarrow x\in f^{-1}(B'')$ <u>qed.</u>

<u>Beispiele</u>: Wir beziehen uns bei der Numerierung auf die vorhergehenden Beispiele nach (20).

a) $f(\mathbb{N}) = \{x\in \mathbb{Z} \mid x\leqslant 0\}$
$f^{-1}(-3) = \{3\}$
$f^{-1}(3) = \emptyset$

b) $f(\{A, C\}) = \{D\}$
$f^{-1}(D) = \{A, C\}$

d) Für $x \in \mathbb{R}^+ \setminus \{0\}$ ist
$f^{-1}(x) = \{x, -x\}$ und
$f^{-1}(0) = \{0\}$

e) $f(\mathbb{R}) = \mathbb{Z}$
Für $z \in \mathbb{Z}$: $f^{-1}(z) = \{r \in \mathbb{R} \mid z \leqslant r < z + 1\}$

g) $f^{-1}(r) = \{r^2\}$ für $r \in \mathbb{R}$

h) $f^{-1}(r) = \{\log(r)\}$
$f(\mathbb{R}) = \mathbb{R}^+ \setminus \{0\}$

i) $f^{-1}(1) = M$

j) $f^{-1}(M) = \emptyset$

An Beispiel e) sehen wir, daß für manche Abbildungen $f:A \rightarrow B$ gilt:
$f(A) = B$.
Bei anderen Abbildungen gilt das nicht (etwa Beispiel a)).
Daher definieren wir:

Definition 1.1: Eine Abbildung $f:A \rightarrow B$ heißt surjektiv, wenn gilt:
$f(A) = B$

An Beispiel g) sehen wir, daß es Abbildungen $f:A \rightarrow B$ gibt, wo für jedes $y \in f(A)$ gilt: $f^{-1}(y)$ besteht aus genau einem Element.
In diesem Fall hat jedes Bild genau ein Urbild. Allgemein braucht dies nicht zu gelten (vgl. etwa Beispiel b)).
Daher definieren wir:

<u>Definition 1.2</u>: Eine Abbildung $f:A \to B$ heißt <u>injektiv</u>, wenn gilt:

$$\bigwedge_{x,y \in A} f(x) = f(y) \Rightarrow x = y \qquad (100)$$

Nach (0.140) ist eine äquivalente Formulierung von (100) gegeben durch:

$$\bigwedge_{x,y \in A} x \neq y \Rightarrow f(x) \neq f(y) \qquad (110)$$

Diese Definition besagt: Wenn wir zwei Bilder, $f(x)$ und $f(y)$, gegeben haben, die gleich sind, so müssen auch die Ausgangselemente, x und y, gleich sein. Das bedeutet gerade, daß jedes Bild genau ein Urbild hat. Denn angenommen, wir wissen, daß $y \in f(A)$.
$\Rightarrow \bigvee_{x \in A} f(x) = y$. Angenommen, zu y gäbe es ein weiteres Urbild x', dh. $f(x') = y$, so folgt aus Def. 1.2: $x = x'$.
Das ist ein Widerspruch zu der Annahme, daß es zwei Urbilder zu y gibt.

Definieren wir schließlich noch:

<u>Definition 1.3</u>: Eine Abbildung $f:A \to B$ heißt <u>bijektiv</u>, wenn f surjektiv und injektiv ist.

In diesem Fall hat also jedes $y \in B$ genau ein Urbild $x \in A$.
Daher läßt sich bei einer bijektiven Abbildung f eine Abbildung

$f^{-1}:B \to A$ definieren durch

$y \mapsto x$ mit $f(x) = y$.

f^{-1} heißt die <u>inverse</u> Abbildung zu f oder auch die <u>Umkehrabbildung</u> von f. Man beachte, daß wir dafür dasselbe Symbol verwenden wie in (70).

<u>ACHTUNG</u>: f^{-1} ist nur dann als Abbildung zu verstehen, wenn f bijektiv ist.

Diese Übereinkunft, in beiden Fällen das Symbol f^{-1} zu verwenden, kann nicht zu Mißverständnissen führen, denn falls $f:A \to B$ eine bijektive Abbildung ist und $D \subset B$, so ist $f^{-1}(D)$ in beiden Fällen dieselbe Menge, ganz gleich, wie das Symbol f^{-1} aufgefaßt wird.

<u>Beispiele</u>: Wir beziehen uns wieder auf die Numerierung der Beispiele nach (20):

a) f ist injektiv, denn falls $f(x) = f(y)$ für $x, y \in \mathbb{N}$, d.h. $-x = -y$, so folgt: $x = y$.
f ist nicht surjektiv, denn alle positiven ganzen Zahlen haben kein Urbild.

b) f ist surjektiv, aber nicht injektiv, denn D hat die Urbilder A und C.

d) f ist surjektiv, denn für $x \in \mathbb{R}^+$ ist $x \in \mathbb{R}$ Urbild, da $|x| = x$.
f ist nicht injektiv, denn für $x \in \mathbb{R}^+ \setminus \{0\}$ ist $|x| = x \wedge |-x| = x$.

e) f ist surjektiv, denn für $z \in \mathbb{Z}$ ist $z \in \mathbb{R}$ Urbild.
f ist nicht injektiv, denn für $z \in \mathbb{Z}$ ist etwa

$$[z] = z$$
$$[z + \tfrac{1}{2}] = z$$

g) f ist surjektiv , denn für $r \in \mathbb{R}^+$ ist $r^2 \in \mathbb{R}^+$ Urbild.
f ist injektiv, denn falls $+\sqrt{r} = +\sqrt{s} \Rightarrow r = s$.
f ist also sogar bijektiv, und die inverse Abbildung ist gegeben durch:

$$f^{-1}: \mathbb{R}^+ \rightarrow \mathbb{R}^+$$
$$r \mapsto r^2$$

h) f ist injektiv, denn falls $e^r = e^s \Rightarrow e^{r-s} = 1 \Rightarrow r - s = 0 \Rightarrow r = s$.
f ist surjektiv, denn zu $x \in \mathbb{R}^+ \setminus \{0\}$ ist $\log x$ Urbild, da $\exp(\log x) = x$. Falls die Logarithmusfunktion noch nicht als bekannt vorausgesetzt ist, läßt sich auch anders argumentieren: In der Infinitesimalrechnung wird gezeigt, daß exp eine stetige Abbildung ist. Ferner zeigt man: $\lim\limits_{x \to \infty} \exp(x) = \infty$ und $\lim\limits_{x \to -\infty} \exp(x) = 0$
Nach dem Zwischenwertsatz folgt dann direkt, daß exp surjektiv ist. Daher ist unser $f = \exp$ sogar bijektiv, und die Umkehrabbildung ist

gegeben durch

$$f^{-1}: \mathbb{R}^+ \setminus \{0\} \longrightarrow \mathbb{R}$$
$$x \longmapsto \log x$$

i) f ist surjektiv, falls $M \neq \emptyset$.
f ist genau dann injektiv, falls M aus genau einem Element besteht.
f ist also genau dann bijektiv, wenn M aus genau einem Element besteht.

j) f ist genau dann surjektiv, wenn $M = \emptyset$.
f ist allerdings immer injektiv, denn "jedes" Bild (nämlich gar keines) hat ein Urbild. f ist also genau dann bijektiv, wenn $M = \emptyset$.

l) Verdeutlichen wir uns die Begriffe injektiv, surjektiv, bijektiv noch einmal am Beispiel von Abbildungen zwischen endlichen Mengen:

$$f: \{I, II, III, IV\} \longrightarrow \{A, B, C, D\}$$
$$I \longmapsto C$$
$$II \longmapsto A$$
$$III \longmapsto B$$
$$IV \longmapsto C$$

ist weder injektiv noch surjektiv.

$$f: \{I, II, III, IV\} \longrightarrow \{A, B, C\}$$
$$I \longmapsto A$$
$$II \longmapsto C$$
$$III \longmapsto B$$
$$IV \longmapsto C$$

ist surjektiv, aber nicht injektiv.

$$f: \{I, II, III\} \longrightarrow \{A, B, C, D\}$$
$$I \longmapsto D$$
$$II \longmapsto B$$
$$III \longmapsto C$$

ist injektiv, aber nicht surjektiv.

$$f: \{I, II, III, IV\} \longrightarrow \{A, B, C, D\}$$
$$\begin{aligned} I &\longmapsto B \\ II &\longmapsto C \\ III &\longmapsto A \\ IV &\longmapsto D \end{aligned}$$

ist bijektiv.

$f:A \to B$ und $g:B \to C$ seien Abbildungen. Dann können wir eine Abbildung

$$g \circ f: A \to C \qquad \text{definieren durch}$$
$$a \mapsto g(f(a)),$$

d.h. also:

$$(g \circ f)(a) := g(f(a)).$$

$g \circ f$ heißt die durch Hintereinanderausführen von f und g entstandene Abbildung. Oft lassen wir auch das Zeichen "$\circ$" weg und schreiben einfach gf.

Sei A eine beliebige Menge. Dann gibt es immer die <u>identische Abbildung</u>

$$id_A: A \to A$$
$$a \mapsto a$$

id_A ist offe.bar bijektiv.

Wir zeigen nun einige einfache Sätze über Abbildungen:

<u>Satz 1.4</u>: Seien $f:A \to B$, $g:B \to C$ Abbildungen

Wenn dann f und g $\left\{\begin{matrix}\text{injektiv}\\ \text{surjektiv}\\ \text{bijektiv}\end{matrix}\right\}$ sind, so ist

$$g \circ f: A \to C \quad \left\{\begin{matrix}\text{injektiv}\\ \text{surjektiv}\\ \text{bijektiv}\end{matrix}\right\}.$$

<u>Beweis</u>: (i) Injektivität: Wir haben zu zeigen:

$$\bigwedge_{x,y \in A} (g \circ f)(x) = (g \circ f)(y) \Longrightarrow x = y.$$

Sei also für $x, y \in A$:

$(g \circ f)(x) = (g \circ f)(y) \Rightarrow g(f(x)) = g(f(y)) \Rightarrow f(x) = f(y)$, da g injektiv.

$\Rightarrow x = y$, da f injektiv.

(ii) Surjektivität: Wir haben zu zeigen:

$$\bigwedge_{y \in C} \bigvee_{x \in A} (g \circ f)(x) = y$$

Sei also $y \in C$ gegeben. Da g surjektiv ist, gibt es ein $z \in B$ mit $g(z) = y$. Da f surjektiv ist, gibt es ein $x \in A$ mit $f(x) = z$.

$\Rightarrow (g \circ f)(x) = g(f(x)) = g(z) = y$.

(iii) Bijektivität: folgt aus (i) und (ii). QED

Satz 1.5: $f:A \to B$ sei bijektiv. Sei $f^{-1}:B \to A$ die Umkehrabbildung.

Dann ist

$$f \circ f^{-1} = id_B$$
$$f^{-1} \circ f = id_A$$

Beweis: Ergibt sich unmittelbar aus der Definition von f^{-1}. QED

Satz 1.6: $f:A \to B$, $g:B \to A$ seien Abbildungen.

Behauptung: $f \circ g = id_B \Rightarrow$ g ist injektiv, und f ist surjektiv.

Beweis: Sei $g(x) = g(y)$ mit $x, y \in B$

$\Rightarrow x = id_B(x) = (f \circ g)(x) = f(g(x)) = f(g(y)) = (f \circ g)(y) =$
$= id_B(y) = y$

$\Rightarrow$ g injektiv.

Sei $x \in B$. Ein Urbild zu x unter der Abbildung f ist das Element $g(x) \in A$; denn $f(g(x)) = (f \circ g)(x) = id_B(x) = x$

$\Rightarrow$ f surjektiv. QED

Damit haben wir unmittelbar:

Korollar 1.7: $f:A \to B$ ist genau dann bijektiv, wenn es eine Abbildung $g:B \to A$ gibt mit

$$f \circ g = id_B \wedge g \circ f = id_A.$$

<u>Beweis</u>: Wenn f bijektiv ist, setze $g := f^{-1}$ und verwende Satz 1.5. Die Umkehrung folgt aus Satz 1.6. <u>QED</u>

Notieren wir schleißlich noch:

<u>Korollar 1.8</u>: Wenn $f:A \to B$ bijektiv ist, so ist $f^{-1}:B \to A$ bijektiv und $(f^{-1})^{-1} = f$.

<u>Beweis</u>: Daß f^{-1} bijektiv ist, folgt direkt aus Satz 1.5 und Korollar 1.7. Ferner ist nach Satz 1.5:

$$f^{-1} \circ (f^{-1})^{-1} = id_A$$
$$\Rightarrow f \circ (f^{-1} \circ (f^{-1})^{-1}) = f \circ id_A$$
$$\Rightarrow (f \circ f^{-1}) \circ (f^{-1})^{-1} = f$$
$$\Rightarrow id_B \circ (f^{-1})^{-1} = f$$
$$\Rightarrow (f^{-1})^{-1} = f$$

<u>QED</u>

<u>Bemerkung</u>: Man beachte, daß wir im Beweis die "Assoziativität" der Hintereinanderausführung von Abbildungen benutzt haben, dh. es gilt: $f \circ (g \circ h) = (f \circ g) \circ h$ für Abbildungen f, g, h, für die dieser Ausdruck überhaupt definiert ist. Diese Eigenschaft folgt unmittelbar aus der Definition von "$\circ$".

Wenn die Abbildung $f:A \to B$ nicht bijektiv ist, so hat es zwar keinen Sinn von "f^{-1}" zu sprechen, aber wie wir unter (70) definiert haben, ist der Ausdruck $f^{-1}(D)$ für $D \subset B$ sinnvoll. Falls f bijektiv ist, wissen wir aus Satz 1.5, daß

$$\bigwedge_{D \in \mathfrak{P}(B)} f\, f^{-1}(D) = D \quad \text{und}$$
$$\bigwedge_{C \in \mathfrak{P}(A)} f^{-1} f(C) = C$$

Der folgende Satz gibt Auskunft über den allgemeinen Fall, wo f nicht notwendig bijektiv ist:

Satz 1.9: Sei $f:A \to B$ eine Abbildung. Dann gilt:

(i) $\bigwedge_{D \in \mathcal{P}(B)} \quad f\,f^{-1}(D) \subset D$

(ii) $\bigwedge_{C \in \mathcal{P}(A)} \quad f^{-1}\,f(C) \supset C$

Zusatz: Gleichheit gilt in (i) genau dann, wenn f surjektiv ist und in (ii) genau dann, wenn f injektiv ist.

Beweis: (i) Sei $x \in f\,f^{-1}(D) \underset{(60)}{\Longrightarrow} \bigvee_{y \in f^{-1}(D)} f(y) = x$

Da $y \in f^{-1}(D) \underset{(70)}{\Longrightarrow} f(y) \in D \Rightarrow x \in D$. Damit gilt: $f\,f^{-1}(D) \subset D$.

(ii) Sei $x \in C \Rightarrow f(x) \in f(C) \Rightarrow x \in f^{-1}\,f(C)$ nach der Def. (70).
Damit gilt: $C \subset f^{-1}\,f(C)$

Beweis der Zusätze: (i) Sei f surjektiv. Sei $x \in D$
$\Rightarrow \bigvee_{y \in A} f(y) = x \Rightarrow f(y) \in D \underset{(70)}{\Longrightarrow} y \in f^{-1}(D) \Rightarrow x = f(y) \in f\,f^{-1}(D)$.
Damit gilt: $D \subset f\,f^{-1}(D)$.

Wir haben nun zu zeigen, daß die Gleichheit i.a. nicht gilt, falls f nicht surjektiv ist:
Da f nicht surjektiv ist, gilt: $f(A) \neq B$. Sei $D := B \setminus f(A)$.
Dann ist $D \neq \emptyset$ und $f^{-1}(D) = \emptyset$, da ja D keine Bilder enthält.
$\Longrightarrow f\,f^{-1}(D) = f(\emptyset) = \emptyset$, aber $D \neq \emptyset$.

(ii) Sei f injektiv. Sei $x \in f^{-1}\,f(C) \underset{(70)}{\Longrightarrow} f(x) \in f(C)$
$\underset{(60)}{\Longrightarrow} \bigvee_{y \in C} f(y) = f(x) \Rightarrow y = x$, da f injektiv.
Da $y \in C$ ist, folgt: $x \in C$. Damit gilt: $f^{-1}\,f(C) \subset C$.

Wir haben nun zu zeigen, daß die Gleichheit i.a. nicht gilt, falls f nicht injektiv ist:
Da f nicht injektiv ist, gibt es Elemente $x, y \in A$ mit $x \neq y$, aber $f(x) = f(y)$. Sei $C := \{x\}$. Dann ist $f^{-1}\,f(C) = f^{-1}(f(x)) \supset \{x,y\}$
$\Longrightarrow f^{-1}\,f(C) \neq C$ QED

Sei eine Abbildung $f:A \rightarrow B$ gegeben. Wenn $C \subset A$ ist, erhalten wir aus f sofort eine Abbildung

$\tilde{f}:C \rightarrow B$ durch

$c \mapsto f(c)$.

$\tilde{f}$ stellt dieselbe Zuordnungsvorschrift wie f dar, nur daß sie lediglich auf Elemente von C angewendet wird. Man sagt, $\tilde{f}$ entstehe durch "Einschränkung von f auf C". Man schreibt für diese Abbildung $f|_C$.

Wir wollen im folgenden immer genau zwischen f und $f|_C$ unterscheiden. $f|_C$ läßt sich auch auf etwas andere Weise definieren. Beachten wir, daß wir wegen $C \subset A$ die kanonische Abbildung

$i_C:C \rightarrow A$

$c \mapsto c$

haben, die sogenannte Inklusionsabbildung. Dann läßt sich $f|_C$ definieren durch:

$$f|_C := f \circ i_C \qquad (120)$$

Wir haben durch Einschränkung des Definitionsbereiches einer Abbildung eine neue Abbildung erhalten.

Ebenso können wir den Wertebereich einschränken. Im Unterschied zu dem Verfahren von eben können wir allerdings den Wertebereich nicht beliebig einschränken, da wir dafür sorgen müssen, daß der neue Wertebereich immer noch alle Bilder unter f enthält. Wenn wir aber ein $D \subset B$ gegeben haben mit $f(A) \subset D$, so können wir eine neue Abbildung

$\approx{f}:A \rightarrow D$ definieren durch

$a \mapsto f(a)$

Man sagt, $\approx{f}$ entstehe durch "Rechts-Einschränkung von f auf D". Für diese neue Abbildung wollen wir allerdings kein eigenes Symbol einführen.

Wenn $i_D:D \rightarrow B$ die Inklusionsabbildung ist, so gilt offenbar:

$f = i_D \circ \approx{f}$

Wir interessieren uns nun für Abbildungen zwischen endlichen Mengen. Wenn A eine endliche Menge ist, bezeichnen wir mit $|A|$ die Anzahl ihrer Elemente.

Satz 1.10: A, B seien endliche Mengen, $f:A \to B$ eine Abbildung.

(i) f injektiv $\Longrightarrow |A| \leq |B|$

Die Gleichheit gilt genau dann, wenn f sogar bijektiv ist.

(ii) f surjektiv $\Longrightarrow |A| \geq |B|$

Die Gleichheit gilt genau dann, wenn f sogar bijektiv ist.

Beweis: (i) Wir beweisen die erste Behauptung durch vollständige Induktion nach der Anzahl der Elemente von A.

Induktionsanfang: $|A| = 0$, dh. $A = \emptyset$. Dafür ist die Behauptung offenbar richtig.

Induktionsannahme: Sei $|A| = n$. Dann gilt: f injektiv $\Longrightarrow |A| \leq |B|$.

Induktionsschluß: Sei $|A| = n + 1$. Wir wählen ein beliebiges $x \in A$.

Behauptung: $f(A \setminus \{x\}) \subset B \setminus \{f(x)\}$.

Beweis: Sei $z \in f(A \setminus \{x\}) \Longrightarrow$ Es gibt ein $y \in A$ mit $y \neq x$, so daß $z = f(y)$. Wäre nun $f(y)$ gleich $f(x)$, so folgte wegen der Injektivität von f: $y = x$ Widerspruch. Also ist $z \neq f(x)$

$\Longrightarrow z \in B \setminus \{f(x)\}$ qed

Damit können wir die Abbildung

$$f|_{A\setminus\{x\}}: A \setminus \{x\} \longrightarrow B \setminus \{f(x)\}$$

betrachten. $f|_{A\setminus\{x\}}$ ist injektiv, da f injektiv ist. Ferner ist $|A \setminus \{x\}| = n$. Nach Induktionsannahme folgt:

$$n = |A \setminus \{x\}| \leq |B \setminus \{f(x)\}| = |B| - 1$$

$\Longrightarrow |A| = n + 1 \leq |B|$ qed

Zeigen wir noch: $|A| = |B| \Longrightarrow$ f surjektiv (und damit bijektiv). Wir greifen dazu auf den vorausgehenden Induktionsbeweis zurück. Für $A = \emptyset$ ist die Behauptung richtig (Induktionsanfang). Beim Induktionsschluß beachten wir, daß wegen $|A| = |B|$ auch $|A \setminus \{x\}| = |B \setminus \{f(x)\}|$ ist. Nach Induktionsannahme ist daher $f|_{A\setminus\{x\}}$ surjektiv. Damit ist auch $f:A \to B$ surjektiv, denn $f(x) \in B$ hat x als Urbild, und jedes $y \in B \setminus \{f(x)\}$ hat ein Urbild, da $f|_{A \setminus \{x\}} : A \setminus \{x\} \to B \setminus \{f(x)\}$ surjektiv ist.

(ii) Wir beweisen die erste Behauptung wieder durch vollständige Induktion nach $|A|$.

Der Induktionsanfang für $|A| = 0$ ist wiederum trivial, da dann $B = \emptyset$ sein muß.

Induktionsannahme: Die Behauptung ist richtig für $|A| = n$.

Induktionsschluß: Sei $|A| = n + 1$. Wähle $x \in A$. Dann gilt:

$$f(A \setminus \{x\}) \supset B \setminus \{f(x)\} \quad ; \tag{130}$$

denn sei $y \in B \setminus \{f(x)\}$. Da f surjektiv ist, gibt es ein $z \in A$ mit $f(z) = y$. Dieses z muß ungleich x sein, denn sonst wäre $y = f(z) = f(x) \notin B \setminus \{f(x)\}$. Das heißt: Jedes $y \in B \setminus \{f(x)\}$ hat ein Urbild in $A \setminus \{x\}$. $\Longrightarrow$ (130).

Wir machen jetzt eine Fallunterscheidung:

1. Fall: $f(A \setminus \{x\}) = B \setminus \{f(x)\}$

Dann ist die Abbildung $f|_{A \setminus \{x\}} : A \setminus \{x\} \to B \setminus \{f(x)\}$ surjektiv und nach Induktionsannahme folgt:

$$n = |A \setminus \{x\}| \geqslant |B \setminus \{f(x)\}| = |B| - 1$$

$$\Longrightarrow |A| = n + 1 \geqslant |B|$$

2. Fall: $f(A \setminus \{x\}) \neq B \setminus \{f(x)\}$

Wegen (130) muß dann gelten: $f(A \setminus \{x\}) = B$. Wiederum folgt nach Induktionsannahme: $n = |A \setminus \{x\}| \geqslant |B|$

$$\Longrightarrow |A| = n + 1 > |B| \quad , \tag{140}$$

insbesondere also: $|A| \geqslant |B|$ qed

Zeigen wir nun noch: $|A| = |B| \Longrightarrow f$ injektiv (und damit bijektiv).

Wir greifen wiederum auf den Induktionsbeweis von eben zurück.

Der Induktionsanfang ist trivial.

Im Induktionsschluß haben wir im Fall 1:

$f|_{A \setminus \{x\}} : A \setminus \{x\} \to B \setminus \{f(x)\}$ ist injektiv nach Induktionsannahme.

Dann ist auch $f: A \to B$ injektiv; denn sei $f(a) = f(b)$ mit $a, b \in A$.

Falls $a = x$ ist, folgt: $f(b) = f(x) \notin B \setminus \{f(x)\} \Longrightarrow b = x$.

Falls aber $a, b \in A \setminus \{x\}$, folgt $a = b$, da $f|_{A \setminus \{x\}}$ injektiv ist.

Fall 2 kann diesmal überhaupt nicht auftreten, denn wie wir aus (14O) sehen, muß dann notwendigerweise $|A| > |B|$ gelten. ged

Zu zeigen bleibt nun noch: f bijektiv $\Rightarrow |A| = |B|$.
Das ergibt sich aber unmittelbar aus den jeweils ersten Behauptungen in (i) und (ii). QED

Satz 1.11: A, B seien endliche Mengen. Dann gibt es genau

$|B|^{|A|}$ verschiedene Abbildungen von A nach B (mit der Konvention $0^0 := 1$).

Beweis: Wir führen den Beweis durch vollständige Induktion nach $|A|$. Sei $n := |A|$ und $m := |B|$.
Induktionsanfang: $n = 0 \Rightarrow A = \emptyset$. Dann gibt es genau $|B|^0 = 1$ verschiedene Abbildungen von A nach B, nämlich die leere Abbildung (vgl. Beispiel j) nach (20)).
Sei n = 1, dh. $A = \{x\}$. Dann gibt es offenbar $|B| = |B|^1$ verschiedene Abbildungen von $\{x\}$ nach B, da f(x) jeden beliebigen Wert in B annehmen kann. Exakt müßte man dies noch durch vollständige Induktion nach $|B|$ zeigen. Wir verzichten aber darauf, um den Beweis nicht unnötig zu komplizieren.
Sei die Behauptung für $|A| = n$ bereits bewiesen (Induktionsannahme).
Sei nun $|A| = n + 1$. B sei fest gewählt. Sei $x \in A$. Jede Abbildung $f:A \to B$ bestimmt zwei Abbildungen

$f|_{A\setminus\{x\}} : A\setminus\{x\} \to B$ und

$f|_{\{x\}} : \{x\} \to B$

Umgekehrt ist die Abbildung f durch Angabe von $f|_{A\setminus\{x\}}$ und $f|_{\{x\}}$ bereits bestimmt. Für $f|_{\{x\}}$ gibt es nach dem Induktionsanfang $|B|$ Möglichkeiten. Wählen wir eine dieser Möglichkeiten fest aus (aber beliebig). Dann gibt es dazu nach Induktionsannahme $|B|^n$ Möglichkeiten für die Abbildung $f|_{A\setminus\{x\}}$, da $|A\setminus\{x\}| = n$.

Insgesamt gibt es also $|B|^n \cdot |B| = |B|^{n+1}$ Möglichkeiten, eine Abbildung von A nach B zu definieren. QED

Satz 1.12: A, B seien endliche Mengen mit $|A| = |B|$.
Sei $n := |A| = |B|$. Dann gibt es genau $n!$ verschiedene bijektive Abbildungen von A auf B (mit der Konvention: $0! = 1$).

Beweis: Wir führen vollständige Induktion nach n aus:
Sei $n = 0 \Longrightarrow A = \emptyset \wedge B = \emptyset$. Es gibt genau eine bijektive Abbildung, nämlich die leere Abbildung.
Sei die Behauptung bewiesen für $|A| = n$.
Sei nun $|A| = n + 1$. Sei $x \in A$. Sei ferner $y := f(x)$. Dann induziert $f:A \longrightarrow B$ eine Abbildung $f|_{A \setminus \{x\}} : A \setminus \{x\} \longrightarrow B \setminus \{y\}$,
da wegen der Injektivität von f gilt: $f(A \setminus \{x\}) \subset B \setminus \{y\}$.
Da $|A \setminus \{x\}| = |B \setminus \{y\}|$ ist, ist $f|_{A \setminus \{x\}}$ sogar bijektiv (vgl. Satz 1.10, (i)). Umgekehrt ist f durch die Angabe dieser bijektiven Abbildung bereits eindeutig bestimmt.
Da $|A \setminus \{x\}| = |B \setminus \{y\}| = n$, gibt es nach Induktionsannahme $n!$ Möglichkeiten für die bijektive Abbildung $f|_{A \setminus \{x\}}$. Dies gilt für $y = f(x)$. Da $f(x)$ aber jeden beliebigen Wert in B annehmen kann, haben wir insgesamt

$$|B| \cdot n! = (n + 1) \cdot n! = (n + 1)!$$

Möglichkeiten für eine bijektive Abbildung $f:A \rightarrow B$. QED

§ 2: Familien

Sei M eine Menge und I eine Menge. Unter einer Familie (in M über I) verstehen wir eine Abbildung

$$\tau : I \to M \tag{150}$$

Statt $\tau(i)$ schreibt man auch τ_i.
Wenn aus dem Zusammenhang klar ersichtlich ist, welche Bedeutung M und I haben (oder wenn auf eine nähere Angabe über die Menge I verzichtet werden kann), sprechen wir auch einfach von einer Familie τ.
Eine Familie τ schreibt man auch kurz in der Form

$(\tau_i)_{i \in I}$ (anstelle der Schreibweise (150)) (160)

Man beachte, daß Familien nichts anderes als Abbildungen sind, lediglich die Sprechweise und Schreibweise ist eine andere.
Die Menge I bezeichnet man als Indexmenge der Familie τ.

Für folgende Spezialfälle sind eigene Namen gebräuchlich:
$I := \mathbb{N}$. Dann heißt τ eine Folge.
$I := [1, n] = \{ i \in \mathbb{N} \mid 1 \leqslant i \leqslant n \}$. Dann heißt τ ein n-Tupel; speziell für n = 2: Paar, für n = 3: Tripel, für n = 4: Quadrupel usw.
Bei n-Tupeln verwenden wir statt der Bezeichnung $(\tau_i)_{i \in [1, n]}$ auch die Schreibweise $(\tau_i)_{1 \leqslant i \leqslant n}$. Oft schreiben wir für ein n-Tupel auch $(\tau_1, \tau_2, \ldots, \tau_n)$. Damit ist das n-Tupel eindeutig beschrieben, denn wir haben angegeben, was einem beliebigen $i \in [1, n]$ als Bild zugeordnet werden soll, nämlich τ_i, das Element an der i-ten Stelle.

Zwei Familien τ, σ über derselben Indexmenge sind gleich, nach der allgemeinen Definition bei Abbildungen, wenn

$$\bigwedge_{i \in I} \tau_i = \sigma_i .$$

Speziell also für n-Tupel:

$$(\tau_1, \ldots, \tau_n) = (\sigma_1, \ldots, \sigma_n) \Leftrightarrow \bigwedge_{i \in [1, n]} \tau_i = \sigma_i$$

Jeder Menge M läßt sich in kanonischer Weise eine Familie zuordnen, nämlich die Familie $id_M : M \rightarrow M$

ACHTUNG: Wenn wir im folgenden Begriffe für Familien definieren, so seien damit zugleich die entsprechenden Begriffe für Mengen definiert, nämlich in der Weise, daß man der Menge die kanonische Familie zuordnet und darauf die Definition anwendet. Bei den ersten Begriffen, die wir für Familien definieren, werden wir darauf nochmals eingehen, später aber darauf verzichten.

Da sich vermöge der identischen Familie jede Menge als Familie auffassen läßt, kann man sich Familien auch als Verallgemeinerung von Mengen vorstellen. Bei Mengen hat es zum Beispiel keinen Sinn, von dem ersten, zweiten, oder i-ten Element zu sprechen, bei Familien ist das möglich. Ebenso kann bei Mengen nicht ein und dasselbe Element "mehrmals" vorkommen; diese Aussage ist nach Definition des Elementbegriffes von vornherein sinnlos. Dagegen können in Familien Elemente mehrmals vorkommen.

Illustrieren wir das an einem Beispiel:
Jeder Familie $(f_i)_{i \in I}$ können wir die Menge $\{f_i \mid i \in I\}$ zuordnen. Die Tripel (1, 2, 3) und (1, 3, 2) sind verschieden, dagegen sind die zugeordneten Mengen $\{1, 2, 3\}$ bzw. $\{1, 3, 2\}$ gleich. Ebenso sind natürlich die Tupel (1, 1, 2) und (1, 2) verschieden, allein schon, weil ihre Indexmengen verschieden sind. Dagegen sind die zugeordneten Mengen gleich, in beiden Fällen ist es nämlich die Menge $\{1, 2\}$.

Etwas ungenau nennt man bei einer Familie $(\tau_i)_{i \in I}$ die τ_i auch die Elemente der Familie. Anschaulich, aber etwas ungenau, kann man sich Familien also als "Mengen" vorstellen, bei denen es auf die "Reihenfolge der Elemente" ankommt und "Elemente mehrmals auftreten können".

Erwähnen wir schließlich noch einen wichtigen Spezialfall:

Sei M eine Menge, $m \in M$ und τ die folgende Familie

$$\tau : I \to M$$
$$i \mapsto m$$

Solche Familien heißen konstante Familien. Wir verwenden dafür die Bezeichnung

$$(m)_{i \in I}.$$

Oft ist es wichtig, daß in einer Familie alle Elemente paarweis voneinander verschieden sind; dh. für die Familie $(\tau_i)_{i \in I}$ soll gelten:

$$\tau_i \neq \tau_{i'} \text{ für } i \neq i'$$

Solche Familien nennen wir injektive Familien. Man beachte, daß dies nichts anderes bedeutet als die Injektivität der Abbildung $\tau : I \to M$.

Wir verallgemeinern nun die Begriffe Durchschnitt und Vereinigung:

Definition 2.1: Sei $(A_i)_{i \in I}$ eine Familie von Mengen.

Die Vereinigung dieser Familie sei definiert durch

$$\bigcup_{i \in I} A_i := \left\{ x \mid \bigvee_{i \in I} x \in A_i \right\}$$

Der Durchschnitt dieser Familie sei definiert durch

$$\bigcap_{i \in I} A_i := \left\{ x \mid \bigwedge_{i \in I} x \in A_i \right\}$$

Man beachte, daß wir für $I = \{1, 2\}$ unsere alte Definition aus § 0 für Durchschnitt und Vereinigung von zwei Mengen erhalten. Bemerken wir an dieser Stelle (und damit zum letzten Mal), wie diese Definition auf Mengen anzuwenden ist:

Definition 2.1': Sei $\mathfrak{M}$ eine Menge von Mengen. Die Vereinigung über diese Menge $\mathfrak{M}$ sei definiert durch

$$\bigcup_{M \in \mathfrak{M}} M := \left\{ x \mid \bigvee_{M \in \mathfrak{M}} x \in M \right\}.$$

Der Durchschnitt über diese Menge $\mathfrak{M}$ sei definiert durch

$$\bigcap_{M \in \mathfrak{M}} M := \left\{ x \mid \bigwedge_{M \in \mathfrak{M}} x \in M \right\}.$$

Der folgende Satz gibt Auskunft darüber, wie sich Durchschnitt und Vereinigung gegenüber Abbildungen verhalten:

Satz 2.2: Seien M, N Mengen. Sei $(A_i)_{i \in I}$ eine Familie von Teilmengen von M und $(B_i)_{i \in I}$ eine Familie von Teilmengen von N. Sei $f: M \longrightarrow N$ eine Abbildung. Dann gilt:

(i) $f^{-1}(\bigcup_{i \in I} B_i) = \bigcup_{i \in I} f^{-1}(B_i)$

(ii) $f(\bigcup_{i \in I} A_i) = \bigcup_{i \in I} f(A_i)$

(iii) $f^{-1}(\bigcap_{i \in I} B_i) = \bigcap_{i \in I} f^{-1}(B_i)$

(iv) $f(\bigcap_{i \in I} A_i) \subset \bigcap_{i \in I} f(A_i)$

Falls f injektiv ist, gilt die Gleichheit.

Beweis: (i) Sei $x \in f^{-1}(\bigcup_{i \in I} B_i) \Leftrightarrow f(x) \in \bigcup_{i \in I} B_i$

$\Leftrightarrow \bigvee_{j \in I} f(x) \in B_j \Leftrightarrow \bigvee_{j \in I} x \in f^{-1}(B_j) \Leftrightarrow x \in \bigcup_{i \in I} f^{-1}(B_i)$

(ii) Sei $x \in f(\bigcup_{i \in I} A_i) \Leftrightarrow$ Es gibt ein $y \in \bigcup_{i \in I} A_i$ mit $f(y) = x$

$\Leftrightarrow$ Es gibt ein $j \in I$ und ein $y \in A_j$ mit $f(y) = x$

$\Leftrightarrow$ Es gibt ein $j \in I$ mit $x \in f(A_j) \Leftrightarrow x \in \bigcup_{i \in I} f(A_i)$

(iii) Sei $x \in f^{-1}(\bigcap_{i \in I} B_i) \Leftrightarrow f(x) \in \bigcap_{i \in I} B_i \Leftrightarrow \bigwedge_{i \in I} f(x) \in B_i$

$\Leftrightarrow \bigwedge_{i \in I} x \in f^{-1}(B_i) \Leftrightarrow x \in \bigcap_{i \in I} f^{-1}(B_i)$

(iv) Sei $x \in f(\bigcap_{i \in I} A_i) \Leftrightarrow$ Es gibt ein $y \in \bigcap_{i \in I} A_i$ mit $f(y) = x$

$\Leftrightarrow$ Es gibt ein $y \in M$, so daß $\bigwedge_{i \in I} y \in A_i \wedge f(y) = x$

$$\Longrightarrow \bigwedge_{i \in I} x \in f(A_i) \Leftrightarrow x \in \bigcap_{i \in I} f(A_i) \tag{170}$$

Die Umkehrung des Beweises macht an der Stelle (170) Schwierigkeiten. Wenn wir nämlich haben: $\bigwedge_{i \in I} x \in f(A_i)$, so können wir nur folgern:

$\bigwedge_{i \in I} \bigvee_{y_i \in A_i} f(y_i) = x.$

Im allgemeinen können die y_i durchaus verschieden sein für verschiedene Indizes i. Nun sei aber f injektiv. Wäre dann $y_i \neq y_{i'}$ für ein $i \neq i'$, so folgte: $f(y_i) \neq f(y_{i'})$. Das ist ein Widerspruch. Falls also f injektiv ist, sind alle y_i gleich. Dieses eine Element bezeichnen wir mit y. Es ist dann $\bigwedge_{i \in I} y \in A_i \wedge f(y) = x$. Damit können wir wieder den ursprünglichen Beweis zu (iv) benutzen. QED

Geben wir noch ein Beispiel dafür, daß bei (iv) die Gleichheit i.a. nicht gilt:

Sei $f: \mathbb{R} \to \mathbb{R}^+$

$r \mapsto |r|$ (Absolutbetrag von r).

Sei $A := \mathbb{R}^+$ und $A' := \mathbb{R}^-$. Dann gilt: $A \cap A' = \{0\}$ und $f(A \cap A') = \{0\}$. Aber $f(A) = \mathbb{R}^+$ und $f(A') = \mathbb{R}^+$

$\Rightarrow f(A) \cap f(A') = \mathbb{R}^+ \cap \mathbb{R}^+ = \mathbb{R}^+$

$\Rightarrow f(A \cap A') \neq f(A) \cap f(A')$

Definition 2.3: Sei $(A_i)_{i \in I}$ eine Familie von Mengen. Unter dem cartesischen Produkt dieser Familie verstehen wir die Menge

$$\bigtimes_{i \in I} A_i := \{\tau : I \to \bigcup_{i \in I} A_i \mid \bigwedge_{i \in I} \tau_i \in A_i\}$$

Die Elemente des cartesischen Produkts sind also Familien (über I) von Elementen aus der Vereinigung $\bigcup_{i \in I} A_i$, so daß jeweils die i-te Komponente τ_i in A_i liegt.

Illustrieren wir den Begriff an einigen Spezialfällen:

a) Alle A_i sind gleich, etwa gleich A (konstante Familie) Dann ist

$$\bigtimes_{i \in I} A = \{\tau : I \to A\}$$

der Menge aller Familien in A über I. Statt $\bigtimes_{i \in I} A$ schreiben wir auch A^I. Falls A und I endliche Mengen sind, hat A^I nach Satz 1.11 genau $|A|^{|I|}$ Elemente.

b) $\bigtimes_{i\in\mathbb{N}} A$ besteht aus allen Folgen in A.

c) $\bigtimes_{i=1}^{n} A_i := \bigtimes_{i\in[1,n]} A_i = \{(\tau_1, \dots, \tau_n) \mid \bigwedge_{i\in[1,n]} \tau_i \in A_i\}$

besteht aus allen n-Tupeln, deren i-te Komponente in A_i liegt (für jedes i).

Statt $\bigtimes_{i=1}^{n} A_i$ schreibt man auch oft $A_1 \times \dots \times A_n$.

d) $\bigtimes_{i=1}^{n} A = \underbrace{A \times \dots \times A}_{n\text{-mal}}$

besteht aus allen n-Tupeln von Elementen aus A. Statt $\bigtimes_{i=1}^{n} A$ schreiben wir analog zu a) auch einfach A^n.

Falls A endlich ist, hat A^n nach Satz 1.11 genau $|A|^n$ Elemente.

e) $A \times B = \{(a, b) \mid a \in A \wedge b \in B\}$

Dieser Fall des cartesischen Produkts von zwei Mengen (genauer: eines Paares von Mengen) wird im folgenden am häufigsten vorkommen.

§ 3 : Gruppen

G sei eine Menge. Unter einer (inneren) Operation oder Verknüpfung auf G verstehen wir eine Abbildung

$$\circ : G \times G \longrightarrow G .$$

Statt $\circ(g_1,g_2)$ für $g_1,g_2 \in G$ schreibt man auch $g_1 \circ g_2$.
Bei einer Operation auf G wird also jedem Paar (g_1,g_2) mit $g_1,g_2 \in G$ genau ein Element $g_1 \circ g_2 \in G$ zugeordnet. Das Element $g_1 \circ g_2$ heißt auch das Verknüpfungsprodukt der Elemente g_1 und g_2.

Beispiele :

a) Die Addition "+" auf der Menge der natürlichen Zahlen ist eine Operation :

$$+ : \mathbb{N} \times \mathbb{N} \longrightarrow \mathbb{N}$$
$$(n,m) \longmapsto n + m$$

b) Ebenso ist die Multiplikation "." auf der Menge der natürlichen Zahlen eine Operation :

$$. : \mathbb{N} \times \mathbb{N} \longrightarrow \mathbb{N}$$
$$(n,m) \longmapsto n.m$$

c) Dagegen ist die Subtraktion "-"

$$\mathbb{N} \times \mathbb{N} \ni (n,m) \longmapsto n - m$$

keine Operation auf $\mathbb{N}$, da $n-m \notin \mathbb{N}$, falls $m > n$.

Definition 3.1 : Unter einer Gruppe verstehen wir ein Paar $(G, \circ)$, wo G eine Menge ist und $\circ$ eine Operation auf G mit folgenden Eigenschaften :

(i) $\bigwedge_{x,y,z \in G} (x \circ y) \circ z = x \circ (y \circ z)$ Assoziativität

(ii) Es gibt ein $e \in G$ mit folgenden Eigenschaften:

a) $\bigwedge_{x \in G} e \circ x = x$ <u>Existenz des (links-)neutralen Elements</u>

b) $\bigwedge_{x \in G} \bigvee_{y \in G} y \circ x = e$ <u>Existenz der (links-)inversen Elemente</u>

Falls zusätzlich

(iii) $\bigwedge_{x,y \in G} x \circ y = y \circ x$ <u>Kommutativgesetz</u>

gilt, so heißt $(G, \circ)$ eine <u>kommutative</u> oder <u>abelsche</u> Gruppe.

<u>Bemerkungen</u>: Die Operation "$\circ$" bei Gruppen wird als <u>Gruppenmultiplikation</u> oder <u>Gruppenstruktur</u> bezeichnet, und für ein Paar $(x,y) \in G \times G$ heißt $x \circ y$ das <u>Produkt</u> von x und y. Statt des Zeichens "$\circ$" verwenden wir auch das Zeichen ".". Wir werden sogar den Punkt oft weglassen und verstehen dann unter "xy" das Produkt $x \circ y$.
Falls die Gruppe abelsch ist, bevorzugt man als Operationszeichen das Zeichen "+" und nennt die Operation auch "Addition"; das Verknüpfungsprodukt heißt dann auch "Summe".

Das Assoziativgesetz besagt, daß es auf die Reihenfolge, in der man die Operationen ausführt, nicht ankommt (wohl aber auf die Reihenfolge der Elemente). Man schreibt daher auch meist x.y.z, da es wegen (i) gleich ist, ob man dieses Produkt als (x.y).z oder als x.(y.z) auffaßt.
Allgemeiner läßt sich zeigen: **Bei beliebig (endlich) vielen Elementen kommt es bei der Produktbildung auf Klammerungen nicht an.** Dies ist das allgemeine Assoziativgesetz, das aber hier nicht bewiesen werden soll. Man vergleiche dazu die Übungen!

Ein Element e mit den Eigenschaften (ii) heißt (links-)neutrales Element der Gruppe $(G, \circ)$. Ein zu jedem $x \in G$ gefordertes $y \in G$ mit $y.x=e$ heißt ein (links-)inverses Element zu x. Man bezeichnet es auch mit x^{-1}. Falls die Gruppe abelsch ist, bevorzugt man statt x^{-1} die Bezeichnung $-x$. Wir werden in Satz 3.3 sehen, daß zu festem $x \in G$

genau ein (links-)inverses Element existiert, so daß die Bezeichnungen x^{-1} bzw. $-x$ gerechtfertigt sind.

Das Kommutativgesetz (iii) bei abelschen Gruppen besagt, daß es auf die Reihenfolge der Elemente in einem Produkt nicht ankommt. Ebenso wie beim Assoziativgesetz läßt sich zeigen, daß dies auch für beliebig viele Elemente gilt (allgemeines Kommutativgesetz). In abelschen Gruppen benutzt man noch die folgende Konvention zur Schreibweise:

$$x - y := x + (-y)$$

Etwas ungenau bezeichnen wir im folgenden oft die Gruppe $(G,\circ)$ einfach mit "G", falls keine Mißverständnisse zu befürchten sind.

Zeigen wir zunächst zwei einfache Sätze, die die Rolle des neutralen Elements und der inversen Elemente in einer Gruppe verdeutlichen:

Satz 3.2 : In einer Gruppe $(G,\circ)$ gibt es nur ein linksneutrales Element. Dieses Element ist zugleich rechtsneutral; dh. es gilt

$$\bigwedge_{a\in G} a\circ e = a$$

Außerdem ist e das einzige rechtsneutrale Element von $(G,\circ)$.

Beweis:

1) Wir zeigen: e ist rechtsneutral: Sei $a\in G$ beliebig. Dann gilt $a = ea$, da e linksneutral ist. Zu a gibt es nach (ii),b) aus Def.3.1 ein $b\in G$ mit $ba = e$ und zu b ein c mit $cb = e$. Daraus folgt:

$a = (cb)a = c(ba)$ nach dem Assoziativgesetz

$\Rightarrow$ $a = ce$, da $ba = e$ (18o)

$\Rightarrow$ $a = c(ee)$, da e linksneutral ist

$= (ce)e$ nach dem Assoziativgesetz

$= ae$ nach (18o)

Daher ist e rechtsneutral.

2) Wir zeigen: e ist das einzige rechtsneutrale Element von G. Sei also e' ebenfalls rechtsneutral. $\Rightarrow e = ee' \Rightarrow e=e'$, da e linksneutral.

3) Wir zeigen: e ist das einzige linksneutrale Element von G. Sei also e' ebenfalls linksneutral. Dann ist e' nach Beweisteil 1) auch rechtsneutral. Nach Beweisteil 2) folgt: e=e' QED

Da wegen diesem Satz das durch die Gruppenaxiome geforderte linksneutrale Element zugleich rechtsneutral ist, ferner das einzige Element von G mit diesen Eigenschaften ist, spricht man kurz von dem neutralen Element der Gruppe $(G,\circ)$. Gelegentlich nennt man das neutrale Element auch Einselement oder, falls die Gruppe abelsch ist, Nullelement der Gruppe $(G,\circ)$.

Ebenso können wir zeigen, daß die entsprechende Aussage auch für die inversen Elemente gilt:

Satz 3.3 : Sei $(G,\circ)$ eine Gruppe und $a \in G$. Dann gibt es zu a nur ein linksinverses Element. Dieses Element a^{-1} ist zugleich rechtsinvers; dh. es gilt

$$a.a^{-1} = e,$$

und a^{-1} ist auch das einzige rechtsinverse Element zu a.

Beweis:

1) Wir zeigen: a^{-1} ist rechtsinvers zu a. Wir haben: $a = ea$ und nach (180) daher : $a = (a^{-1})^{-1}e$

$$\Rightarrow a = (a^{-1})^{-1}, \text{ da e rechtsneutral ist} \qquad (190)$$

Da gilt : $(a^{-1})^{-1}a^{-1} = e$, haben wir: $aa^{-1} = e$

2) Wir zeigen: a^{-1} ist das einzige linksinverse Element zu a. Sei also $ba = e. \Rightarrow b = be = b(aa^{-1}) = (ba)a^{-1} = ea^{-1} = a^{-1}$.

3) Wir zeigen: a^{-1} ist das einzige rechtsinverse Element zu a. Sei also $ab = e. \Rightarrow b = eb = (a^{-1}a)b = a^{-1}(ab) = a^{-1}e = a^{-1}$ QED

Notieren wir noch :

Korollar 3.4 : $(G,\circ)$ sei eine Gruppe. Seien $a,b \in G$.
Dann gilt :

$$\text{(i)} \quad (a^{-1})^{-1} = a$$

$$\text{(ii)} \quad (ab)^{-1} = b^{-1}a^{-1}$$

Beweis: (i) haben wir in (190) bewiesen.
(ii): Wir brauchen nur zu zeigen, daß $b^{-1}a^{-1}$ zu ab invers ist:

$$(ab)(b^{-1}a^{-1}) = a(bb^{-1})a^{-1} = aea^{-1} = aa^{-1} = e \qquad \text{QED}$$

Bemerkung: In Def.3.1 haben wir die Existenz eines linksneutralen Elements und die Existenz von linksinversen Elementen gefordert.
Man kann ebenso gut eine Definition wählen, bei der die Existenz eines rechtsneutralen Elements und die Existenz von rechtsinversen Elementen gefordert wird. Auch in diesem Fall gelten die entsprechenden Aussagen zu den Sätzen 3.2 und 3.3.
Man kann sogar die Existenz eines rechtsneutralen Elements und die Existenz von linksinversen Elementen fordern usw.
Wenn man also beweisen will, ob eine gegebene Operation eine Gruppenstruktur ist, so ist es gleichgültig, welche Art von neutralen und inversen Elementen man nachweist.
Auf die Beweise verzichten wir. Sie sind analog zu 3.2 und 3.3 und können vom Leser als Übung bewiesen werden.

Beispiele:
a) "gewöhnliche" Addition ("+") auf $\mathbb{Z}$.
Daß die Addition auf $\mathbb{Z}$ eine Operation auf $\mathbb{Z}$ ist, ist klar.
Es gilt das Assoziativgesetz:

$$n + (m + k) = (n + m) + k \qquad \text{für alle } n,m,k \in \mathbb{Z}$$

Das neutrale Element ist das Element $0 \in \mathbb{Z}$, denn $0 + m = m$ für alle $m \in \mathbb{Z}$. Das inverse Element zu einem $m \in \mathbb{Z}$ ist $-m \in \mathbb{Z}$, da $-m + m = 0$.
$(\mathbb{Z},+)$ ist sogar eine abelsche Gruppe, da das Kommutativgesetz

$$n + m = m + n \qquad \text{für alle } n,m \in \mathbb{Z} \text{ gilt.}$$

b) "gewöhnliche" Multiplikation (".") auf $\mathbb{R}^* = \mathbb{R} \setminus \{0\}$, wie man schnell bestätigt. Dagegen ist $\mathbb{R}$ bzgl. dieser Operation keine Gruppe; denn es gibt kein $x \in \mathbb{R}$, so daß $x.0 = 1$; dh. zu $0 \in \mathbb{R}$ gibt es kein Inverses.

c) $G_1, \ldots, G_k$ seien Gruppen. Die Gruppenstrukturen auf den G_i wollen wir der Bequemlichkeit halber alle mit demselben Symbol "$\circ$" bezeichnen. Wir bilden das cartesische Produkt $G_1 \times \ldots \times G_k$ (vgl.Beisp.c zu Def.2.3). Dann ist auf dieser Menge in kanonischer Weise eine Gruppenstruktur "$\circ$" gegeben durch (200)

$$(x_1, \ldots, x_k) \circ (y_1, \ldots, y_k) := (x_1 \circ y_1, \ldots, x_k \circ y_k) \text{ mit } x_i, y_i \in G_i \text{ für jede}$$

(Man multipliziert also "komponentenweise").
Man bestätigt sofort die Gültigkeit der Gruppenaxiome. Das neutrale Element ist $(e_1, \ldots, e_k)$, wo $e_i \in G_i$ (für jedes i) das neutrale Element der Gruppe G_i ist. Das Inverse zu einem $(x_1, \ldots, x_k) \in G_1 \times \ldots \times G_k$ ist das Element $(x_1^{-1}, \ldots, x_k^{-1})$, wo x_i^{-1} das Inverse zu $x_i \in G_i$ in der Gruppe $(G_i, \circ)$ ist.
Falls alle G_i abelsch sind, ist auch offenbar die Gruppe $(G_1 \times .. \times G_k, \circ)$ abelsch.
Die Gruppe $G_1 \times .. \times G_k$ mit der durch (200) definierten kanonischen Gruppenstruktur heißt auch das direkte Produkt der Gruppen $G_1, \ldots, G_k$.

d) Sei M eine Menge. Sei S_M die Menge aller bijektiven Abbildungen von M auf M.
Nach Satz 1.4 definiert das Hintereinanderausführen von Abbildungen eine Operation auf S_M ; denn wenn $f:M \longrightarrow M$ und $g:M \longrightarrow M$ bijektive Abbildungen sind, dann ist auch $g \circ f : M \longrightarrow M$ bijektiv.
Wir behaupten:
$(S_M, \circ)$, wo "$\circ$" die Hintereinanderausführung von Abbildungen bedeutet, ist eine Gruppe.
(i) Assoziativität: Sie gilt allgemein für Abbildungen, wie wir bereits auf Seite 24 bemerkten.

(ii) Existenz des neutralen Elements: $id_M \in S_M$ ist neutral; denn für ein beliebiges $f:M \longrightarrow M$ gilt:
$(f \circ id_M)(x) = f(id_M(x)) = f(x)$ für alle $x \in M$. $\Rightarrow f \circ id_M = f$.

(iii) Existenz von inversen Elementen: Sei $f \in S_M$. Wir benötigen jetzt zum ersten Mal die Tatsache, daß f bijektiv ist. Dann existiert nämlich zu f die inverse Abbildung f^{-1}. Nach Kor. 1.8 ist $f^{-1} \in S_M$, und es gilt: $f \circ f^{-1} = id_M$ (vgl. Satz 1.5).
Damit ist die inverse Abbildung auch das inverse Element in der Gruppe $(S_M, \circ)$.
<u>qed</u>

Wir bemerken noch, daß S_M im allgemeinen nicht abelsch ist. Als Beispiel verweisen wir auf (220).
Für eine Menge M nennen wir die Gruppe S_M die <u>Permutationsgruppe</u> von M, und die bijektiven Abbildungen von M auf M, die Elemente von S_M also, bezeichnet man auch oft als <u>Permutationen von M</u>.
Wir werden uns später etwas ausführlicher mit den Permutationsgruppen von endlichen Mengen befassen.

Sei G eine Gruppe. Wir werden jetzt spezielle Permutationen von G betrachten, die durch die Gruppenstruktur von G definiert sind.
Sei $g \in G$. Dann bezeichnen wir als <u>Linkstranslation mit g</u>, Bezeichnung : L_g, die folgende Abbildung :

$$L_g : G \longrightarrow G$$
$$a \longmapsto ga$$

Entsprechend: <u>Rechtstranslation mit g</u> :

$$R_g : G \longrightarrow G$$
$$a \longmapsto ag$$

Beachte, daß gilt : $\bigwedge_{g \in G} L_g = R_g \Longleftrightarrow$ G ist abelsch.

Wir behaupten nun : $\bigwedge_{g \in G} L_g \in S_G \wedge R_g \in S_G$

Wir führen den Beweis nur für L_g. Der Beweis für R_g ist analog.

a) L_g ist injektiv; denn sei für $a,b \in G$
$L_g(a)=L_g(b) \Rightarrow ga=gb \Rightarrow g^{-1}ga=g^{-1}gb \Rightarrow a=b$

b) L_g ist surjektiv; denn sei $a \in G$ gegeben. Dann gibt es ein $b \in G$ mit $L_g(b) = a$. Wir können nämlich für b das Element $g^{-1}a$ wählen. Dann gilt: $L_g(g^{-1}a) = gg^{-1}a = a$.

Damit haben wir den folgenden Satz:

Satz 3.5 : Sei G eine Gruppe. Dann sind für jedes $g \in G$ die Abbildungen $L_g : G \longrightarrow G$ und $R_g : G \longrightarrow G$ bijektiv. QED

Nach dem Vorangehenden können wir diesen Sachverhalt auch folgendermaßen formulieren:

Satz 3.5' : Sei G eine Gruppe. Seien $a,g \in G$. Dann gibt es genau ein $b \in G$ und genau ein $c \in G$ mit

(i) $gb = a$

(ii) $cg = a$

Beweis: Aussage (i) ist offensichtlich äquivalent mit der Aussage, daß L_g bijektiv ist, und Aussage (ii) damit, daß R_g bijektiv ist. QED

Überdies ist sogar die Aussage, daß L_g und R_g für jedes $g \in G$ bijektiv sind, äquivalent mit dem Axiom (ii),b) aus Def.3.1.

Wir können sogar die Bijektivität abschwächen und brauchen lediglich die Surjektivität von L_g und R_g zu verlangen.

Wir führen dies etwas genauer aus:

G sei eine nicht leere Menge und "$\circ$" eine assoziative Operation auf G. Dann sind, wie im Falle von Gruppen, für jedes $g \in G$ die Abbildungen L_g und R_g definiert. Seien nun L_g und R_g surjektiv für jedes $g \in G$.

Sei $a \in G$ fest gewählt. Da R_a surjektiv ist, gibt es ein $e \in G$ mit $R_a(e) = a$; dh. $ea = a$. Dieses e ist also bzgl. a bereits neutral.

Wir wollen zeigen, daß e neutral für die ganze Menge G ist; dh. daß $eb = b$ für alle $b \in G$:

Da L_a surjektiv ist, gibt es ein $c \in G$ mit $L_a(c) = b \Rightarrow ac = b$

$\Rightarrow eb = e(ac) = (ea)c = ac = b \Rightarrow$ e ist neutrales Element.

Wir haben nun noch zu zeigen, daß es inverse Elemente gibt.
Sei $g \in G$. Da R_g surjektiv ist, gibt es ein $\bar{g}$ mit $R_g(\bar{g}) = e$ $\Leftrightarrow \bar{g}g = e$. $\bar{g}$ ist also zu g invers.
Damit haben wir folgenden Satz bewiesen :

Theorem 3.6 : Sei G eine nicht leere Menge und $\circ$ eine assoziative Operation auf G. Dann sind die folgenden Aussagen äquivalent:

(i) $(G,\circ)$ ist eine Gruppe

(ii) Für jedes $g \in G$ sind die Abbildungen L_g (Linkstranslationen) und R_g (Rechtstranslationen) surjektiv.

(iii) $\bigwedge_{a,g \in G} \bigvee_{b,c \in G} g \circ b = a \wedge c \circ g = a$

Falls eine der drei Aussagen gilt (und damit alle), so sind überdies für jedes $g \in G$ die Abbildungen L_g und R_g bijektiv.

Beweis: (i) $\Rightarrow$ (ii) nach Satz 3.5
(ii) $\Rightarrow$ (i) nach der Überlegung von eben
(ii) $\Leftrightarrow$ (iii) , da (iii) nur eine andere Sprechweise der Aussage (ii) ist. QED

Eine Operation $\circ$ auf einer Menge G war eine Abbildung

$$\circ : G \times G \longrightarrow G$$

Wenn wir nun eine Teilmenge U von G haben, so können wir die Abbildung $\circ$ einschränken auf $U \times U$ (vgl.(12o)) und erhalten so eine Abbildung $\circ|_{U \times U} : U \times U \longrightarrow G$.
Interessant ist nun die Frage, ob dies eine Abbildung sogar in die Teilmenge U ist, ob also $\circ|_{U \times U}$ eine Operation auf U definiert.
Im allgemeinen wird dies nicht gelten. Falls dies jedoch erfüllt ist und $\circ$ auf G sogar eine Gruppenstruktur ist, erhebt sich als nächstes die Frage, ob $\circ|_{U \times U}$ eine Gruppenstruktur auf U ist.
Wir wollen im folgenden statt der Bezeichnung $\circ|_{U \times U}$ aus Bequemlichkeit einfach wieder das Zeichen "$\circ$" verwenden.
Wir definieren:

Definition 3.7 : $(G,\circ)$ sei eine Gruppe. $U \subset G$ sei eine Teilmenge von G. U heißt Untergruppe von G , wenn U mit der eingeschränkten Operation $\circ$ von G eine Gruppe ist.

Um zu verifizieren, daß eine Teilmenge U einer Gruppe G Untergruppe von G ist, haben wir also zu zeigen :

a) $\circ$ definiert eine Operation auf U ; dh. $\bigwedge_{u_1,u_2 \in U} u_1 \circ u_2 \in U$

(Man sagt auch : U ist abgeschlossen unter der Operation $\circ$)

b) U enthält ein neutrales Element

c) U enthält zu jedem $u \in U$ ein inverses Element.

Das Assoziativgesetz brauchen wir nicht nachzuprüfen, da es offensichtlich in U gilt, wenn es in G gilt.
Ebenso trivial ist, daß $\circ$ auf U kommutativ ist, falls es auf G kommutativ ist. Eine Untergruppe einer abelschen Gruppe ist also selbst immer abelsch.
Bevor wir Beispiele für Untergruppen geben, wollen wir ein etwas handlicheres Kriterium angeben:

Theorem 3.8 : (Untergruppenkriterium)

G sei eine Gruppe und $U \subset G$ mit $U \neq \emptyset$. Dann sind die folgenden Aussagen äquivalent:

(i) U ist Untergruppe von G

(ii) $\bigwedge_{x,y \in U} xy \in U \wedge y^{-1} \in U$

(iii) $\bigwedge_{x,y \in U} xy^{-1} \in U$

Beweis: (i) $\Rightarrow$ (iii) : Bemerken wir zunächst folgendes:
e_U sei das neutrale Element von U und e_G das neutrale Element von G.
Dann gilt : $e_U = e_G$.
Beweis: $e_U \circ e_U = e_U$, da e_U neutral in U ist. $\Rightarrow e_U \circ e_U \circ e_U^{-1} = e_U \circ e_U^{-1}$, wo e_U^{-1} das inverse Element von e_U in der Gruppe G ist.
$\Rightarrow e_U \circ e_G = e_G \Rightarrow e_U = e_G$, da e_G neutrales Element ist. qed

Seien nun $x,y \in U$. Dann gibt es Elemente $x^{-1}, y^{-1} \in U$, so daß $x^{-1}x = y^{-1}y = e_U$. Da $e_U = e_G$, sind diese Elemente zugleich die inversen Elemente von x bzw. y in G. Da $x,y^{-1} \in U$, ist auch $xy^{-1} \in U$.

(iii) $\Rightarrow$ (ii) : Seien $x,y \in U \Rightarrow xy^{-1} \in U$ nach (iii). Setze $x:=y \Rightarrow e_G \in U$. Setze $x:=e_G \Rightarrow y^{-1} \in U$. Damit ist auch $x(y^{-1})^{-1} = xy \in U$.

(ii) $\Rightarrow$ (i) : U ist abgeschlossen gegenüber $\circ$ nach (ii). Sei $x \in U \Rightarrow x^{-1} \in U \Rightarrow xx^{-1} = e_G \in U$. Daher ist e_G das neutrale Element von U. Zu $x \in U$ liegt das inverse Element x^{-1} nach Vorraussetzung ebenfalls in U. Damit ist x^{-1} auch in U zu x invers. QED

Zum Nachweis, daß eine nicht leere Teilmenge U einer Gruppe G Untergruppe von G ist, reicht es also etwa, zu zeigen, daß U bzgl. der Gruppenoperation von G abgeschlossen ist und daß die inversen Elemente von Elementen aus U ebenfalls in U liegen.
Beachten wir noch : Wenn U eine Untergruppe von G ist, so stimmen die neutralen Elemente der beiden Gruppen überein, und die inversen Elemente bzgl. der Gruppe U sind auch die inversen Elemente bzgl. der Gruppe G. Das haben wir beim Beweis des Theorems gesehen.

Beispiele:

a) $(\mathbb{R},+)$ sei die Gruppe der reellen Zahlen mit der gewöhnlichen Addition. Untergruppen von $(\mathbb{R},+)$ sind etwa:

(i) $(\mathbb{Q},+)$; denn die Summe zweier rationaler Zahlen ist wiederum eine rationale Zahl; und wenn q eine rationale Zahl ist, so ist $-q$ eine rationale Zahl.

(ii) $(\mathbb{Z},+)$ ist aus analogen Gründen eine Untergruppe von $(\mathbb{Q},+)$ und von $(\mathbb{R},+)$.

(iii) Die Menge $\mathbb{Q}+\sqrt{2}\mathbb{Q} := \{x + \sqrt{2}y \mid x,y \in \mathbb{Q}\}$ ist eine Untergruppe von $(\mathbb{R},+)$; denn $(x + \sqrt{2}y) + (\bar{x} + \sqrt{2}\bar{y}) = (x + \bar{x}) + \sqrt{2}(y + \bar{y})$ und $-x + \sqrt{2}(-y)$ ist das Inverse zu $x + \sqrt{2}y$.

(iv) $(\mathbb{N},+)$ ist keine Untergruppe von $(\mathbb{Z},+)$, da für ein $n \in \mathbb{N}$ mit $n \neq 0$ die Zahl $-n$ keine natürliche Zahl ist. $\mathbb{N}$ ist also bzgl. der Inversenbildung nicht abgeschlossen.

b) Wir betrachten die Gruppe $(\mathbb{Z},+)$. Untergruppen von $(\mathbb{Z},+)$ sind für jedes $a \in \mathbb{N}$ die Mengen

$$a\mathbb{Z} := \{az \mid z \in \mathbb{Z}\}$$

mit der Operation von $(\mathbb{Z},+)$; denn es gilt :

$a\mathbb{Z} \neq \emptyset$, da $0 \in a\mathbb{Z}$ für jedes a.

$az + az' = a(z + z') \in a\mathbb{Z}$.

Das Inverse zu az in $(\mathbb{Z},+)$ ist $-az = a(-z) \in a\mathbb{Z}$.

Die Untergruppen $a\mathbb{Z}$ (für $a \neq 0$) bestehen aus allen ganzen Zahlen, die durch a teilbar sind. Für a=1 gilt : $1\mathbb{Z} = \mathbb{Z}$. Für den Fall a=0 haben wir die triviale Untergruppe von $(\mathbb{Z},+)$, die nur aus dem Nullelement besteht.

c) $(G,\circ)$ sei eine Gruppe. Ganz allgemein ist $\{e\}$, wo e das neutrale Element von $(G,\circ)$ ist, eine Untergruppe von $(G,\circ)$, die sog. <u>triviale Untergruppe</u>.

Ferner ist jede Gruppe Untergruppe von sich selbst.

d) $G_1,\ldots,G_k$ seien Gruppen. Wir betrachten das direkte Produkt $G_1 \times \ldots \times G_k$ (vgl.p.42,c)). Untergruppen von $G_1 \times \ldots \times G_k$ sind etwa die folgenden Mengen (i mit $1 \leq i \leq k$ fest vorgegeben) :

$\{(x_1,\ldots,x_k) \in G_1 \times \ldots \times G_k \mid x_i = e_i\}$, wo $e_i \in G_i$ das neutrale Element von G_i ist.

Der Beweis bleibt dem Leser als leichte Übung überlassen.

Allgemein können wir aus gegebenen Untergruppen neue Untergruppen konstruieren gemäß dem folgenden Satz:

<u>Satz 3.9</u> :$(G,\circ)$ sei eine Gruppe. U,V seien Untergruppen von $(G,\circ)$. Dann ist $U \cap V$ Untergruppe von $(G,\circ)$.

Allgemeiner:

<u>Satz 3.10</u> : $(G,\circ)$ sei eine Gruppe. $(U_i)_{i\in I}$ sei eine Familie von Untergruppen von $(G,\circ)$. Dann ist

$$\bigcap_{i\in I} U_i \quad \text{Untergruppe von } (G,\circ).$$

Beweis: Wir zeigen Satz 3.10. Satz 3.9 ist ein Spezialfall.

Es ist $\bigcap_{i\in I} U_i \neq \emptyset$, da $e \in \bigcap_{i\in I} U_i$.

Seien $x,y \in \bigcap_{i\in I} U_i \Rightarrow \bigwedge_{i\in I} x\in U_i \wedge y\in U_i \Rightarrow \bigwedge_{i\in I} xy^{-1}\in U_i$, da die U_i Untergruppen sind. $\Rightarrow xy^{-1} \in \bigcap_{i\in I} U_i$ QED

Dagegen ist die Vereinigung zweier Untergruppen i.a. keine Untergruppe, wie das folgende Gegenbeispiel zeigt:
Wir betrachten die Gruppe $(\mathbb{Z},+)$. $U := 2\mathbb{Z} \cup 3\mathbb{Z}$ ist keine Untergruppe; denn es ist $2\in U$ und $3\in U$, aber $2+3 = 5 \notin U$.

Beispiel: Wir greifen auf das vorhergehende Beispiel d) zurück. Nach Satz 3.10 sind die folgenden Mengen Untergruppen von $G_1\times\ldots\times G_k$, da sie Durchschnitte von den in Beispiel d) betrachteten Untergruppen sind:

$$\left\{(x_1,\ldots,x_k)\in G_1\times\ldots\times G_k \;\middle|\; \bigwedge_{r\in A} x_r=e_r\right\} ,$$

wo A eine nicht leere Teilmenge von $[1,k]$ ist und e_r für jedes r das neutrale Element von G_r ist.

Um weitere Beispiele für Gruppen und Untergruppen zu bekommen, wollen wir uns jetzt mit endlichen Gruppen befassen; das sind Gruppen, die endlich viele Elemente haben.
Zur Beschreibung der Gruppenstrukturen von endlichen Gruppen benutzt man gerne "Gruppentafeln", in denen die einzelnen Verknüpfungsprodukte nach folgendem Schema eingetragen sind :

	a_1	a_2	a_3	.....	a_j	.....	a_n
a_1	a_1a_1	a_1a_2	a_1a_3	.....	a_1a_j	.....	a_1a_n
a_2	a_2a_1	a_2a_2	a_2a_3	.....	a_2a_j	.....	a_2a_n
⋮	⋮	⋮	⋮		⋮		⋮
a_i	a_ia_1	a_ia_2	a_ia_3	.....	a_ia_j	.....	a_ia_n
⋮	⋮	⋮	⋮		⋮		⋮
a_n	a_na_1	a_na_2	a_na_3	.....	a_na_j	.....	a_na_n

Dabei ist $G = \{a_1,\ldots,a_n\}$.

Die übliche Konvention ist, daß a_1 stets das neutrale Element der Gruppe bezeichnen soll, so daß man auf das Anschreiben der ersten Zeile und der ersten Spalte in der Gruppentafel verzichten kann.

Die Gruppentafeln liefern die Möglichkeit, sich auf systematische Weise einen Überblick über alle möglichen Gruppenstrukturen auf endlichen Mengen zu verschaffen, zumindest theoretisch.

Beispiele: e sei immer das neutrale Element der Gruppe.

a) $G = \{e\}$. G hat nur ein Element, das notwendigerweise das neutrale ist, und es gilt : ee = e.

b) $G = \{e,a\}$. In der Gruppentafel für G sind die folgenden Produkte bereits festgelegt :

e	a
a	

(dh.: ee=e , ea=a , ae=a)

Frei bleibt lediglich aa. Es gibt die Möglichkeiten aa = a oder aa = e.

Die erste scheidet aus, da durch Multiplikation mit a^{-1} folgt: a=e.

Damit lautet die Gruppentafel für G :

e	a
a	e

(210)

Andere Gruppenstrukturen gibt es nicht. a ist zu sich selbst invers. Das Assotiativgesetz gilt offenbar.

c) $G = \{e,a,b\}$.

e	a	b
a		
b		

liegt fest.

(i) aa = a geht nicht, da sonst a=e wäre

(ii) aa = e scheint zunächst zu gehen.

Was aber ist dann ab ? α) ab = e $\Rightarrow$ b=eb=aab=ae=a Wspr.

β) ab = a $\Rightarrow$ $b=a^{-1}ab=a^{-1}a=e$ Wspr.

γ) ab = b $\Rightarrow$ a=e analog; Wspr.

Damit scheidet auch (ii) aus.

(iii) aa = b $\Rightarrow$ α) ab = e, da die Schlüsse β) und γ) von eben noch gültig sind

β) ba = e aus analogen Gründen

γ) bb = a ; denn aus bb = b folgte : b = e

und aus bb = e folgte :

b = b(ba) = (bb)a = a

Die Gruppentafel lautet nun :

e	a	b
a	b	e
b	e	a

Wir müssen noch prüfen:

(i) Assoziativgesetz : Man hat 27 Dreierprodukte auf Assoziativität zu prüfen, von denen einige allerdings trivial sind, etwa e(ee) = (ee)e. Nach endlich langer Rechenzeit ergibt sich: Die Gruppentafel ist assoziativ.

(ii) Existenz des neutralen Elements: Ist nach Konstruktion erfüllt.

(iii) Existenz von inversen Elementen: Es ist $a^{-1}=b$ und $b^{-1}=a$.

Die Gruppe ist kommutativ.

Man sieht, daß das Aufstellen der Tafeln, selbst in diesem einfachen Fall, und das Nachprüfen der Axiome, insbesondere des Assoziativgesetzes, recht mühsam ist. Wir werden etwas später einige allgemeine Aussagen über Gruppentafeln machen, die es erleichtern, Gruppentafeln aufzustellen.

Wir wollen uns zunächst mit einem anderen Beispiel endlicher Gruppen befassen:

Wir hatten für eine beliebige Menge M die zugehörige Permutationsgruppe S_M definiert. Falls M endlich ist, ist auch S_M endlich, und es gilt: $|S_M| = |M|!$ (vgl.Satz 1.12).

Als Prototyp für endliche Mengen betrachten wir die Menge $[1,n] = \{i \in \mathbb{N} \mid 1 \leq i \leq n\} \subset \mathbb{N}$ von n Elementen.

Statt $S_{[1,n]}$ schreiben wir kurz S_n.

Elemente von S_n sind also bijektive Abbildungen $\sigma: [1,n] \longrightarrow [1,n]$.

Gemäß unserer Definition von n-Tupeln (vgl.p.31) schreiben wir eine Permutation $\sigma \in S_n$ in der Form

$$(\sigma(1), \sigma(2), \ldots, \sigma(n))$$

Die Tatsache, daß σ bijektiv ist, drückt sich in der Tupelschreibweise dadurch aus, daß die Komponenten des Tupels paarweis voneinander verschieden sind.
Zur Schreibweise bemerken wir noch, daß es in der Literatur meist üblich ist, endliche Permutationen in der Form

$$\begin{pmatrix} 1 & 2 & 3 & \ldots\ldots & n \\ \sigma(1) & \sigma(2) & \sigma(3) & \ldots\ldots & \sigma(n) \end{pmatrix}$$

zu schreiben; dh. die Urbilder werden ebenfalls angegeben. Gelegentlich werden wir an späteren Stellen auch diese Schreibweise benutzen. Zunächst jedoch ist es zweckmäßig, die von uns gewählte Schreibweise zu verwenden.
Das Hintereinanderausführen von Permutationen, die Gruppenoperation auf S_n also , läßt sich in der Tupelschreibweise bequem ausführen.

<u>Beispiel:</u> Sei $\sigma = (2,3,4,6,1,5)$ und $\tau = (3,6,1,2,4,5)$; $\sigma,\tau \in S_6$.
Dann ist $\sigma \circ \tau = (4,5,2,3,6,1)$, ausführlicher:

$1 \longmapsto \tau(1)=3 \longmapsto \sigma(3)=4$

$2 \longmapsto \tau(2)=6 \longmapsto \sigma(6)=5$

$3 \longmapsto \tau(3)=1 \longmapsto \sigma(1)=2$ usw.

An diesem Beispiel sehen wir übrigens auch, daß S_6 nicht abelsch ist; denn es ist $\tau \circ \sigma = (6,1,2,5,3,4) \neq \sigma \circ \tau$
Der Leser übe sich an selbstgewählten Beispielen im Multiplizieren von Permutationen!

Wir geben jetzt die Strukturen der Gruppen S_n für n=1,2,3 an:

$S_1 = \{(1)\}$ $|S_1| = 1$

$S_2 = \{id = (1,2)\ ,\ (2,1)\}$ $|S_2| = 2$

Die Struktur von S_2 ist durch die Tafel (210) gegeben mit a=(2,1).

S_3 hat die folgenden Elemente:

$id = (1,2,3)$; $s_1 = (1,3,2)$; $s_2 = (2,1,3)$;

$s_3 = (2,3,1)$; $s_4 = (3,1,2)$; $s_5 = (3,2,1)$ $|S_3| = 6$

Die Gruppentafel von S_3 ist gegeben durch : (mit e = id)

$$\begin{array}{|cccccc|} e & s_1 & s_2 & s_3 & s_4 & s_5 \\ s_1 & e & s_4 & s_5 & s_2 & s_3 \\ s_2 & s_3 & e & s_1 & s_5 & s_4 \\ s_3 & s_2 & s_5 & s_4 & e & s_1 \\ s_4 & s_5 & s_1 & e & s_3 & s_2 \\ s_5 & s_4 & s_3 & s_2 & s_1 & e \end{array} \tag{220}$$

S_3 ist nicht abelsch; denn es ist etwa $s_1 s_2 = s_4$, aber $s_2 s_1 = s_3$.

Falls wir endliche Teilmengen von Gruppen haben, können wir das Untergruppenkriterium Theorem 3.8 noch etwas einfacher fassen:

Satz 3.11 : $(G, \circ)$ sei eine (nicht notwendig endliche) Gruppe und $U \subset G$ eine nicht leere endliche Teilmenge von G. U ist genau dann Untergruppe von G, wenn $\circ$ auf U eine Operation definiert, wenn also gilt

$$\bigwedge_{x,y \in U} x \circ y \in U \tag{230}$$

Beweis: Gegenüber dem allgemeinen Kriterium 3.8,(ii) fehlt also die Forderung, daß die inversen Elemente in U liegen.-
Falls U Untergruppe von G ist, gilt (230) nach dem allgemeinen Kriterium 3.8. Wir haben lediglich die Umkehrung zu zeigen.
Da $\circ$ auf U eine assoziative Operation ist, haben wir nach Theorem 3.6 nur noch zu zeigen, daß die Abbildungen $L_u, R_u: U \longrightarrow U$ für jedes $u \in U$ bijektiv sind.

Da G eine Gruppe ist, sind die Links-, bzw. Rechtstranslationen $\overline{L_u}, \overline{R_u} : G \longrightarrow G$ für jedes $u \in U$ bijektiv. Da sich L_u durch Einschränkung von $\overline{L_u}$ auf U ergibt und R_u durch Einschränkung von $\overline{R_u}$ auf U, ferner $\overline{L_u}, \overline{R_u}$ injektiv sind, sind auch L_u und R_u injektiv. Injektive Abbildungen von einer endlichen Menge auf sich selbst sind nach Satz 1.10 sogar bijektiv. QED

Beschäftigen wir uns nun wieder mit Gruppentafeln. Wir wollen das Verfahren, Gruppentafeln aufzustellen, systematisieren. Nach einigem Experimentieren mit Gruppentafeln kommt man zu folgendem Schluß:

Satz 3.12 : $\circ$ sei eine assoziative Operation auf der endlichen Menge G. $\circ$ ist genau dann eine Gruppenstruktur auf G, wenn gilt: In jeder Zeile und in jeder Spalte der Gruppentafel von $\circ$ tritt jedes Element von G auf (und damit auch kein Element doppelt).

Beweis: Die Elemente in der Zeile, deren erstes Element $g \in G$ ist, bilden die Menge $L_g(G)$. Zu sagen, daß in dieser Zeile jedes Element vorkommt, heißt, daß L_g surjektiv ist. Die Elemente in der Spalte, deren erstes Element $h \in G$ ist, bilden die Menge $R_h(G)$. Zu sagen, daß in dieser Spalte jedes Element vorkommt, heißt, daß R_h surjektiv ist.
Mit Theorem 3.6 folgt nun die Behauptung. QED

Schwierigkeiten macht nun nur noch das Assoziativgesetz; denn um 3.12 anwenden zu können, brauchen wir bereits eine assoziative Operation.
Nehmen wir an, wir hätten eine Operation $\circ$ auf einer endlichen Menge G gegeben, die ein neutrales Element besitzt (von links und rechts). Ferner komme in der Gruppentafel von $\circ$ in jeder Zeile und Spalte jedes Element von G vor. Dann haben wir eine Abbildung

$$L : G \longrightarrow S_G$$
$$g \longmapsto L_g \quad ;$$

denn für jedes g ist L_g bijektiv, wie wir bereits eben festgestellt haben. L(G) ist eine Teilmenge von S_G.

Wir behaupten :

$\circ$ ist assoziativ $\Leftrightarrow$ L(G) ist Untergruppe von S_G (240)

Beweis: $\Rightarrow$): Seien $L_g, L_h \in L(G)$. Nach 3.11 haben wir zu zeigen, daß $L_g \circ L_h \in L(G)$; dh. daß es ein $k \in G$ gibt mit $L_g \circ L_h = L_k$.

Wir behaupten, daß wir für k das Element $g \circ h$ wählen können:

$(L_g \circ L_h)(x) = L_g(L_h(x)) = g \circ (h \circ x) = (g \circ h) \circ x$ wegen des Assoziativgesetzes.

$= L_{g \circ h}(x)$ für beliebiges $x \in G$.-

$\Leftarrow$): Seien $g,h,x \in G$. Wir zeigen:

$(g \circ h) \circ x = g \circ (h \circ x)$.

Da L(G) Untergruppe ist, ist mit L_g und L_h auch $L_g \circ L_h \in L(G)$; dh. es gibt ein $k \in G$ mit $L_g \circ L_h = L_k$. Damit gilt

$g \circ h = g \circ (h \circ e) = L_g(L_h(e)) = (L_g \circ L_h)(e) = L_k(e) = k \circ e = k$.

$\Rightarrow (g \circ h) \circ x = L_{g \circ h}(x) = L_k(x) = (L_g \circ L_h)(x) = g \circ (h \circ x)$ qed

Bemerken wir noch abschließend:

Eine Gruppentafel ist genau dann abelsch, wenn sie symmetrisch zur Diagonalen ist:

Mit diesen Hilfsmitteln wollen wir nochmals Gruppentafeln von Gruppen mit 1,2,3,4,5 Elementen betrachten. Wir wollen diesmal die Elemente mit 1,2,3,4,5,... bezeichnen, wo 1 das neutrale Element sei. Dies wird sich im Hinblick auf das Kriterium (240) als zweckmäßig erweisen.

Für $|G| = 2$ hatten wir schon als einzig mögliche Gruppentafel

1	2
2	1

erhalten.

Für $|G| = 3$ ergibt sich mit 3.12 sofort

1	2	3
2	3	1
3	1	2

(250)

Zur Kontrolle auf Assoziativität haben wir zu untersuchen, ob $L(G) = \{L_1, L_2, L_3\} = \{(1,2,3),(2,3,1),(3,1,2)\}$ eine Untergruppe von S_3 ist. Da $L_1 = id$ ist, haben wir also vier Produktpermutationen zu berechnen. (Allgemein: $(|G|-1)^2$ Produkte)

$L_2 \circ L_2 = (3,1,2) = L_3$

$L_2 \circ L_3 = (1,2,3) = L_1$

$L_3 \circ L_2 = (1,2,3) = L_1$

$L_3 \circ L_3 = (2,3,1) = L_2$

L(G) ist also Untergruppe von S_3 mit der Gruppentafel

L_1	L_2	L_3
L_2	L_3	L_1
L_3	L_1	L_2

Folglich ist (250) assoziativ. Ferner ist (250) kommutativ, da die Tafel symmetrisch zur Diagonalen ist.

Betrachten wir als nächstes den Fall $|G| = 4$. Man erhält nach 3.12 vier mögliche Tafeln:

(260)

1	2	3	4
2	1	4	3
3	4	1	2
4	3	2	1

(270)

1	2	3	4
2	1	4	3
3	4	2	1
4	3	1	2

(280)

1	2	3	4
2	3	4	1
3	4	1	2
4	1	2	3

(290)

1	2	3	4
2	4	1	3
3	1	4	2
4	3	2	1

Die zugehörigen Gruppentafeln von L(G) sind, wie folgt:

(260')

L_1	L_2	L_3	L_4
L_2	L_1	L_4	L_3
L_3	L_4	L_1	L_2
L_4	L_3	L_2	L_1

(270')

L_1	L_2	L_3	L_4
L_2	L_1	L_4	L_3
L_3	L_4	L_2	L_1
L_4	L_3	L_1	L_2

(28o') und (290') entsprechend.

In allen vier Fällen haben wir also assoziative Tafeln, die zudem alle kommutativ sind.

Die Struktur der Gruppe (260) heißt die Kleinsche Vierergruppenstruktur. In ihr sind alle Elemente zu sich selbst invers. Wie wir später sehen werden, stellen die Strukturen (270),(280),(290) im wesentlichen dieselbe Struktur dar. Wie dies exakt zu verstehen ist, werden wir in § 4 sehen.
Ferner fällt auf, daß die Strukturen der Gruppen L(G) "im wesentlichen" dieselben sind wie die der Gruppen G selbst. Identifiziert man nämlich $g \in G$ mit $L_g \in L(G)$ (für jedes $g \in G$), so ergeben sich dieselben Gruppentafeln. Auch diese Ähnlichkeit werden wir in § 4 wieder aufgreifen.

Beschäftigen wir uns nun noch mit dem Fall $|G| = 5$. Hier ist es schon sehr mühsam, alle möglichen Strukturen aufzustellen (nach 3.12), die als Gruppenstrukturen in Frage kommen.
Wir geben lediglich zwei Beispiele an :

a)

1	2	3	4	5
2	3	4	5	1
3	4	5	1	2
4	5	1	2	3
5	1	2	3	4

ist eine kommutative Gruppenstruktur.

b)

1	2	3	4	5
2	1	5	3	4
3	5	4	1	2
4	3	2	5	1
5	4	1	2	3

ist keine Gruppenstruktur; denn

$3 \circ (4 \circ 5) = 3 \circ 1 = 3$

$(3 \circ 4) \circ 5 = 1 \circ 5 = 5.$

Tatsächlich ist auch L(G) keine Untergruppe von S_G; denn
$(2,1,5,3,4) \circ (2,1,5,3,4) = (1,2,4,5,3) \notin L(G)$.

Es läßt sich zeigen, daß alle Gruppenstrukturen auf einer Menge von 5 Elementen abelsch sind. Man vergleiche dazu die Übungen!
Nach (220) ist daher die Struktur von S_3 die "kleinste" nicht kommutative Gruppenstruktur.

Damit wollen wir die Beispiele von endlichen Gruppen abschließen.
In Kapitel III werden wir uns nochmals ausführlicher mit den Gruppen S_n befassen.

§ 4 : Gruppenhomomorphismen

Wir wollen uns nun mit Abbildungen von Gruppen in Gruppen befassen. Wir erinnern uns, daß wir beim Aufstellen der Gruppentafeln für endliche Gruppen die Tatsache benutzt haben, daß wir für jede (nicht notwendig endliche) Gruppe eine Abbildung

$$L : G \longrightarrow S_G$$
$$g \longmapsto L_g \qquad \text{(vgl. p.54)}$$

hatten. Wir hatten festgestellt, daß $L(G)$ eine Untergruppe von S_G ist, die eine vollkommen anologe Gruppenstruktur aufwies wie G selbst; dh. vermöge der Zuordnung $g \longmapsto L_g$ hatten wir auf G und $L(G)$ dieselben Gruppenstrukturen.

Dies läßt sich auch folgendermaßen beschreiben:

Für beliebiges $g,h \in G$ gilt :

$$L(g \circ h) = L(g) \circ L(h) \qquad \text{(vgl. Beweis zu (240))} \qquad (300)$$

Man beachte, daß das Zeichen "$\circ$" verschiedene Gruppenoperationen bezeichnet. Auf der linken Seite von (300) ist es die Gruppenoperation in G, auf der rechten Seite die von S_G.

Die Eigenschaft (300) der Abbildung L ist eine Eigenschaft, die beliebige Abbildungen zwischen Gruppen i.a. nicht besitzen. Für Abbildungen zwischen Gruppen, die die Eigenschaft (300) erfüllen, wollen wir daher einen neuen Begriff einführen :

Definition 4.1 : $(G,\circ)$ und $(G',.)$ seien Gruppen. Unter einem Gruppenhomomorphismus f von G nach G' verstehen wir eine Abbildung $f: G \longrightarrow G'$ mit der Eigenschaft

$$\bigwedge_{g,h \in G} f(g \circ h) = f(g) \,.\, f(h)$$

Man sagt auch : f ist verknüpfungstreu, oder: f respektiert die Gruppenoperationen.

Im folgenden werden wir oft für die Gruppenoperationen in der Gruppe G und in der Gruppe G' dasselbe Verknüpfungssymbol benutzen, etwa $\circ, ., +$

Beispiele:

a) Die Abbildung

$$L : G \longrightarrow S_G$$
$$g \longmapsto L_g$$

ist ein Gruppenhomomorphismus (nach dem Beweis zu (240))

b) Ist die Abbildung

$$R : G \longrightarrow S_G$$
$$g \longmapsto R_g$$

ebenfalls ein Homomorphismus ?

Wir müssen untersuchen, ob gilt

$$R(g \circ h) = R(g) \circ R(h)$$

Sei $x \in G$. Dann ist $R(g \circ h)(x) = x \circ (g \circ h)$.

$(R(g) \circ R(h))(x) = R(g)(x \circ h) = (x \circ h) \circ g$.

Diese Ausdrücke sind i.a. verschieden, es sei denn, G ist abelsch. Falls aber G nicht abelsch ist, gibt es ein Paar $h, g \in G$ mit $h \circ g \neq g \circ h$. $\Rightarrow R(g \circ h)(e) \neq (R(g) \circ R(h))(e) \Rightarrow R(g \circ h) \neq R(g) \circ R(h)$

R ist also genau dann ein Homomorphismus, wenn G abelsch ist.

c) $(G, \circ) := (\mathbb{Z}, +)$ gewöhnliche Addition

$(G', \circ) := (\mathbb{R}^*, .)$ gewöhnliche Multiplikation.

Man bestätigt zunächst rasch, daß $(\mathbb{R}^*, .)$ eine Gruppe ist mit 1 als neutralem Element.

Behauptung: Für jedes $a \in \mathbb{R}$ mit $a > 0$ ist die Abbildung

$$f_a : \mathbb{Z} \longrightarrow \mathbb{R}^*$$
$$n \longmapsto a^n$$

ein Homomorphismus.

Beweis: $f_a(n+m) = a^{n+m} = a^n . a^m = f_a(n) . f_a(m)$ für $n, m \in \mathbb{Z}$

d) $(G,\circ)$ und $(G',\circ)$ seien beliebige Gruppen, e' das neutrale Element von G'. Dann gibt es den trivialen Homomorphismus

$$f : G \longrightarrow G'$$
$$g \longmapsto e' ;$$

denn $f(g\circ h) = e' = e'\circ e' = f(g)\circ f(h)$ für $g,h \in G$.

Wir führen nun einige einfache Sätze über Gruppenhomomorphismen an:

Satz 4.2 : $f : G \longrightarrow G'$ sei ein Gruppenhomomorphismus. Die neutralen Elemente der Gruppen seien e bzw. e'.

Dann gilt:

(i) $f(e) = e'$

(ii) $\bigwedge_{x \in G} f(x^{-1}) = (f(x))^{-1}$

Beweis: (i) $f(e) = f(ee) = f(e)f(e)$, da f Homomorphismus. Durch beidseitige Multiplikation mit $(f(e))^{-1}$ folgt: $f(e) = e'$.

(ii) Wir zeigen, daß $f(x^{-1})$ zu $f(x)$ invers ist:

$f(x^{-1})f(x) = f(x^{-1}x)$, da f Homomorphismus.

$= f(e) = e'$ nach (i). QED

Wenn $f:G \longrightarrow G'$ ein Homomorphismus ist, nennen wir die Menge aller Elemente, die durch f auf das neutrale Element von G' abgebildet werden, den Kern der Abbildung f; Bezeichnung: ker f :

$$\ker f := f^{-1}(e') = \{x \in G \mid f(x) = e'\} \tag{310}$$

Unter dem Bild der Abbildung f, Bezeichnungsweise: im f, verstehen wir die Menge aller Bilder von Elementen aus G unter der Abbildung f :

$$\operatorname{im} f := f(G) = \{y \in G' \mid \bigvee_{x \in G} f(x) = y\} \tag{320}$$

Es gilt folgender wichtige Satz :

Satz 4.3 : $f : G \longrightarrow G'$ sei ein Homomorphismus von Gruppen.
Dann ist ker f Untergruppe von G und im f Untergruppe von G'.

Bevor wir diesen Satz beweisen, zeigen wir einen Satz, der als Spezialfall einen Teil von Satz 4.3 enthält:

Satz 4.4 : $f : G \longrightarrow G'$ sei ein Gruppenhomomorphismus.
U' sei eine Untergruppe von G'. Dann ist $f^{-1}(U')$ eine Untergruppe von G.

Beweis: $f^{-1}(U')$ ist nicht leer; denn da $e' \in U'$ und $f(e)=e'$, folgt: $e \in f^{-1}(U')$.
Seien nun $x,y \in f^{-1}(U') \Rightarrow f(x) \in U' \wedge f(y) \in U'$. Dann gilt:
$f(xy^{-1}) = f(x)f(y^{-1})$, da f Homomorphismus.
$= f(x)(f(y))^{-1}$ nach Satz 4.2. Dies ist ein Element von U', da U' eine Untergruppe ist. Daher ist $xy^{-1} \in f^{-1}(U')$ QED

Beweis von Satz 4.3 :
(i) Da ker $f = f^{-1}(e')$ ist und $\{e'\}$ eine Untergruppe von G' ist, folgt die Behauptung aus Satz 4.4.
(ii) im $f \neq \emptyset$, da $e' \in$ im f .
Seien $x,y \in$ im f $\Rightarrow \bigvee_{x'' \in G} f(x'')=x$ und $\bigvee_{y'' \in G} f(y'')=y$.
Wir wollen zeigen: $xy^{-1} \in$ im f ; dh. $\bigvee_{z'' \in G} f(z'') = xy^{-1}$.
Wir behaupten: $z'' := x''(y'')^{-1}$ erfüllt diese Eigenschaft:
$f(x''(y'')^{-1}) = f(x'')f((y'')^{-1}) = f(x'')(f(y''))^{-1} = xy^{-1}$ QED

Satz 4.5 : $f:G \longrightarrow G'$ und $j:G' \longrightarrow G''$ seien Gruppenhomomorphismen.
Dann ist $j \circ f : G \longrightarrow G''$ ein Gruppenhomomorphismus.

Beweis: Seien $g,h \in G$.
$(j \circ f)(g.h) = j(f(g.h)) = j(f(g).f(h))$, da f Homomorphismus.
$= j(f(g)).j(f(h))$, da j Homomorphismus
$= (j \circ f)(g).(j \circ f)(h)$ QED

Sei nun ein injektiver Gruppenhomomorphismus $f:G \longrightarrow G'$ mit neutralen Elementen e bzw. e' gegeben. Dann wissen wir sofort: $\ker f = \{e\}$; denn es ist $e \in \ker f$ nach Satz 4.2 (i).
Es kann aber kein weiteres Element x in ker f geben, denn sonst würden x und e auf e' abgebildet werden, was ein Widerspruch zur Injektivität von f wäre.
Damit gilt also : f injektiv $\Rightarrow$ $\ker f = \{e\}$.
Tatsächlich gilt aber auch die Umkehrung. Wir führen einen indirekten Beweis. Angenommen, f wäre nicht injektiv. Dann gibt es $x,y \in G$ mit $x \neq y$ und $f(x) = f(y)$.
$\Rightarrow f(xy^{-1}) = f(x)(f(y))^{-1} = e' \Rightarrow xy^{-1} \in \ker f.$
Es ist aber $xy^{-1} \neq e$, da $x \neq y$ vorausgesetzt war.
$\Rightarrow \ker f \neq \{e\}$. Das ist ein Widerspruch.-
Will man also einen Gruppenhomomorphismus auf Injektivität untersuchen, so braucht man **bloß seinen** Kern zu bestimmen. Wir wollen dies in einem Satz notieren :

Satz 4.6 : $f : G \longrightarrow G'$ sei ein Gruppenhomomorphismus. e und e' seien die neutralen Elemente. Dann gilt :
f injektiv $\Leftrightarrow$ $\ker f = \{e\}$ QED

Einen bijektiven Gruppenhomomorphismus bezeichnet man auch als Gruppen-Isomorphismus. Zwei Gruppen heißen isomorph, in Zeichen: $G \cong G'$, wenn es einen Gruppenisomorphismus zwischen ihnen gibt. In diesem Fall entsprechen sich die Elemente der beiden Gruppen umkehrbar eindeutig, und durch die Homomorphismus-Eigenschaft ist auch gewährleistet, daß bei dieser Beziehung die Gruppenstrukturen einander entsprechen. Die Gruppen sind also vollkommen gleichartig strukturiert. Oft identifiziert man daher auch isomorphe Gruppen.

Satz 4.7 : $f : G \longrightarrow G'$ sei ein Gruppenisomorphismus.
Dann ist $f^{-1} : G' \longrightarrow G$ ein Gruppenisomorphismus.

Beweis: Seien $x',y' \in G'$. Wir behaupten: $f^{-1}(x'y') = f^{-1}(x')f^{-1}(y')$.
Da f bijektiv ist, gibt es $x,y \in G$ mit $f(x) = x'$ und $f(y) = y'$.

$\Rightarrow f^{-1}(x')f^{-1}(y') = f^{-1}(f(x))f^{-1}(f(y)) = xy = f^{-1}(f(xy)) =$
$= f^{-1}(f(x)f(y)) = f^{-1}(x'y')$

QED

In der Permutationsgruppe S_G einer Gruppe G haben wir als Untermenge die Menge aller Isomorphismen von G nach G. Nach 1.4 und 4.5 wissen wir, daß $f \circ g$ ein Isomorphismus von G nach G ist, wenn f,g Isomorphismen von G nach G sind. Nach 4.7 wissen wir, daß mit f Isomorphismus von G nach G auch f^{-1} ein Isomorphismus von G nach G ist. Ferner ist id_G ein Isomorphismus von G nach G. Nach dem Untergruppenkriterium haben wir damit:

Satz 4.8 : Die Menge Aut(G) aller Isomorphismen von G nach G, wo G eine Gruppe ist, ist eine Untergruppe der Permutationsgruppe S_G von G.

QED

Aut(G) heißt die Automorphismengruppe der Gruppe G. Jedes $f \in Aut(G)$, jeder Isomorphismus von G auf sich selbst also, heißt auch Automorphismus von G.
Tragen wir noch eine Bezeichnung nach:
Ein Gruppenhomomorphismus einer Gruppe G in sich selbst heißt auch ein Gruppen-Endomorphismus der Gruppe G.
Ein bijektiver Endomorphismus ist also ein Automorphismus.

Beispiele:
a) $G := \mathbb{R}$ mit gewöhnlicher Addition
$G' := \mathbb{R}^+ \setminus \{0\}$ mit gewöhnlicher Multiplikation
Man bestätigt zunächst, daß $\mathbb{R}^+ \setminus \{0\}$ mit der gewöhnlichen Multiplikation eine Gruppe ist (eine Untergruppe von $\mathbb{R}^*$).
Wir wissen aus Beispiel h) auf p.20, daß die Abbildung

$$\exp : \mathbb{R} \longrightarrow \mathbb{R}^+ \setminus \{0\}$$

eine bijektive Abbildung ist. Sie ist sogar ein Isomorphismus zwischen diesen beiden Gruppen; denn es gilt
$\exp(r+r') = \exp(r).\exp(r')$.

Die inverse Abbildung zu exp ist die Logarithmusfunktion

$\log : \mathbb{R}^{+} \setminus \{0\} \longrightarrow \mathbb{R}$

Sie ist nach Satz 4.7 ebenfalls ein Gruppenisomorphismus; es gilt also :

$\log(rr') = \log(r) + \log(r')$.-

Die Gruppen $(\mathbb{R},+)$ und $(\mathbb{R}^{+} \setminus \{0\},.)$ sind isomorphe Gruppen.

b)Für jede Gruppe ist die identische Abbildung ein Automorphismus.

c)Betrachten wir den Homomorphismus

$L : G \longrightarrow S_G$

Mit Satz 4.3 haben wir nochmals die eine Richtung der Behauptung (240) bewiesen : $L(G) = \text{im } L$ ist Untergruppe von S_G.-

L ist injektiv; denn sei $L(g) = L_g = id_G \in S_G$. Dann gilt:

$g = ge = L_g(e) = id(e) = e \Rightarrow \ker L = \{e\}$;dh. L ist injektiv.

Beschränken wir die Abbildung L auf der rechten Seite auf das Bild von L, so wird L trivialerweise surjektiv. Daher ist

$G \cong \text{im } L$

Dies ist der exakte mathematische Sachverhalt, der der "Gleichheit" der Gruppentafeln (260) und (260') sowie (270) und (270') usw. zugrunde liegt.

d) A,B seien nicht leere Mengen (Die Voraussetzung "nicht leer" ist nicht unbedingt erforderlich). $f : A \longrightarrow B$ sei eine bijektive Abbildung. Dann erhalten wir in kanonischer Weise eine Abbildung

$S_f : S_A \longrightarrow S_B$

der zugehörigen Permutationsgruppen, wie folgt :

Für $\sigma \in S_A$ sei $S_f(\sigma) := f \circ \sigma \circ f^{-1}$.

Dies ist eine Abbildung von B nach B. $S_f(\sigma)$ ist bijektiv, da f, σ, f^{-1} bijektiv sind. Also ist $S_f(\sigma) \in S_B$.

<u>Behauptung:</u> S_f ist ein Gruppenisomorphismus.

<u>Beweis:</u> <u>Homomorphismus</u>: Seien $\sigma, \tau \in S_A$. Dann ist

$S_f(\sigma \circ \tau) = f \circ \sigma \circ \tau \circ f^{-1} = (f \circ \sigma \circ f^{-1}) \circ (f \circ \tau \circ f^{-1}) = S_f(\sigma) \circ S_f(\tau)$.

Injektivität: Sei $S_f(\sigma) = id_B \Rightarrow f\circ\sigma\circ f^{-1} = id_B \Rightarrow f\circ\sigma = f$
$\Rightarrow \sigma = id_A$; dh.: $\ker S_f = \{id_A\} \Rightarrow S_f$ injektiv.

Surjektivität: Sei $\sigma' \in S_B$. Definiere $\sigma := f^{-1}\circ\sigma'\circ f \in S_A$.
Dann ist $S_f(\sigma) = f\circ(f^{-1}\circ\sigma'\circ f)\circ f^{-1} = \sigma'$.
Also ist σ Urbild zu σ', und S_f ist surjektiv. qed

Damit haben wir :

Wenn es eine bijektive Abbildung zwischen den Mengen A und B gibt, so sind die zugehörigen Permutationsgruppen isomorph.

Eine Anwendung ist das folgende:

Gegeben sei eine endliche Menge A mit $|A| = n$. Dann gibt es offensichtlich eine bijektive Abbildung

$$f : [1,n] \longrightarrow A .$$

Daher ist $S_A \cong S_n$.

Wegen dieser Isomorphie können wir uns, wenn wir endliche Permutationsgruppen betrachten, stets auf die Standardgruppen S_n beschränken.

e)In § 3 hatten wir bei der Bestimmung aller möglichen Gruppenstrukturen für eine Menge von vier Elementen vier verschiedene Gruppentafeln erhalten. Wir erwähnten damals schon, daß es sich im wesentlichen nur um zwei verschiedene handele.

Genauer können wir jetzt sagen:

Die Strukturen (270),(280),(290) sind zueinander isomorph.

Dagegen ist die Struktur (260) zu keiner der anderen Strukturen isomorph.

Beweis: Den Isomorphismus f von (270) auf (280) erhalten wir, wie folgt:

$$f : \begin{array}{l} 1 \longmapsto 1 \\ 2 \longmapsto 3 \\ 3 \longmapsto 2 \\ 4 \longmapsto 4 \end{array}$$

f ist bijektiv, und durch Vergleich der Gruppentafeln bestätigt man, daß f ein Homomorphismus ist.

Der Isomorphismus f von (270) auf (290) ergibt sich folgendermaßen:

$$f : \begin{array}{l} 1 \longmapsto 1 \\ 2 \longmapsto 4 \\ 3 \longmapsto 3 \\ 4 \longmapsto 2 \end{array}$$

Dagegen ist (260) nicht zu (270) und damit auch nicht zu (280) und (290) isomorph. Denn angenommen, f wäre ein Isomorphismus von (260) auf (270). Dann gilt :

$f(2) \circ f(2) = f(2 \circ 2) = f(1) = 1$ und

$f(3) \circ f(3) = f(3 \circ 3) = f(1) = 1$.

Da f injektiv ist, müssen f(2) und f(3) vom neutralen Element 1 in (270) verschieden sein. Das einzige Element außer der 1 in (270), das zu sich selbst invers ist, ist die 2. Daher müßte gelten: $f(2) = f(3) = 2$. Das ist ein Widerspruch zur Injektivität von f.qed

Allgemein können wir sagen:

Zwei endliche Gruppen mit gleich vielen Elementen sind genau dann isomorph, wenn ihre Gruppentafeln bis auf "Umbenennungen" (also etwas, was wir exakter durch Isomorphismen beschreiben) gleich sind.

f) G sei eine abelsche Gruppe. Dann ist die "Inversenabbildung"

$$i : G \longrightarrow G$$
$$g \longmapsto -g$$

ein Automorphismus. Der Beweis ist trivial.

Wenn dagegen G nicht abelsch ist, gibt es $x,y \in G$ mit $xy \neq yx$.

Sei $a:=x^{-1}$ und $b:=y^{-1}$. Dann ist $a^{-1}b^{-1} \neq b^{-1}a^{-1}$. Daher gilt:

$i(ab) = (ab)^{-1} = b^{-1}a^{-1} \neq a^{-1}b^{-1} = i(a)i(b)$.

i ist also in diesem Falle kein Homomorphismus.

g) Sei G die Gruppe mit der Struktur (280).

Wir wollen Aut(G) bestimmen. Nach Beispiel f) ist die Inversenabbildung i in Aut(G), ferner natürlich id_G.

Sei nun f ein beliebiger Automorphismus von G.

Es gilt: $f(1) = 1$. Ferner ist $f(3)f(3) = f(3.3) = f(1) = 1$

$\Rightarrow f(3) = 3$, da außer der 1 nur die 3 zu sich selbst invers ist.

Falls nun $f(2) = 2$ ist, folgt: $f(4) = 4$, und damit $f = id$.

Falls dagegen $f(2) = 4$ ist, folgt: $f(4) = 2$, und damit $f = i$.

Damit haben wir :

$Aut(G) = \{id_G , i\}$.

h) Sei G die Gruppe mit der Struktur (260)

Wir bestimmen Aut(G).

<u>Behauptung</u>: $\mathrm{Aut}(G) = \{f \in S_G \mid f(1) = 1\}$ (330)

<u>Beweis</u>: Jeder Automorphismus von G ist trivialerweise in der rechten Menge enthalten. Sei nun $f \in S_G$ mit $f(1) = 1$.

Sei $x \in G$. Dann ist $f(x.x) = f(1) = 1 = f(x).f(x)$, da alle Elemente zu sich selbst invers sind.

Seien a,b,c Elemente von G mit $\{a,b,c\} = \{2,3,4\}$. Dann gilt: $a.b=c$.

Wenn nun $a,b \in G$ sind mit $a \neq b$ und a,b verschieden von 1, so haben wir aus diesem Grunde:

$f(a.b) = f(c) = f(a).f(b)$ mit $\{a,b,c\} = \{2,3,4\}$.

f ist also ein Automorphismus von G. <u>qed</u>

Wie man leicht sieht (Beweis!),ist die Gruppe auf der rechten Seite von (330) isomorph zu S_3. Damit gilt:

$$\mathrm{Aut}(G) \cong S_3.$$

i) Wir hatten gesehen, daß für eine Gruppe G die Abbildung

$$L : G \longrightarrow S_G$$
$$g \longmapsto L_g$$

ein Homomorphismus ist. Wir können nun fragen, ob die Abbildung L_g selbst (für festes $g \in G$) ein Automorphismus von G ist.

Dann müßte gelten: $g=ge=L_g(e)=L_g(ee)=L_g(e)L_g(e)=gg \Rightarrow g=e$; das heißt: L_g ist nur für $g=e$ ein Automorphismus von G.

Anders ausgedrückt: $\mathrm{Aut}(G) \cap L(G) = \{id_G\}$.

Entsprechend gilt: R_g Automorphismus von G $\Leftrightarrow$ $g=e$.

j) Mit Hilfe der bijektiven Abbildungen L_g, R_h (für $g,h \in G$) können wir aber leicht Automorphismen von G angeben:

Man definiere für ein $a \in G$:

$$i_a := L_a \circ R_{(a^{-1})} \quad ; \text{dh. :} \quad i_a(x) = axa^{-1} \quad \text{für } x \in G.$$

i_a ist für jedes $a \in G$ eine bijektive Abbildung von G nach G.

i_a ist aber auch ein Homomorphismus; denn für $x,y \in G$ haben wir :

$i_a(xy) = axya^{-1} = (axa^{-1})(aya^{-1}) = i_a(x).i_a(y)$.

Die Automorphismen i_a nennt man auch innere Automorphismen der Gruppe G.
Falls G abelsch ist, so sind alle inneren Automorphismen offensichtlich die Identität. Falls G nicht abelsch ist, gibt es $a,x \in G$ mit $ax \neq xa \Rightarrow x \neq axa^{-1} \Rightarrow i_a(x) \neq x \Rightarrow i_a \neq id_G$.

Die Anzahl der inneren Automorphismen einer Gruppe ist ein Maß für die "Kommutativität" der Gruppe.
Beschreiben wir dies etwas genauer:
Wir haben, analog zu den Abbildungen L und R, eine Abbildung

$$i : G \longrightarrow S_G$$
$$a \longmapsto i_a$$

Da alle i_a Automorphismen sind, sogar eine Abbildung in die Untergruppe Aut(G) von S_G.
Wir behaupten : i ist ein Homomorphismus.
Beweis: Zu zeigen ist: $i_{ab} = i_a \circ i_b$. Sei $x \in G$. Dann ist
$i_{ab}(x) = (ab)x(b^{-1}a^{-1}) = a(bxb^{-1})a^{-1} = i_a(bxb^{-1}) = (i_a \circ i_b)(x)$.

Der Homomorphismus i wird i.a. nicht injektiv sein. Im Falle einer abelschen Gruppe ist es sogar der triviale Homomorphismus

$$G \ni a \longmapsto id_G \in Aut(G) \quad \text{für alle } a \in G.$$

Bestimmen wir also ker i :
Sei $a \in \ker i \Leftrightarrow i_a = id_G \Leftrightarrow \bigwedge_{x \in G} axa^{-1} = x \Leftrightarrow \bigwedge_{x \in G} ax = xa$; dh.

$$\ker i = \left\{ a \in G \;\middle|\; \bigwedge_{x \in G} ax = xa \right\}$$

Der Kern der Abbildung i besteht aus allen Elementen von G, die mit allen Elementen von G kommutieren.
ker i bezeichnet man auch als das Zentrum der Gruppe G.
In diesem Sinne ist die Aussage zu verstehen, daß die Anzahl der inneren Automorphismen die Kommutativität einer Gruppe mißt.
Falls wir etwa eine endliche Gruppe G haben, so bedeutet eine große Anzahl innerer Automorphismen, daß ker i, das Zentrum der Gruppe, wenig Elemente enthält, daß es also nur wenige Elemente in der Gruppe gibt, die mit allen kommutieren.

§ 5 : Äquivalenzrelationen und Quotientengruppen

M und N seien Mengen. Unter einer Relation von M nach N verstehen wir eine Teilmenge R von $M \times N$. Für $(x,y) \in R$ mit $x \in M$, $y \in N$ schreibt man auch

$x R y$ und liest: "x steht in der Relation R zu y" (340)

Eine Relation R definiert man meist, indem man explizit durch eine Aussage A angibt, welche Elemente $x \in M, y \in N$ jeweils untereinander in der Relation R stehen; dh. welche Paare (x,y) zu R gehören.

Beispiele:

a) M sei eine Menge. Die Gleichheitsrelation zwischen Elementen von M läßt sich als Relation in unserem Sinne auffassen. Wir nennen die Relation G und definieren :

$$\bigwedge_{x,y \in M} x G y \;:\Longleftrightarrow\; x = y$$

dh. also : $(x,y) \in G \Longleftrightarrow x=y$

Wir können das Zeichen " = " direkt als Bezeichnung für die Relation G verwenden, ohne dadurch Mißverständnisse zu verursachen, weil die Schreibweise " x=y " mit unserer allgemeinen Schreibweise für Relationen übereinstimmt (vgl. (340)).

b) Sei $M := \mathbb{Z}^*$. Die Relation T von $\mathbb{Z}^*$ nach $\mathbb{Z}^*$ sei definiert durch:

$x T y \;:\Longleftrightarrow\;$ y teilbar durch x

Demnach gehört etwa das Paar (2,-4) zu T, nicht aber das Paar (-4,2).

c) Sei $f: A \longrightarrow B$ eine Abbildung. Wir können die Zuordnungsvorschrift f als Relation von A nach B auffassen vermöge

$$a\ f\ b\ :\Leftrightarrow\ b = f(a) \qquad \text{für } a\in A, b\in B$$

Ein $b\in B$ steht also genau zu den Elementen von A in Relation, die als Urbilder zu b auftreten.

Definition 5.1 : Sei R eine Relation von A nach B. Unter dem Nachbereich von R bzgl. eines Elements $a\in A$, Bezeichnungsweise : R(a), verstehen wir die folgende Teilmenge von B:

$$R(a) := \{ b\in B \mid a\ R\ b \}$$

Der Nachbereich zu einem Element $a\in A$ besteht also aus allen Elementen $b\in B$, die mit a in der Relation R stehen.

Beispiele:Wir beziehen uns in der Numerierung auf die vorausgegangenen Beispiele.

a) Für die Gleichheitsrelation " = " auf der Menge M gilt:

$$\bigwedge_{x\in M} =(x) = \{x\}$$

Jedes $x\in M$ steht nur mit sich selbst in Relation.

b) Sei $a\in \mathbb{Z}^*$. Dann gilt: $T(a) = \{ x\in \mathbb{Z}^* \mid x \text{ teilbar durch } a \}$;
dh. für ein $a\in \mathbb{N}^*$ haben wir mit den Bezeichnungen von Beispiel b) auf p.48:

$$T(a) = a\,\mathbb{Z} \qquad \text{und} \qquad T(-a) = T(a) = a\,\mathbb{Z}\,.$$

c) $f\colon A \longrightarrow B$ sei eine Abbildung. Dann ist für $a\in A$
f(a) (zu verstehen als Nachbereich einer Relation)
$= \{f(a)\}$ (f(a) hier zu verstehen im üblichen Sinn: Bild von a unter der Abbildung f)

Fassen wir also eine Abbildung als Relation auf, so stimmen die beiden Auffassungen des Symbols " f(a) " im wesentlichen überein.
Die Def.5.1 gibt uns Gelegenheit, den Abbildungsbegriff etwas exakter zu definieren, als es in § 1 geschehen konnte.

Definition 5.2: Unter einer Abbildung verstehen wir ein Tripel (A,f,B), wo A und B Mengen sind und f eine Relation von A nach B mit der folgenden Eigenschaft:

$$\bigwedge_{a\in A} |f(a)| = 1 \qquad (350)$$

(350) bedeutet: Jedes a steht genau mit einem Element b von B in Relation. Insbesondere heißt das: $f(a) \neq \emptyset$, was in unserer früheren Terminologie bedeutet, daß die Zuordnungsvorschrift f für alle $a \in A$ erklärt ist.
Man beachte , daß Def.5.2, logisch gesehen, ganz elementar ist. Sie hätte am Beginn von § 1 stehen können, nachdem die unbekannten Begriffe "Paar","Tripel","Relation" u.ä. erklärt worden waren. Daß dies nicht geschehen ist, hatte nur pädagogische Gründe.

Wir wollen uns nun mit speziellen Relationen von einer Menge M in sich selbst befassen.
Erinnern wir uns an die Gleichheitsrelation. Sie hat unter anderem folgende nette Eigenschaften:

$\bigwedge_{x \in M} x = x$ (Reflexivität)

$\bigwedge_{x,y \in M} x = y \Rightarrow y = x$ (Symmetrie)

$\bigwedge_{x,y,z \in M} x = y \wedge y = z \Rightarrow x = z$ (Transitivität)

Diese Eigenschaften wollen wir als zusätzliche Forderungen den Relationen auferlegen, die wir als nächstes betrachten:

<u>Definition 5.3</u>: M sei eine Menge. Unter einer <u>Äquivalenzrelation</u> $\sim$ auf M verstehen wir eine Relation $\sim$ von M nach M mit den folgenden Eigenschaften :

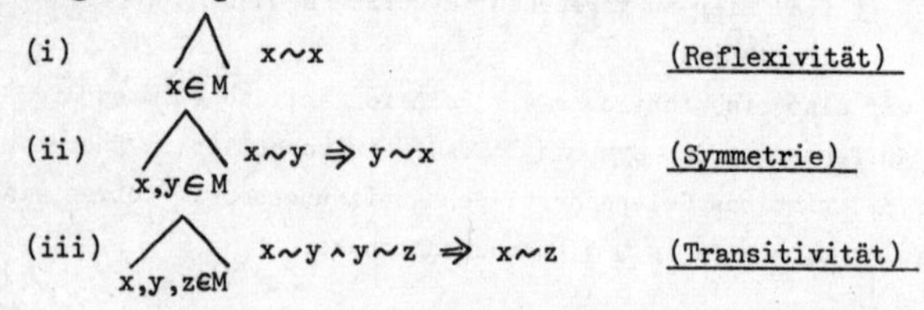

(i) $\bigwedge_{x \in M} x \sim x$ <u>(Reflexivität)</u>

(ii) $\bigwedge_{x,y \in M} x \sim y \Rightarrow y \sim x$ <u>(Symmetrie)</u>

(iii) $\bigwedge_{x,y,z \in M} x \sim y \wedge y \sim z \Rightarrow x \sim z$ <u>(Transitivität)</u>

<u>Beispiele</u>:

a) " = " ist eine Äquivalenzrelation auf jeder Menge

b) Sei $M := \mathbb{R}^*$. Wir definieren $\sim$ durch

$x \sim y \quad :\Leftrightarrow \quad \text{sign}(xy) = 1$,

wobei sign die Vorzeichenabbildung

$$\text{sign} : \mathbb{R}^* \longrightarrow \{1\ ,\ -1\}$$
$$r \longmapsto \begin{cases} 1, \text{falls } r > o \\ -1, \text{falls } r < o \end{cases}$$

ist. $\sim$ ist eine Äquivalenzrelation; denn

(i) Reflexivität: Für jedes $x \in \mathbb{R}^*$ ist $x^2 > o \Rightarrow \text{sign}(x^2) = 1$
$\Rightarrow x \sim x$.

(ii) Symmetrie: Sei $x \sim y \Rightarrow \text{sign}(xy) = 1 \Rightarrow \text{sign}(yx) = 1$
$\Rightarrow y \sim x$

(iii) Transitivität: Sei $x \sim y \wedge y \sim z \Rightarrow \text{sign}(xy) = \text{sign}(yz) = 1$

1.Fall: $x > o \Rightarrow \text{sign}(x) = 1 \Rightarrow \text{sign}(y) = 1 \Rightarrow \text{sign}(z) = 1$
$\Rightarrow \text{sign}(xz) = 1$

2.Fall: $x < o \Rightarrow \text{sign}(x) = -1 \Rightarrow \text{sign}(y) = -1$
$\Rightarrow \text{sign}(z) = -1 \Rightarrow \text{sign}(xz) = 1$

In beiden Fällen ist also $\text{sign}(xz) = 1 \Rightarrow x \sim z$

c) $M := \mathbb{Z}^*$. Sei $\sim$ definiert durch:

$x \sim y \quad :\Leftrightarrow \quad y$ teilbar durch x

$\sim$ ist keine Äquivalenzrelation, da die Symmetrie verletzt ist; denn aus "y teilbar durch x" folgt nicht, daß x teilbar durch y ist.

d) $M := \mathbb{Z}$. Sei $a \in \mathbb{N}^*$ fest gewählt. Sei $\sim$ definiert durch

$x \sim y \quad :\Leftrightarrow \quad x - y$ teilbar durch a

$\sim$ ist Äquivalenzrelation:

(i) Reflexivität: $x - x = 0$ ist durch a teilbar

(ii) Symmetrie: Sei $x \sim y \Rightarrow x - y$ teilbar durch a
$\Rightarrow y - x = -(x - y)$ teilbar durch $a \Rightarrow y \sim x$.

(iii) Transitivität: Sei $x \sim y \wedge y \sim z \Rightarrow x - y$ teilbar durch a und $y - z$ teilbar durch a. Dann ist auch $x - z = (x - y) + (y - z)$ teilbar durch a

e) Sei $f: A \longrightarrow B$ eine Abbildung. Definiere eine Relation $\sim$ auf A durch

$$x \sim y \quad :\Leftrightarrow \quad f(x) = f(y)$$

$\sim$ ist eine Äquivalenzrelation :

(i) Reflexivität: $x \sim x \Leftrightarrow f(x) = f(x)$

(ii) Symmetrie: $[x \sim y \Rightarrow y \sim x] \Leftrightarrow [f(x) = f(y) \Rightarrow f(y) = f(x)]$

(iii) Transitivität: $[x \sim y \wedge y \sim z \Rightarrow x \sim z] \Leftrightarrow$

$$\Leftrightarrow [f(x) = f(y) \wedge f(y) = f(z) \Rightarrow f(x) = f(z)]$$

Damit ist alles auf die Gleichheitsrelation in B zurückgeführt. Da die Gleichheitsrelation eine Äquivalenzrelation ist, ist auch $\sim$ eine Äquivalenzrelation.

f) Aus demselben Grund erhalten wir für eine Abbildung $f: A \longrightarrow B$ und eine beliebige Äquivalenzrelation $\sim'$ auf B eine Äquivalenzrelation $\sim$ auf A durch

$$x \sim y \quad :\Leftrightarrow \quad f(x) \sim' f(y) \qquad \text{für } x, y \in A$$

Diese Äquivalenzrelation $\sim$ auf A heißt die durch $\sim'$ und f auf A induzierte Äquivalenzrelation.

Beispiel: Sei die Abbildung

$$[\;]: \mathbb{R} \longrightarrow \mathbb{Z} \qquad \text{definiert durch}$$

$$r \longmapsto [r] \quad = \text{größte ganze Zahl, die kleiner oder gleich } r \text{ ist}$$

Auf $\mathbb{Z}$ wählen wir die Äquivalenzrelation aus Beispiel d). Dann erhalten wir, durch $[\;]$ induziert, auf $\mathbb{R}$ die Äquivalenzrelation

$$r \sim s \Leftrightarrow [r] - [s] \text{ teilbar durch } a \quad (r, s \in \mathbb{R};\ a \in \mathbb{N}^*)$$

Sei $\sim$ eine Äquivalenzrelation auf M. Statt Nachbereich (zu $a \in M$) verwendet man auch die Bezeichnung <u>Äquivalenzklasse</u> (von $a \in M$) oder <u>Restklasse</u> (von $a \in M$) (<u>modulo $\sim$</u>).

Die Menge aller Äquivalenzklassen bezeichnen wir mit $\bar{M}$, falls klar ist, welche Äquivalenzrelation gemeint ist. Die Menge $\bar{M}$ bezeichnet man auch als <u>Quotientenmenge von M nach der Äquivalenzrelation $\sim$.</u>

Dann haben wir eine Abbildung

$$\pi_\sim : M \longrightarrow \bar{M}$$
$$m \longmapsto \sim(m)$$

Diese Abbildung heißt die <u>Restklassenabbildung</u> und ist nach Konstruktion surjektiv. Wenn klar ist, welche Äquivalenzrelation gemeint ist, schreiben wir auch einfach π statt $\pi_\sim$, und statt $\sim(m) = \pi_\sim(m)$ verwenden wir auch oft einfach die Bezeichnung $\bar{m}$; dh. also

$$\pi : M \longrightarrow \bar{M}$$
$$m \longmapsto \bar{m}$$

π ordnet jedem Element von M seine Restklasse modulo $\sim$ zu.

Sei $\sim$ eine Äquivalenzrelation auf M. Dann haben wir folgende Eigenschaften der zugehörigen Restklassen:

$$\bigwedge_{x,y \in M} y \in \bar{x} \Leftrightarrow y \sim x \tag{360}$$

denn: $y \in \bar{x} = \sim(x) \Leftrightarrow y \sim x$ nach Def. der Nachbereiche.

Wegen der Reflexivität gilt speziell

$$\bigwedge_{x \in M} x \in \bar{x} \tag{370}$$

Ferner:

$$\bigwedge_{x,y \in M} y \sim x \Leftrightarrow \bar{y} = \bar{x} \tag{380}$$

<u>Beweis</u>: a) Sei $\bar{y} = \bar{x} \Rightarrow y \in \bar{x}$ nach (370) $\Rightarrow y \sim x$ nach (360)

b) Sei $y \sim x$. Wir zeigen: $\bar{y} \subset \bar{x}$. Sei $z \in \bar{y} \Rightarrow z \sim y \Rightarrow z \sim x$ wegen der Transitivität. $\Rightarrow z \in \bar{x}$.-

Aus $y \sim x$ folgt ferner: $x \sim y$ und daher nach dem Beweis von eben: $\bar{x} \subset \bar{y}$. Daher: $\bar{x} = \bar{y}$. <u>qed</u>

<u>Definition 5.4</u>: Sei M eine nicht leere Menge. Ein $P \subset \mathcal{P}(M)$, eine Menge von Teilmengen von M also, heißt <u>Partition</u> oder <u>Zerlegung</u> oder <u>Klasseneinteilung</u> von M, falls gilt:

(i) $\emptyset \notin P$

(ii) $\bigwedge_{A,B \in P} A \neq B \Rightarrow A \cap B = \emptyset$

(iii) $\bigcup_{A \in P} A = M$

Die Axiome entsprechen genau dem, was man sich anschaulich unter einer "Zerlegung" einer Menge M vorstellt:
Eine Menge von Teilmengen von M, deren Vereinigung ganz M ist und bei der die einzelnen Teilmengen "sich nicht überschneiden", dh. paarweis disjunkt sind (= leeren Durchschnitt haben).
Das Axiom (i) besagt lediglich, daß die ohnehin wertlose leere Menge nicht in den Partitionsmengen berücksichtigt werden soll.

Beispiel: $M := \mathbb{R}^+$. Eine Partition P ist etwa gegeben durch

$$P := \{ [r, r+1) \mid r \in \mathbb{N} \} \quad \text{mit } [r,r+1) := \{ s \in \mathbb{R}^+ \mid r \leq s < r+1 \}$$

Satz 5.5: Sei P eine Partition auf der endlichen Menge M. Dann gilt:

$$|M| = \sum_{A \in P} |A|$$

Beweis: Wir führen vollständige Induktion nach $|M|$.
Sei zunächst $|M| = 1$. Sei $M = \{x\}$. Die einzig mögliche Partition von M ist dann $P = \{\{x\}\}$.

$$\Rightarrow \sum_{A \in P} |A| = |\{x\}| = 1 = |M|$$

Induktionsschluß: Sei $|M| = n+1$. Sei P eine Partition auf M.
Sei $x \in M$. Da P Partition ist, gibt es ein $B \in P$ mit $x \in B$. Wir definieren eine Partition $\tilde{P}$ von $M \setminus \{x\}$ durch :

$$\tilde{P} := (P \setminus B) \cup \{ B \setminus \{x\} \} \text{ ,falls } B \setminus \{x\} \neq \emptyset.$$

Falls $B \setminus \{x\} = \emptyset$, setzen wir $\tilde{P} := P \setminus B$.
Offensichtlich ist $\tilde{P}$ eine Partition auf $M \setminus \{x\}$.
Es gilt: $|M| = 1 + |M \setminus \{x\}| = 1 + \sum_{A \in \tilde{P}} |A|$ nach Ind.ann.

$$= 1 + \sum_{A \in P \setminus B} |A| + |B \setminus \{x\}| ,$$

wobei $B \setminus \{x\}$ unter Umständen leer ist.

$$= 1 + \sum_{A \in P \setminus B} |A| + |B| - 1 = \sum_{A \in P} |A|$$

QED

Die Quotientenmenge einer Menge M nach einer Äquivalenzrelation erfüllt die Axiome einer Partition, gemäß dem folgenden Satz:

<u>Satz 5.6</u> : Sei M eine nicht leere Menge und $\sim$ eine Äquivalenzrelation auf M. Dann ist die Menge $\bar{M}$ der Restklassen modulo $\sim$ eine Partition von M.

<u>Beweis:</u> (i) $\emptyset \notin \bar{M}$, da jede Restklasse nach Def. mindestens ein Element enthält.

(ii) Seien $\bar{x}, \bar{y} \in \bar{M}$ und sei $\bar{x} \cap \bar{y} \neq \emptyset$. Dann gibt es ein $z \in \bar{x} \cap \bar{y}$

$\Rightarrow z \in \bar{x} \wedge z \in \bar{y} \Rightarrow z \sim x \wedge z \sim y$ nach (360).

$\Rightarrow x \sim y$ wegen Symmetrie und Transitivität

$\Rightarrow \bar{x} = \bar{y}$ nach (380)

(iii) Es ist trivialerweise $\bigcup_{\bar{x} \in \bar{M}} \bar{x} \subset M$.- Sei nun $y \in M$

$\Rightarrow y \in \bar{y} \subset \bigcup_{\bar{x} \in \bar{M}} \bar{x}$ <u>QED</u>

Umgekehrt bestimmt jede Partition in kanonischer Weise eine Äquivalenzrelation:

<u>Satz 5.7</u>: Sei P eine Partition auf M. Dann ist die Relation $\sim$, die definiert ist durch

$$x \sim y \ :\Leftrightarrow \bigvee_{A \in P} x \in A \wedge y \in A$$

eine Äquivalenzrelation.

(Zwei Elemente sollen also äquivalent sein, wenn sie in derselben Partitionsklasse liegen)

<u>Beweis</u>:

<u>Reflexivität</u>: Sei $x \in M$. Wegen Axiom (iii) von 5.4 gibt es ein $A \in P$ mit $x \in A \Rightarrow x \sim x$.

<u>Symmetrie:</u> trivial

<u>Transitivität:</u> Sei $x \sim y$ und $y \sim z \Rightarrow \bigvee_{A \in P} x \in A \wedge y \in A$ und

$\bigvee_{B \in P} y \in B \wedge z \in B \Rightarrow y \in A \cap B \Rightarrow A = B$ nach Axiom (ii) aus 5.4

$\Rightarrow x \in A \wedge z \in A \Rightarrow x \sim z$ QED

Sei $\mathfrak{A}(M)$ die Menge aller Äquivalenzrelationen auf einer Menge M.
Sei $\mathfrak{P}(M)$ die Menge aller Partitionen auf einer Menge M.
Dann haben wir nach 5.6 eine Abbildung

$$S : \mathfrak{A}(M) \longrightarrow \mathfrak{P}(M)$$

und nach 5.7 eine Abbildung

$$T : \mathfrak{P}(M) \longrightarrow \mathfrak{A}(M)$$

Theorem 5.8: S und T sind bijektive Abbildungen, und es gilt:
$S = T^{-1}$.

Erläutern wir diese Aussage zunächst:
Wenn eine Äquivalenzrelation $\sim$ auf M gegeben ist, erhalten wir die zugehörige Partition der Restklassen. Wenn wir von dieser Partition ausgehen und (nach 5.7) die zugehörige Äquivalenzrelation konstruieren, so erhalten wir unsere ursprüngliche Äquivalenzrelation zurück.
Umgekehrt: Gehen wir von einer vorgegebenen Partition P auf der Menge M über zur zugehörigen Äquivalenzrelation und bilden die Partition der Restklassen, so erhalten wir die ursprüngliche Partition.
Äquivalenzrelationen und Partitionen entsprechen sich also umkehrbar eindeutig.

Beweis zu Theorem 5.8:
Wir zeigen : $S \circ T = id_{\mathfrak{P}(M)}$ und $T \circ S = id_{\mathfrak{A}(M)}$.
Nach 1.7 ist damit alles gezeigt.
(i) Sei P eine Partition auf M. Wir behaupten: $S(T(P)) = P$.
Sei $A \in P$. Sei $x \in A$.
Behauptung: $A = \bar{x}$ (Restklasse von x modulo T(P))
Beweis: Sei $y \in \bar{x} \Leftrightarrow y \sim x \Leftrightarrow y \in A$, da $x \in A$ qed
Damit ist gezeigt: $P \subset S(T(P))$.

Sei nun $\bar{y} \in S(T(P))$. Wegen Axiom (iii) aus 5.4 gibt es dann ein $B \in P$ mit $y \in B$. Wie wir eben gezeigt haben, folgt dann: $\bar{y} = B$. Daher ist auch $S(T(P)) \subset P$.

(ii) Sei $\sim$ eine Äquivalenzrelation auf M. Wir behaupten: $T(S(\sim)) = \sim$.
Wir bezeichnen $T(S(\sim))$ mit $\sim'$.
Wir haben zu zeigen : $x \sim y \Leftrightarrow x \sim' y$. Dies gilt aber trivialerweise; denn : $x \sim y \Leftrightarrow \bar{x} = \bar{y} \Leftrightarrow x \sim' y$.

QED

<u>Beispiele</u>: Wir beziehen uns in der Numerierung auf die Beispiele von p.73.

a) Der Gleichheitsrelation auf einer Menge M entspricht die <u>diskrete Partition</u>, die genau aus allen einelementigen Teilmengen der Menge M besteht.

b) $x \sim y :\Leftrightarrow \operatorname{sign}(xy) = 1$ in der Menge $\mathbb{R}^*$.
<u>Behauptung</u>: $P = \{\mathbb{R}^+ \setminus \{0\}, \mathbb{R}^- \setminus \{0\}\}$ ist die zugehörige Partition.
<u>Beweis:</u> Alle Elemente in $\mathbb{R}^+ \setminus \{0\}$ sind offenbar zueinander äquivalent, und alle Elemente in $\mathbb{R}^- \setminus \{0\}$ sind offenbar zueinander äquivalent.
Ferner ist etwa $1 \not\sim -1$

qed

d) $M = \mathbb{Z}$ und $x \sim y :\Leftrightarrow x-y$ teilbar durch festes $a \in \mathbb{N}^*$.
<u>Behauptung</u>: $P = \{\bar{q} \mid 0 \leq q < a\}$ ist die zugehörige Partition; $|P| = a$.
<u>Beweis</u>: Diese $\bar{q}$ sind alle voneinander verschieden; denn falls $\bar{q} = \overline{q'} \Rightarrow q \sim q' \Rightarrow q-q'$ teilbar durch $a \Rightarrow q = q'$, da $|q-q'| < a$.
Ferner liegt jedes $z \in \mathbb{Z}$ in einer dieser Klassen. Denn zu $z \in \mathbb{N}$ gibt es eine größte natürliche Zahl n, so daß $z = na + b$ und $b < a$ $\Rightarrow z \in \bar{b}$, da $z-b$ teilbar durch a.
Für $z < 0$ ist aber offensichtlich $\bar{z} = \overline{-z}$ und $-z \in \mathbb{N}$. Diesen Fall haben wir eben aber bereits besprochen.

qed

Wir wollen nun Äquivalenzrelationen auf Gruppen betrachten.

Satz 5.9: Sei G eine Gruppe, U eine Untergruppe von G. Dann ist die Relation $\sim_U$, die definiert ist durch

$$x \sim_U y \ :\Leftrightarrow \ xy^{-1} \in U$$

eine Äquivalenzrelation auf G.

Beweis: Für $\sim_U$ schreiben wir im Beweis kurz "$\sim$".
Reflexivität: $e = xx^{-1} \in U \Rightarrow x \sim x$ für alle $x \in G$.
Symmetrie: Sei $x \sim y \Rightarrow xy^{-1} \in U \Rightarrow (xy^{-1})^{-1} \in U$, da U Untergruppe.
$\Rightarrow yx^{-1} \in U \Rightarrow y \sim x$.
Transitivität: Sei $x \sim y \wedge y \sim z \Rightarrow xy^{-1} \in U \wedge yz^{-1} \in U$
$\Rightarrow xz^{-1} = (xy^{-1})(yz^{-1}) \in U$, da U Untergruppe. $\Rightarrow x \sim z$. QED

Wir wollen uns nun etwas ausführlicher mit der durch eine Untergruppe U auf G induzierten Äquivalenzrelation $\sim$ befassen.

Sei $x \in G$. Dann ist die zu x gehörige Restklasse $\bar{x}$ gegeben durch

$$\bar{x} = U.x := \{gx \mid g \in U\} \ ;$$

denn falls $y \in \bar{x} \Leftrightarrow y \sim x \Leftrightarrow yx^{-1} \in U \Leftrightarrow \bigvee_{g \in U} yx^{-1} = g \Leftrightarrow \bigvee_{g \in U} y = gx$.

Statt $\bar{G}$ (Menge der Restklassen modulo $\sim$) schreibt man auch G/U (lies:"G nach U"), und die kanonische Abbildung $\pi_{\sim_U}$ bezeichnen wir mit π_U :

$$\pi_U \ : \ G \longrightarrow G/U \ .$$

Wir wollen uns überlegen, ob sich auf G/U eine Gruppenstruktur so einführen läßt, daß π_U ein Gruppenhomomorphismus wird. Das würde bedeuten, daß

$$\pi_U(gh) \ = \ \pi_U(g) \circ \pi_U(h) \ , \tag{390}$$

wo $\circ$ die zu definierende Operation in G/U bezeichnet.
Mit den alten Bezeichnungen geschrieben:

$$\overline{g.h} \ = \ \bar{g} \circ \bar{h} \tag{400}$$

Aus Gleichung (400) ergibt sich sofort, daß es, falls es überhaupt eine Operation auf G/U gibt, die (400) erfüllt, es die einzige ist.
Man könnte Gleichung (400) direkt zur Definition der Operation $\circ$ benutzen; also :

$$\bar{g} \circ \bar{h} \ := \ \overline{g.h} \quad \text{für } \bar{g}, \bar{h} \in G/U \tag{410}$$

Bei dieser Definition erhebt sich allerdings die Frage, ob dadurch $\circ$ eindeutig definiert ist; denn um $\bar{g} \circ \bar{h}$ zu bestimmen, muß man Elemente g,h aus den entsprechenden Restklassen auswählen, diese in G verknüpfen und dann vom Produkt wieder die Restklasse bilden. Eine Definition wie (410) ist also nur dann sinnvoll, wenn sie von der Auswahl der Repräsentanten $g' \in \bar{g}$ und $h' \in \bar{h}$ unabhängig ist. Wir müssen also untersuchen:

Seien $g,g',h,h' \in G$ mit $\bar{g} = \overline{g'}$ und $\bar{h} = \overline{h'}$. Ist dann auch $\overline{g.h} = \overline{g'.h'}$?

$$\bar{g} = \overline{g'} \wedge \bar{h} = \overline{h'} \Leftrightarrow g' \sim g \wedge h' \sim h \Leftrightarrow g'g^{-1} \in U \wedge h'h^{-1} \in U \qquad (420)$$

Erhalten wollen wir:

$$\overline{gh} = \overline{g'h'} \Leftrightarrow g'h'(gh)^{-1} = g'h'h^{-1}g^{-1} \in U \qquad (430)$$

Aus (420) folgt aber nur

$g'g^{-1}h'h^{-1} \in U$,

und da G nicht als abelsch vorausgesetzt war, braucht deshalb nicht notwendigerweise auch $g'h'h^{-1}g^{-1} \in U$ zu sein.

Wir müssen daher der Untergruppe U eine weitere Beschränkung auferlegen:

<u>Definition 5.10</u> : Eine Untergruppe U einer Gruppe G heißt <u>invariante Untergruppe</u> oder <u>Normalteiler</u> , wenn gilt:

$$\bigwedge_{g \in G} \bigwedge_{u \in U} gug^{-1} \in U \qquad (440)$$

Die Bezeichnung "invariante Untergruppe" kommt daher, daß man die Aussage (440) auch folgendermaßen formulieren kann:

$$\bigwedge_{g \in G} i_g(U) \subset U \quad ,$$

wo i_g der innere Automorphismus mit $g \in G$ ist (vgl.p.68 und 69).

Eine invariante Untergruppe ist also eine Untergruppe, die von allen inneren Automorphismen der Gruppe G in sich übergeführt wird (oder "invariant" bleibt).

Einfache Beispiele von Normalteilern einer Gruppe G sind die beiden trivialen Untergruppen $\{e\}$ und G. Falls G abelsch ist,

ist jede Untergruppe Normalteiler.

Kehren wir nun zu unserem Problem zurück:

Wenn U ein Normalteiler ist, so haben wir:

$xy \in U \Rightarrow yx \in U$; denn aus $xy \in U$ folgt: $yx = x^{-1}xyx = i_{(x^{-1})}(xy) \in U$.

Nutzen wir diese Eigenschaft aus, so ergibt sich bei (420):

$g'g^{-1} \in U \wedge h'h^{-1} \in U \Rightarrow g^{-1}g' \in U \wedge h'h^{-1} \in U \Rightarrow g^{-1}(g'h'h^{-1}) \in U$

$\Rightarrow g'h'h^{-1}g^{-1} \in U$, womit wir (430) haben.

Damit haben wir gezeigt: Wenn U Normalteiler von G ist, dann gilt: $\overline{g} = \overline{g'} \wedge \overline{h} = \overline{h'} \Rightarrow \overline{gh} = \overline{g'h'}$. Damit ist die Definition (400) in diesem Falle sinnvoll. Außerdem ist durch die Definition (4oo) gewährleistet, daß π_U ein Homomorphismus ist.

Wir haben noch zu zeigen, daß G/U mit dieser Operation die Gruppenaxiome erfüllt:

Assoziativität: $\overline{x} \circ (\overline{y} \circ \overline{z}) = \overline{x} \circ \overline{yz} = \overline{x(yz)} = \overline{(xy)z}$ wegen der Assoziativität in G.

$= \overline{xy} \circ \overline{z} = (\overline{x} \circ \overline{y}) \circ \overline{z}$.

Existenz des neutralen Elements:

Behauptung: $\overline{e}$ ist neutral in G/U.

Beweis: $\overline{e} \circ \overline{x} = \overline{ex} = \overline{x}$.

Existenz von inversen Elementen:

Behauptung: Zu $\overline{x}$ ist $\overline{x^{-1}}$ invers; dh. $\overline{x}^{-1} = \overline{x^{-1}}$.

Beweis: $\overline{x^{-1}} \circ \overline{x} = \overline{x^{-1}x} = \overline{e}$

Ferner ist G/U abelsch, wenn G abelsch ist:

$\overline{x} \circ \overline{y} = \overline{xy} = \overline{yx} = \overline{y} \circ \overline{x}$.

Bestimmen wir schließlich noch ker π_U :

Sei $x \in \ker \pi_U \Leftrightarrow \overline{x} = \overline{e} \Leftrightarrow x \sim e \Leftrightarrow x \in U$; dh.: $\ker \pi_U = U$

Zusammenfassend erhalten wir folgendes Theorem:

Theorem 5.11: G sei eine Gruppe und U ein Normalteiler von G.

Die Relation $\sim_U$, definiert durch

$x \sim_U y \;:\Leftrightarrow\; xy^{-1} \in U$

ist eine Äquivalenzrelation auf G.

Auf der Menge der Restklassen G/U gibt es genau eine Gruppenstruktur, so daß die kanonische Abbildung

$$\pi_U : G \longrightarrow G/U$$

ein Gruppenhomomorphismus ist.

Ferner gilt:

π_U ist surjektiv und ker $\pi_U = U$.

Falls G abelsch ist, ist jede Untergruppe U ein Normalteiler, und G/U ist abelsch. QED

G/U, versehen mit der Struktur aus Theorem 5.11, wird auch als die Restklassengruppe oder Quotientengruppe von G nach U (oder modulo U) bezeichnet.

Korollar 5.12: Zu jedem Normalteiler U einer Gruppe G gibt es eine Gruppe G' und einen surjektiven Gruppenhomomorphismus $f : G \longrightarrow G'$, so daß $U = \ker f$.

•

Beweis: Wähle $G' := G/U$ und $f := \pi_U$ QED

Jeder Normalteiler einer Gruppe läßt sich also als Kern eines Gruppenhomomorphismus darstellen. Es gilt auch die Umkehrung:

Satz 5.13: Sei $f: G \longrightarrow G'$ ein Gruppenhomomorphismus. Dann ist ker f ein Normalteiler von G.

Beweis: Sei $x \in \ker f$ und $g \in G$. Dann ist $f(gxg^{-1}) = f(g)f(x)f(g^{-1}) = f(g)e'f(g)^{-1} = e' \Rightarrow gxg^{-1} \in \ker f$ QED

Beispiele:

a) G sei eine Gruppe und $U = \{e\}$. $\sim_U$ ist dann die Gleichheitsrelation, und offensichtlich ist $G/U \cong G$. Daher unterscheidet man nicht zwischen $G/\{e\}$ und G selbst.

b) G sei eine Gruppe und U = G. Dann gilt:
Alle Elemente in G sind zueinander äquivalent. Daher gibt es nur eine Restklasse, nämlich G selbst; und $G/U = \{\bar{e}\}$ ist die triviale Gruppe mit nur einem Element.

c) Das Zentrum einer Gruppe (vgl.p.69) ist als Kern eines Gruppenhomomorphismus ein Normalteiler der Gruppe.

d) Sei G eine Gruppe. $(U_i)_{i\in I}$ sei eine Familie von Normalteilern von G. Dann ist

$$\bigcap_{i\in I} U_i \text{ ein Normalteiler von } G.$$

<u>Beweis:</u> $\bigcap_{i\in I} U_i$ ist Untergruppe von G nach Satz 3.10.

Sei $g \in G$. Dann ist $i_g(\bigcap_{i\in I} U_i) \subset \bigcap_{i\in I} i_g(U_i)$ nach Satz 2.2

$\subset \bigcap_{i\in I} U_i$, da alle U_i Normalteiler sind. <u>qed</u>

e) $G := \mathbb{Z}$. $U := a\mathbb{Z}$ $(a \in \mathbb{N})$.
Für a = 0 haben wir $G/U \cong \mathbb{Z}$ nach a)
Für $a \neq 0$ ergibt sich :
$x \sim_U y \Leftrightarrow x - y \in a\mathbb{Z} \Leftrightarrow x-y$ ist durch a teilbar.
Wir erhalten also die Relation von Beispiel d) zu 5.3.
Aus Beispiel d) zu 5.8 wissen wir, daß

$$\mathbb{Z}_a := \mathbb{Z}/a\mathbb{Z} = \{\bar{q} \mid 0 \leq q < a\} \text{ (alle diese } \bar{q} \text{ verschieden)}$$

$\mathbb{Z}_a$ ist also eine endliche abelsche Gruppe mit a Elementen.
Die Gruppentafel für $\mathbb{Z}_4$ z.B. ist :

$\bar{0}$	$\bar{1}$	$\bar{2}$	$\bar{3}$
$\bar{1}$	$\bar{2}$	$\bar{3}$	$\bar{0}$
$\bar{2}$	$\bar{3}$	$\bar{0}$	$\bar{1}$
$\bar{3}$	$\bar{0}$	$\bar{1}$	$\bar{2}$

Dies ist die Struktur (280) von p.56.

f) Eine andere Gruppe mit 4 Elementen ist die Gruppe $\mathbb{Z}_2 \times \mathbb{Z}_2$ (direktes Produkt; vgl. Beispiel c),p.42)

Behauptung: $\mathbb{Z}_2 \times \mathbb{Z}_2 \not\cong \mathbb{Z}_4$ (nicht isomorph)

Beweis: Die Abbildung

$$f : \begin{array}{l} (\bar{o},\bar{o}) \longmapsto 1 \\ (\bar{1},\bar{o}) \longmapsto 2 \\ (\bar{o},\bar{1}) \longmapsto 3 \\ (\bar{1},\bar{1}) \longmapsto 4 \end{array}$$

ist offenbar ein Isomorphismus von $\mathbb{Z}_2 \times \mathbb{Z}_2$ auf die Struktur der Kleinschen Vierergruppe (260) auf p.56. Da (260) nicht isomorph zu (280) ist (vgl.p.67), folgt die Behauptung. qed

Die Überlegungen von § 3 über die Gruppenstrukturen auf einer Menge von vier Elementen können wir jetzt folgendermaßen zusammenfassen: Jede Gruppe mit vier Elementen ist entweder isomorph zu $\mathbb{Z}_4$ oder zu $\mathbb{Z}_2 \times \mathbb{Z}_2$.

Theorem 5.14: (Homomorphiesatz)

$f : G \longrightarrow G'$ sei ein Gruppenhomomorphismus.

Dann gilt : $\operatorname{im} f \cong G / \ker f$

Beweis: Wir definieren

$$\Phi : \operatorname{im} f \longrightarrow G / \ker f \quad \text{durch}$$
$$f(x) \longmapsto \bar{x} \quad \text{für } x \in G$$

Wir zeigen zunächst, daß Φ eindeutig definiert ist:

Sei $y \in G$ ein anderes Urbild von $f(x)$; dh.: $f(x) = f(y)$

$\Rightarrow f(xy^{-1}) = e' \Rightarrow xy^{-1} \in \ker f \Rightarrow \overline{xy^{-1}} = \bar{e}$

$\Rightarrow \bar{x} \circ (\bar{y})^{-1} = \bar{e} \Rightarrow \bar{x} = \bar{y}$. qed

Φ ist ein Gruppenhomomorphismus:

Seien $x,y \in G$. Dann ist $\Phi(f(x)f(y)) = \Phi(f(xy)) = \overline{xy} =$
$= \bar{x} \circ \bar{y} = \Phi(f(x)) \circ \Phi(f(y))$ qed

Φ ist injektiv:

Sei $y \in \operatorname{im} f$ und $y \in \ker \Phi$. Dann gibt es ein $x \in G$ mit $y = f(x)$, und es ist $\Phi(f(x)) = \bar{e} \Rightarrow \bar{x} = \bar{e} \Rightarrow x \in \ker f \Rightarrow y = f(x) = e'$

Das bedeutet: ker $\Phi = \{e'\} \Rightarrow \Phi$ ist injektiv <u>qed</u>

Φ ist surjektiv:

Sei $a \in G$ / ker f. Dann gibt es ein $x \in G$ mit $\bar{x} = a$, und es ist $\Phi(f(x)) = \bar{x} = a$. <u>QED</u>

<u>Beispiele</u>:

a) G und H seien Gruppen. Wir haben die kanonischen Projektionen

$$p_1 : G \times H \longrightarrow G$$
$$(g,h) \longmapsto g \quad \text{und}$$

$$p_2 : G \times H \longrightarrow H$$
$$(g,h) \longmapsto h$$

p_1, p_2 sind offenbar surjektive Homomorphismen, und es gilt:

ker $p_1 = \tilde{H} := \{(0,h) \mid h \in H\}$ $\quad (\tilde{H} \cong H)$

ker $p_2 = \tilde{G} := \{(g,0) \mid g \in G\}$ $\quad (\tilde{G} \cong G)$

Daher gilt: $G \times H \,/\, \tilde{H} \cong G$ und $G \times H \,/\, \tilde{G} \cong H$

b) G sei eine Gruppe. Für die Abbildung

$$i : G \longrightarrow \text{Aut}(G)$$
$$g \longmapsto i_g \quad \text{(innerer Automorphismus mit g)}$$

galt: ker i = Z(G) (Zentrum von G). Daher ist die Untergruppe i(G) von Aut(G) isomorph zu G / Z(G).

Weitere Beispiele wollen wir zurückstellen, bis wir mehr Gruppen als bisher kennen.

§ 6 : Geordnete Mengen und Verbände

Auf der Menge $\mathbb{N} \subset \mathbb{Z}$ betrachten wir die Relation "$\leq$" :

$$x \leq y \;:\Longleftrightarrow\; y - x \in \mathbb{N} \tag{450}$$

Die Relation ist reflexiv; denn $\bigwedge_{x \in \mathbb{N}} x \leq x$, ferner transitiv,

denn aus $x \leq y \wedge y \leq z$ folgt $x \leq z$.

Dagegen ist die Relation nicht symmetrisch; denn wenn

$x \leq y \wedge y \leq x \Rightarrow x = y$.

$\leq$ ist also keine Äquivalenzrelation. Wir wollen das Beispiel der Relation $\leq$ auf $\mathbb{N}$ verwenden, um eine andere spezielle Klasse von Relationen zu definieren:

Definition 6.1 : Sei M eine Menge. Eine Relation $\leq$ auf M heißt Ordnungsrelation und das Paar $(M, \leq)$ eine geordnete Menge , falls gilt:

(i) $\bigwedge_{x \in M} x \leq x$ (Reflexivität)

(ii) $\bigwedge_{x,y \in M} x \leq y \wedge y \leq x \Rightarrow x = y$ (Identitivität)

(iii) $\bigwedge_{x,y,z \in M} x \leq y \wedge y \leq z \Rightarrow x \leq z$ (Transitivität)

Falls $x \leq y \wedge x \neq y$, schreiben wir auch : $x < y$.
"$\leq$" lesen wir als "kleiner gleich" ("kleiner oder gleich"),
das Zeichen "$<$" als "kleiner".

Offensichtlich ist jede Teilmenge einer geordneten Menge mit der induzierten Ordnungsrelation wiederum eine geordnete Menge.

Beispiele:

a) $\mathbb{R}$, $\mathbb{Q}$, $\mathbb{Z}$, $\mathbb{N}$ mit der gewöhnlichen $\leq$ - Relation sind geordnete Mengen.

b) Sei M eine Menge. Auf der Potenzmenge $\mathcal{P}(M)$ definieren wir:

$$A \leq B \;:\Longleftrightarrow\; A \subset B \qquad \text{für } A, B \subset M$$

Beh.: Dies ist eine Ordnungsrelation auf $\mathcal{P}(M)$

Bew.: Es gilt

(i) Reflexivität : $A \subset A$ für alle $A \in \mathcal{P}(M)$

(ii) Identitivität : $A \subset B \wedge B \subset A \Rightarrow A = B$ für alle $A, B \in \mathcal{P}(M)$

(iii) Transitivität : $A \subset B \wedge B \subset C \Rightarrow A \subset C$
für alle $A, B, C \in \mathcal{P}(M)$ qed

c) Auf $\mathbb{N}^*$ definieren wir :

$$x \leq y \;:\Longleftrightarrow\; y \text{ ist teilbar durch } x$$

Wir haben schon in § 5 gesehen, daß diese Relation nicht symmetrisch ist. Sie ist aber eine Ordnungsrelation auf $\mathbb{N}^*$:

(i) Reflexivität : x ist teilbar durch x für alle $x \in \mathbb{N}^*$

(ii) Identitivität : Sei x teilbar durch y und y teilbar durch x;
dh.: $x = ny \wedge y = mx$ mit gewissen $n, m \in \mathbb{N}^*$
$\Rightarrow x = nmx \Rightarrow nm = 1 \Rightarrow n = m = 1 \Rightarrow x = y$

(iii) Transitivität : Sei y teilbar durch x und z teilbar durch y; dh.: $y = nx \wedge z = my$ mit gewissen $n, m \in \mathbb{N}^*$
$\Rightarrow z = nmx \Rightarrow$ z teilbar durch x $\Rightarrow x \leq z$ qed

In Beispiel a) gilt für $\leq$ außer den Axiomen für Ordnungsrelationen auch noch :

$$\bigwedge_{x,y \in M} x \leq y \vee y \leq x \tag{460}$$

Wir stellen leicht fest, daß diese Eigenschaft i.a. bei Beispielen b) und c) nicht gilt.

Eine Ordnungsrelation $\leqslant$, für die zusätzlich (460) gilt, heißt <u>lineare Ordnungsrelation</u>. Das Paar $(M, \leqslant)$ heißt dann <u>linear</u> oder <u>total</u> geordnete Menge oder <u>Kette</u>.

Es ist nützlich, sich geordnete Mengen durch Diagramme zu veranschaulichen, sog. <u>Graphen</u>. Wir wollen diesen Begriff nicht exakt einführen, sondern uns mit einer anschaulichen Beschreibung begnügen. Im allgemeinen werden wir Graphen auch nur zur Beschreibung von endlichen geordneten Mengen verwenden.
Ein Graph besteht aus Punkten und Pfeilen zwischen je zwei Punkten. Die Punkte entsprechen umkehrbar eindeutig den Elementen der geordneten Menge, deren Graph dargestellt werden soll, und ein Pfeil von x nach y kommt genau dann vor, wenn $x \leqslant y$ ist.
Üben wir das an Beispielen:

<u>Beispiele:</u>
a) Sei $M = \{1,2,3,4\} \subset \mathbb{N}$. Wir wählen die durch das vorhergehende Beispiel a) auf M induzierte Ordnungsrelation $\leqslant$. Ein Graph für $(M, \leqslant)$ ist gegeben durch :

4
↑
3
↑
2
↑
1

$(M, \leqslant)$ ist eine Kette. In dem zugehörigen Graphen entspricht das der Tatsache, daß die "Linie",die durch Punkte und Pfeile gebildet wird, "unverzweigt" ist.

b) Sei $M = \{1,2,3\}$. Wir betrachten die geordnete Menge $(\mathcal{P}(M), \subset)$.
Der Graph ist:

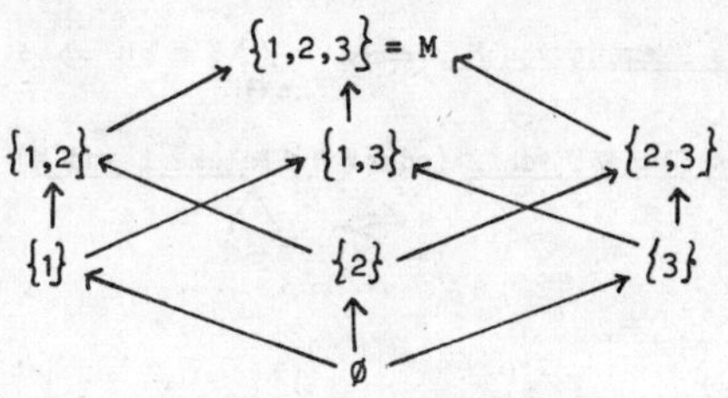

$(\mathcal{P}(M), \subset)$ ist keine Kette; denn es ist etwa :

$$\{1,2\} \not\subset \{2,3\} \wedge \{2,3\} \not\subset \{1,2\}$$

Betrachten wir aber die Teilmenge $\{\emptyset, \{2\}, \{2,3\}, M\}$ von $\mathcal{P}(M)$, versehen mit der induzierten Ordnungsrelation, so haben wir eine Kette, eine <u>Teilkette</u> der geordneten Menge $(\mathcal{P}(M), \subset)$.

c) Sei $M = \{1,2,3,4,5,6,7,8,9,10,11\} \subset \mathbb{N}^*$ mit der Ordnungsrelation aus dem vorhergehenden Beispiel c). Der Graph ist:

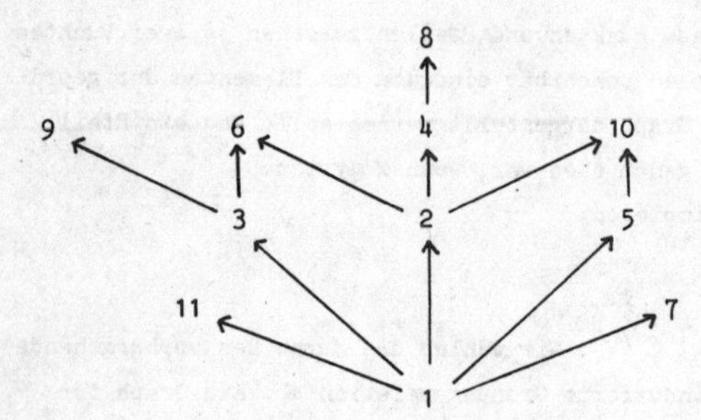

(470)

$(M, \leq)$ ist keine Kette. Aber $(\{1,2,4,8\}, \leq)$ ist eine Teilkette von $(M, \leq)$.

Wir definieren nun eine Reihe von elementaren Begriffen für geordnete Mengen:

<u>Definition 6.2</u> : Sei $(M, \leq)$ eine geordnete Menge.

Ein $m \in M$ heißt

<u>minimales Element von M</u> $:\Leftrightarrow \bigwedge_{a \in M} a \leq m \Rightarrow a = m$

<u>maximales Element von M</u> $:\Leftrightarrow \bigwedge_{a \in M} a \geq m \Rightarrow a = m$

<u>kleinstes Element von M</u> (oder: <u>Nullelement von M</u>) $:\Leftrightarrow$

$:\Leftrightarrow \bigwedge_{a \in M} m \leq a$

<u>größtes Element von M</u> (oder: <u>Einselement von M</u>) $:\Longleftrightarrow$

$$:\Longleftrightarrow \bigwedge_{a\in M} m \geq a$$

Man beachte, daß die Begriffe "minimal" und "maximal" sowie "größtes" und "kleinstes" zueinander <u>dual</u> sind; dh.: Die Definitionen der entsprechenden Begriffe gehen bei Ersetzen des Zeichens "$\leq$" durch das Zeichen "$\geq$" ineinander über. Der Sachverhalt der Dualität bei geordneten Mengen läßt sich mathematisch exakt definieren. Wir wollen hier aber darauf verzichten. Der Leser versuche eine exakte Definition!

Erfahrungsgemäß ergeben sich für den Anfänger Schwierigkeiten, die Begriffe "minimal" und "kleinstes" sowie "maximal" und "größtes" auseinanderzuhalten. Ein minimales Element ist ein Element, zu dem es keine kleineren Elemente mehr gibt, ein minimales Element muß aber nicht notwendig kleiner oder gleich allen Elementen in der geordneten Menge sein. Ein Element, das diese Eigenschaft hat, heißt kleinstes Element. Ein kleinstes Element ist natürlich auch ein minimales Element.
Die folgenden Aussagen erläutern die eben eingeführten Begriffe. Die dualen Aussagen gelten entsprechend, wenn man jeweils maximal durch minimal und größtes durch kleinstes ersetzt.

<u>Satz 6.3</u> : Sei $(M,\leq)$ eine geordnete Menge. Dann gilt:

(i) Es gibt höchstens ein größtes Element in M, das dann zugleich das einzige maximale ist.

(ii) Wenn $(M,\leq)$ eine Kette ist, so gibt es höchstens ein maximales Element in M, das dann zugleich das größte Element von M ist.

(iii) Falls M nicht leer ist und M endlich ist, so gibt es zu jedem $x\in M$ ein maximales Element m mit $x\leq m$. Insbesondere hat also M ein maximales Element.

(iv) Wenn M endlich ist und genau ein maximales Element enthält, ist es auch das größte Element von M.

Bevor wir diese Aussagen beweisen, geben wir einige Beispiele und Gegenbeispiele:

Beispiele:

a) In (iii) ist die Behauptung, daß M endlich ist, wesentlich; denn etwa $\mathbb{N}$ mit der gewöhnlichen $\leq$-Relation enthält kein maximales Element, da es zu jedem Element $x \in \mathbb{N}$ immer ein größeres gibt, etwa $x+1 \in \mathbb{N}$.

b) In dem Graphen (470) sind die Elemente 6,7,8,9,10,11 maximale Elemente. Es gibt kein größtes Element. Es gibt genau ein minimales Element, nämlich die 1, und es ist zugleich das kleinste Element (vgl. auch die duale Aussage zur Behauptung (iv) des Satzes).

c) In dem Graphen (460) ist das Element $\{1,2,3\} = M$ das einzige maximale und somit auch das größte Element von $\mathfrak{P}(M)$.
Das Element $\emptyset$ ist das einzige minimale und somit auch das kleinste Element von $\mathfrak{P}(M)$. (vgl. Aussagen (i) und (iv)).

d) Wir geben ein Beispiel für eine geordnete Menge, die zwar genau ein maximales Element enthält, aber kein größtes.
Nach (iv) muß dann die zugrundeliegende Menge M unendlich sein.
Sei $M := \mathbb{N} \cup \{a\}$, wobei a ein beliebiges Element mit $a \notin \mathbb{N}$ ist.
Wir definieren auf M eine Ordnungsrelation $\prec$ durch:

$$x \prec y \; :\Longleftrightarrow \begin{cases} x,y \in \mathbb{N} \wedge x \leq y \text{ (im üblichen Sinn) } \underline{\text{oder wenn}} \\ x = 0 \wedge y = a \qquad \underline{\text{oder wenn}} \\ x = y = a \end{cases}$$

Das heißt also: Auf der Teilmenge $\mathbb{N}$ von M haben wir die übliche Ordnung, und zusätzlich gilt: $a \succcurlyeq a$ und $a \succcurlyeq 0$.

$\leqslant$ ist eine Ordnungsrelation, wie man leicht prüft.
a ist maximales Element; denn sei $n \in M$ und $a \leqslant n \Rightarrow n = a$ nach Def. von $\leqslant$. Ferner ist a das einzige maximale Element; denn für jedes andere Element $m \in M$ ist $m \in \mathbb{N}$, und es gibt dazu ein größeres Element, etwa $m+1 \in M$. M hat offenbar kein größtes Element; denn falls $m \in M$ größtes Element von M ist, so gilt auch $a \leqslant m \Rightarrow$ $\Rightarrow m = a$. a kann aber nicht größtes Element sein, da z.B. nicht gilt: $1 \leqslant a$.
Am leichtesten überschaut man das ganze auch diesmal wieder an dem zugehörigen Graphen:

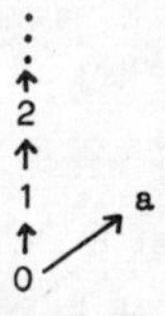

Beweis zu Satz 6.3:
(i) Seien m,n größte Elemente. $\Rightarrow m \leqslant n \wedge n \leqslant m \Rightarrow n = m$; dh. es gibt höchstens ein größtes Element. -
m ist auch maximal: Sei nämlich $a \in M$ und $a \geqslant m$. Da m größtes Element ist, gilt auch: $m \geqslant a$. $\Rightarrow a = m \Rightarrow m$ ist maximal. -
m ist auch das einzige maximale: Sei nämlich $n \in M$ maximal. Da m das größte Element ist, gilt: $m \geqslant n \Rightarrow m = n$, da n maximal ist.--
(ii) Da m maximal in M ist, gibt es kein Element $a \in M$ mit $a > m$.
Da M eine Kette ist, folgt : $\bigwedge_{a \in M} a \leqslant m \Rightarrow m$ ist größtes Element.
Die Eindeutigkeit folgt dann aus (i).
(iii) Wir zeigen zunächst durch vollständige Induktion nach $|M|$, daß M überhaupt ein maximales Element besitzt.
Der Induktionsanfang für $|M| = 1$ ist trivial.
Induktionsschluß : Sei $|M| = n + 1$. Sei $a \in M$. Die Menge $M \setminus \{a\}$ hat wegen $|M \setminus \{a\}| = n$ nach Induktionsannahme ein maximales Element m. Wenn m auch maximal in M ist, ist alles bewiesen.
Sei nun m nicht maximal in M. Dann gibt es ein $b \in M$ mit $b > m$.

Falls $b \neq a$, so ist $b \in M \setminus \{a\}$, was ein Widerspruch zur Maximalität von m in $M \setminus \{a\}$ ist. Also ist $b = a$. Sei nun $c \in M$ mit $c \geqslant a \Rightarrow$ $\Rightarrow c > m \Rightarrow c = a$, wie wir eben gezeigt haben; dh.: a ist maximal in M. qed

Wir zeigen nun die vollständige Behauptung:

Sei $x \in M$. Sei $Kx := \{y \in M \mid y \geqslant x\}$. Kx ist eine endliche Menge $\neq \emptyset$ und hat ein maximales Element m, wie wir eben gezeigt haben. m ist auch maximal in M; denn wenn es ein $n \in M$ gibt mit $n > m$, so folgt: $n \in Kx$. Das ist ein Widerspruch zur Maximalität von m in Kx.

(iv) Sei m das einzige maximale Element von M.

Ann.: m ist nicht das größte Element von M.

$$\Rightarrow \bigvee_{a \in M} m \ngeqslant a.$$

Nun ist $H := \{k \in M \mid k \geqslant a\}$ nicht leer, da $a \in H$. Ferner ist H endlich. Nach (iii) gibt es dann ein maximales Element n in H. Sei $j \in M$ und $j \geqslant n$. Da $n \in H$, ist $n \geqslant a$ und somit auch $j \geqslant a \Rightarrow$

$\Rightarrow j \in H \Rightarrow j = n$, da n maximal in H ist.

$\Rightarrow$ n ist maximal in M. Da $m \ngeqslant a$ ist, ist $m \notin H$. $\Rightarrow m \neq n$.

Das ist ein Widerspruch zur Annahme, daß m das einzige maximale Element von M ist. QED

Definition 6.4 : $(M, \leqslant)$ sei eine geordnete Menge und $N \subset M$ eine Teilmenge von M, versehen mit der induzierten Ordnungsrelation.

Ein $m \in M$ heißt

obere Schranke von N in M $:\Leftrightarrow \bigwedge_{x \in N} x \leqslant m$

untere Schranke von N in M $:\Leftrightarrow \bigwedge_{x \in N} x \geqslant m$

obere Grenze oder Supremum von N in M genau dann, wenn m die kleinste obere Schranke von N in M ist.

untere Grenze oder Infimum von N in M genau dann, wenn m die größte untere Schranke von N in M ist.

Man beachte, daß die Begriffe "obere Schranke" und "untere Schranke" sowie "Supremum" und "Infimum" jeweils zueinander dual sind.
Zeigen wir zunächst drei einfache Aussagen:

Korollar 6.5 : $(M,\leq)$ sei eine geordnete Menge und $N\subset M$. Dann gilt:

(i) N hat höchstens ein Supremum

(ii) Wenn N ein größtes Element hat, so ist es auch das Supremum von N in M.

(iii) Wenn N eine obere Schranke m im M mit $m\in N$ hat, so ist m größtes Element von N und Supremum von N in M.

Für Infima gelten die dualen Aussagen.

Beweis:

(i) Das Supremum ist definiert als kleinstes Element einer Menge (nämlich der Menge der oberen Schranken) und ist daher nach 6.3(i) (duale Fassung) eindeutig bestimmt, falls es existiert.

(ii) Wenn $n\in N$ größtes Element von N ist, so ist es auch trivialerweise eine obere Schranke von N in M. Wenn $m\in M$ eine andere obere Schranke von N in M ist, folgt $m\geq n$, da $n\in N$. Daher ist n die kleinste obere Schranke von N in M.

(iii) trivial. QED

Beispiele:

a) Betrachte $\mathbb{N}$ mit der gewöhnlichen Ordnung. Obere Schranken von $[1,n]$ in $\mathbb{N}$ (mit $n\in\mathbb{N}^*$) sind alle $m\in\mathbb{N}$ mit $m\geq n$. Das Supremum von $[1,n]$ in $\mathbb{N}$ ist n, das größte Element von $([1,n],\leq)$.

b) Betrachte Beispiel (470). Supremum von $\{1,2,5\}$ ist 10.
Dagegen gibt es kein Supremum von $\{2,3,5\}$.

c) In der Menge $\mathbb{R}$ mit der üblichen Ordnung ist die Zahl 1 das Supremum der Teilmenge $\{r\in\mathbb{R} \mid 0<r<1\}$ in $\mathbb{R}$.

d) In jeder geordneten Menge M ist das Supremum von M in M das Einselement von M, das Infimum von M in M das Nullelement von M, jeweils falls diese Elemente existieren.
Entsprechend ist das Einselement das Infimum von $\emptyset$ in M und das Nullelement das Supremum von $\emptyset$ in M.

Im Falle einer nicht leeren endlichen geordneten Menge M hatten wir in 6.3 (iii) festgestellt, daß es zu jedem $x \in M$ ein maximales Element m in M gibt mit $x \leq m$. Diese Aussage hat eine wichtige Verallgemeinerung auf den nicht endlichen Fall :

Satz 6.6 : (Zornsches Lemma)

Sei $(M, \leq)$ eine nicht leere geordnete Menge.
Wenn jede Teilmenge $A \subset M$, die unter der induzierten Ordnungsrelation eine Kette ist, eine obere Schranke in M besitzt, so gibt es zu jedem $x \in M$ ein maximales Element m von M mit $x \leq m$.

Den Beweis dieses Satzes können wir hier nicht bringen. Es zeigt sich sogar, daß bei einem exakten axiomatischen Aufbau der Mengenlehre dieser Satz oder ein ihm äquivalenter Satz als (unbeweisbares) Axiom aufgenommen werden muß. QED
Wir bemerken noch, daß das Zornsche Lemma tatsächlich eine Verallgemeinerung von 6.3(iii) ist; denn in dem Falle von endlichen Mengen hat nach 6.3 jede Kette sogar ein größtes Element; die Voraussetzung des Zornschen Lemmas ist also immer erfüllt.

Wir wollen Definition 6.4 auf Familien von Elementen erweitern.
Das bedeutet: Unter dem Supremum einer Familie $(x_i)_{i \in I}$ von Elementen x_i aus der geordneten Menge M verstehen wir das Supremum der Menge $\{x_i \mid i \in I\}$. (480)
Entsprechend übertragen wir die übrigen Definitionen.
Man beachte, daß diese Erweiterung der Definition 6.4 konsistent ist mit unserer allgemeinen Konvention aus § 2, wie Begriffe, die für Familien definiert sind, auf Mengen angewendet werden.

Sei $(x_i)_{i\in I}$ eine Familie von Elementen x_i aus der geordneten Menge M. Falls das Infimum dieser Familie existiert, bezeichnen wir es mit

$\bigsqcap_{i\in I} x_i$, und entsprechend das Supremum mit

$\bigsqcup_{i\in I} x_i$

Für Teilmengen N von M schreiben wir entsprechend :

$\bigsqcap_{a\in N} a$ oder auch : inf N <u>bzw.</u>

$\bigsqcup_{a\in N} a$ oder auch : sup N.

Für n-Tupel verwenden wir auch die Schreibweisen

$x_1 \sqcap x_2 \sqcap \ldots\ldots \sqcap x_n$ <u>bzw.</u> $x_1 \sqcup x_2 \sqcup \ldots\ldots \sqcup x_n$

Wir weisen noch auf einen pathologischen Spezialfall hin: I kann auch leer sein. Dann ist eine Familie in M über I die leere Abbildung $\emptyset \longrightarrow M$. Folglich ist die zugeordnete Menge (480) die leere Menge. Nach Beispiel d) auf p.96 ist dann das Supremum dieser Familie das Nullelement von M und das Infimum das Einselement von M, falls diese Elemente existieren.

<u>Definition 6.7</u> : Eine nicht leere geordnete Menge $(M, \leq)$ heißt <u>Verband</u>, wenn für jedes Paar $(x,y) \in M \times M$ die Elemente $x \sqcap y$ und $x \sqcup y$ existieren. (490)

$(M, \leq)$ heißt <u>vollständiger Verband</u>, wenn für jede Familie $(x_i)_{i\in I}$ in M

$\bigsqcap_{i\in I} x_i$ und $\bigsqcup_{i\in I} x_i$ existieren. (500)

<u>Bemerkungen</u>:

1) Jeder <u>vollständige</u> Verband hat also ein Nullelement (Supremum der leeren Familie) und ein Einselement (Infimum der leeren Familie).

2) Eine äquivalente Bedingung zu (490) ist offenbar:
Jede zweielementige Teilmenge von M hat ein Supremum und ein Infimum. (490')
Eine äquivalente Bedingung zu (500) ist offenbar:
Jede Teilmenge von M hat ein Supremum und ein Infimum. (500')

Beispiele:
a) $\mathbb{N}$ mit der üblichen Ordnung ist ein Verband mit Nullelement.
Es ist für x,y

$x \sqcup y$ = größeres der beiden Elemente x,y
$x \sqcap y$ = kleineres der beiden Elemente x,y

$\mathbb{N}$ ist kein vollständiger Verband, da etwa $\mathbb{N}$ kein Einselement (größtes Element) enthält.

b) $[1,n] \subset \mathbb{N}$, versehen mit der induzierten Ordnung aus a), ist ein vollständiger Verband.

c) $\mathbb{Q}$ mit der üblichen Ordnung ist ein Verband, hat aber weder Einselement noch Nullelement, ist somit also auch kein vollständiger Verband.
Das abgeschlossene rationale Zahlenintervall $[0,2] \subset \mathbb{Q}$ ist ein Verband mit Nullelement 0 und Einselement 2. Trotzdem ist der Verband nicht vollständig; denn wie aus der Infinitesimalrechnung bekannt ist, hat etwa die Teilmenge

$$\{x \in [0,2] \mid x^2 \leq 2\} \subset \mathbb{Q}$$

kein Supremum.
Dagegen ist das reelle Zahlenintervall $[0,2] \subset \mathbb{R}$ ein vollständiger Verband, ein vollständiger Teilverband der geordneten Menge $(\mathbb{R}, \leq)$ (die selbst kein Verband ist).
Unter anderem sehen wir an diesem Beispiel auch:
Eine Teilmenge eines vollständigen Verbandes, versehen mit der induzierten Ordnungsrelation, ist i.a. kein vollständiger Verband.

d) Sei M eine Menge. $(\mathcal{P}(M), \subset)$ ist ein vollständiger Verband.
Für eine Familie $(A_i)_{i\in I}$ in $\mathcal{P}(M)$ gilt offenbar

$$\bigsqcap_{i\in I} A_i = \bigcap_{i\in I} A_i \quad \text{und}$$

$$\bigsqcup_{i\in I} A_i = \bigcup_{i\in I} A_i$$

Einselement ist M, Nullelement ist $\emptyset$.

e) $\mathbb{N}^*$, versehen mit der Ordnungsrelation

$$x \leq y \Longleftrightarrow y \text{ teilbar durch } x$$

ist ein Verband. Es gilt:

$x \sqcup y$ = kgV von x und y (kleinstes gemeinsames Vielfache)

$x \sqcap y$ = ggT von x und y (größter gemeinsamer Teiler)

$(\mathbb{N}^*, \leq)$ ist nicht vollständig; denn es existiert kein Einselement.
Betrachten wir den Graphen (470), der zu einer Teilmenge von $\mathbb{N}^*$ gehört, so stellen wir fest, daß dies kein Verband ist; denn etwa zu $\{4,10\}$ gibt es kein Supremum.
An diesem Beispiel sehen wir:
Eine Teilmenge eines Verbandes, versehen mit der induzierten Ordnung, ist i.a. kein Verband.

f) Wir geben uns einige Graphen von geordneten Mengen vor und untersuchen, ob Verbände vorliegen:

ist kein Verband

ist ein vollständiger Verband

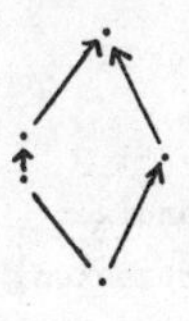

ist ein vollständiger Verband

ist ein vollständiger Verband

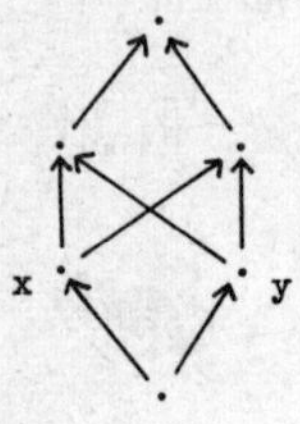

ist eine geordnete Menge mit Nullelement und Einselement, ist aber kein Verband; denn zu $\{x,y\}$ gibt es kein Supremum.

Satz 6.8 : Sei $(M,\leq)$ ein Verband. Dann gilt :

$x \sqcup y = y \sqcup x$ und $x \sqcap y = y \sqcap x$ Kommutativität

$x \sqcup (y \sqcup z) = (x \sqcup y) \sqcup z$ und $x \sqcap (y \sqcap z) = (x \sqcap y) \sqcap z$ Assoziativität

$x \sqcup (x \sqcap y) = x$ und $x \sqcap (x \sqcup y) = x$ Adjunktivität

für alle $x,y,z \in M$.

Beweis:

Kommutativität: trivial.

Assoziativität: Bemerken wir zunächst allgemein :

Wenn $a \geq b$ und $c \geq d$, so ist $a \sqcup c \geq b \sqcup d$; (510)

denn $a \sqcup c$ ist obere Schranke zu $\{a,c\}$, daher auch zu $\{b,d\}$.

$b \sqcup d$ ist aber die kleinste obere Schranke zu $\{b,d\}$.-

Es ist nun

$x \sqcup y \geq y$ und $z \geq z \Rightarrow (x \sqcup y) \sqcup z \geq y \sqcup z$.

Ferner ist $(x \sqcup y) \sqcup z \geq x$. $\Rightarrow (x \sqcup y) \sqcup z \geq x \sqcup (y \sqcup z)$.

Die Schlüsse sind symmetrisch in x,y,z, und daher gilt auch:

$(x \sqcup y) \sqcup z \leq x \sqcup (y \sqcup z)$.-

Das Assoziativgesetz bei der Infimumbildung zeigt man dual.

Adjunktivität: $x \geq x$ und $x \geq x \sqcap y \Rightarrow x \geq x \sqcup (x \sqcap y)$ nach (510).

Ferner ist trivialerweise $x \leq x \sqcup (x \sqcap y) \Rightarrow x = x \sqcup (x \sqcap y)$.

Das zweite Adjunktivgesetz zeigt man dual. QED

Wollen wir nachprüfen, ob eine geordnete Menge ein vollständiger Verband ist, so können wir uns im wesentlichen darauf beschränken, die Existenz von Suprema oder Infima nachzuweisen, wie der folgende Satz zeigt:

<u>Satz 6.9</u> : $(M, \leq)$ sei eine geordnete nicht leere Menge. Die folgenden Aussagen sind äquivalent:

(i) $(M, \leq)$ ist ein vollständiger Verband

(ii) $(M, \leq)$ hat Infima für beliebige Familien in M (insbesondere also Nullelement und Einselement)

(iii) $(M, \leq)$ hat Suprema für beliebige Familien in M (insbesondere also Einselement und Nullelement)

<u>Beweis</u>: (i) $\Rightarrow$ (ii) und (i) $\Rightarrow$ (iii) gelten nach Def. der vollständigen Verbände.

(ii) $\Rightarrow$ (i) : Wir müssen zeigen, daß auch Suprema existieren.
Sei also $(x_i)_{i\in I}$ eine Familie in M.
Sei $N := \{y \in M \mid \bigwedge_{i \in I} y \geq x_i\}$ die Menge der oberen Schranken zu $(x_i)_{i\in I}$ in M.

<u>Beh.</u>: $\bigsqcup_{i \in I} x_i = \inf N$ (520)

<u>Bew.</u>: Wir zeigen : $\inf N \in N$; dh.:

$$\bigwedge_{i \in I} (x_i \leq \inf N). \qquad (530)$$

Für $I = \emptyset$ ist dies trivialerweise richtig. Für $I \neq \emptyset$ ergibt sich: Für jedes $n \in N$ und jedes x_i ist $n \geq x_i$. Daher ist jedes x_i untere Schranke zu N in M. Da inf N die größte untere Schranke von N in M ist, haben wir (530). Da also $\inf N \in N$ ist, folgt aus 6.5(iii), daß inf N das kleinste Element von N ist, womit (520) bewiesen ist. <u>qed</u>

(iii) $\Rightarrow$ (i) ist dual zu dem Beweis von eben. Man zeigt:

$\bigsqcap_{i \in I} x_i = \sup N'$ mit $N' = \{y \in M \mid \bigwedge_{i \in I} y \leq x_i\}$ der Menge der unteren Schranken von $(x_i)_{i\in I}$ in M. <u>QED</u>

Beispiel: Wir betrachten $\mathbb{N}$ mit der Ordnungsrelation

$$x \leq y \; :\Leftrightarrow \; y \text{ teilbar durch } x$$

Man beachte, daß die Zahl $0 \in \mathbb{N}$ von jeder Zahl geteilt wird, aber keine Zahl außer sich selbst teilt.
$(\mathbb{N}, \leq)$ ist ein vollständiger Verband; denn zu jeder nicht leeren Teilmenge von $\mathbb{N}$ läßt sich der größte gemeinsame Teiler aller Elemente bilden, der das Infimum dieser Menge ist (vgl. Beispiel e),p.99). Das Infimum der leeren Menge ist 0; denn 0 ist offenbar das größte Element (= Einselement) von $(\mathbb{N}, \leq)$.

Durch Hinzunahme eines größten Elementes 0 zu dem bisher immer betrachteten Verband $(\mathbb{N}^*, \leq)$ (vgl. Beisp.e),p.99) haben wir diesen (nicht vollständigen) Verband "vervollständigt".
Wir bemerken noch, ohne darauf näher einzugehen, daß man jeden Verband durch Hinzufügen von Elementen (und einer geeigneten Erweiterung der Ordnungsrelation) zu einem vollständigen Verband machen kann. So wird zum Beispiel der nicht vollständige Verband $[0,2] \subset \mathbb{Q}$(vgl. Beisp.c),p.98) durch Hinzufügen aller nicht rationalen reellen Zahlen zwischen 0 und 2 zu einem vollständigen Verband.

Satz 6.10 : $(M, \leq)$ sei eine nicht leere endliche geordnete Menge. Die folgenden Aussagen sind äquivalent:

(i) $(M, \leq)$ ist ein vollständiger Verband

(ii) $(M, \leq)$ hat ein Einselement, und es existiert $x \sqcap y$ für jedes $(x,y) \in M \times M$.

(iii) $(M, \leq)$ hat ein Nullelement, und es existiert $x \sqcup y$ für jedes $(x,y) \in M \times M$.

Zum Beweis zeigen wir zunächst das folgende Lemma:

Lemma 6.11 : In einer geordneten Menge $(M, \leq)$, in der jede zweielementige Teilmenge ein Supremum (Infimum) besitzt, hat jede nicht leere endliche Teilmenge ein Supremum (Infimum).

<u>Beweis</u>: Sei $G \subset M$ und $G \neq \emptyset$. Der Beweis, daß G ein Supremum besitzt, wenn G endlich ist, wird durch vollständige Induktion nach $|G|$ geführt. Der Leser führe zur Übung die Einzelheiten dieses einfachen Beweises aus.
Der Beweis der in der Behauptung des Lemmas in Klammern gesetzten dualen Behauptung ist dual. <u>QED</u>

<u>Beweis von Satz 6.10</u>: Mit dem Lemma folgt aus (ii):
Jede nicht leere Teilmenge von M hat ein Infimum. Das Infimum der leeren Menge ist das Einselement, das nach Voraussetzung existiert.
Nach Satz 6.9 folgt (i).
Dual folgt aus (iii) die Aussage (i).
(i) $\Rightarrow$ (ii) und (i) $\Rightarrow$ (iii) gelten per definitionem. <u>QED</u>

<u>Korollar 6.12</u> : Jeder endliche Verband ist vollständig.

<u>Beweis</u>: Nach Voraussetzung existieren Infima zu zweielementigen Teilmengen. Das Einselement als Supremum des ganzen Verbandes existiert wegen Lemma 6.11. Damit gilt (ii) von Satz 6.1o. <u>QED</u>

<u>Beispiel</u>: Wähle $\mathbb{N}^*$ mit der Teilbarkeitsrelation (vgl. Beisp.e,p.99). Die Menge $\{1,2,3,5,6,10,15,30\}$, versehen mit der induzierten Ordnung, ist ein vollständiger Verband, da zu je zwei Zahlen aus dieser Menge auch das kgV in der Menge liegt. Ferner ist 1 das Nullelement. Folglich liegt zu zwei Zahlen aus dieser Menge auch ihr ggT in dieser Menge.
Das Einselement ist 30.

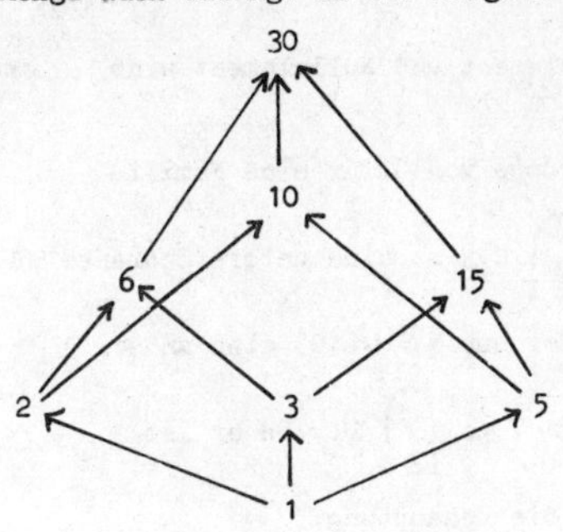

<u>Theorem 6.13</u>: Sei $(G,.)$ eine Gruppe. Die Menge $\mathfrak{U}(G)$ aller Untergruppen von G, versehen mit der Inklusionsrelation " $\subset$ " ist ein vollständiger Verband (ein vollständiger Teilverband des vollständigen Verbands $\mathfrak{P}(G)$ also).

Insbesondere gilt:

$$\bigsqcap_{i\in I} U_i = \bigcap_{i\in I} U_i \quad \text{für eine Familie } (U_i)_{i\in I} \text{ in } \mathfrak{U}(G).$$

Das Einselement des Verbands ist G, das Nullelement die triviale Untergruppe $\{e\}$, wo e das neutrale Element von G ist.

<u>Zusatz</u>: Falls G abelsch ist, läßt sich $\bigsqcup_{i\in I} U_i$ für eine Familie $(U_i)_{i\in I}$ in $\mathfrak{U}(G)$ einfach beschreiben.

Es ist $\bigsqcup_{i\in I} U_i = \sum_{i\in I} U_i :=$

$$:= \left\{ x\in G \;\middle|\; \text{Es gibt endlich viele } U_{i_1},\ldots,U_{i_n} \text{ und Elemente } x_{i_k} \in U_{i_k} \text{ für } 1\leq k\leq n, \text{ derart daß } x = \sum_{k=1}^{n} x_{i_k} \right\} \tag{540}$$

Speziell für endliche Familien:

$$U_1 + \ldots\ldots + U_n := \sum_{i=1}^{n} U_i = \left\{ x\in G \;\middle|\; x = \sum_{i=1}^{n} x_i \text{ mit } x_i \in U_i \text{ f.alle } i \right\} \tag{540'}$$

Für eine Familie $(U_i)_{i\in I}$ in $\mathfrak{U}(G)$ nennt man $\sum_{i\in I} U_i$ auch die <u>Summe</u> der Untergruppen U_i.

<u>Beweis</u>: Die Behauptungen über Einselement und Nullelement sind trivial.-

Nach 3.10 ist $\bigcap_{i\in I} U_i$ eine Untergruppe von G für eine Familie $(U_i)_{i\in I}$ von Untergruppen von G. $\bigcap_{i\in I} U_i$ ist eine untere Schranke zu den U_i, da $\bigwedge_{i\in I} \bigcap_{i\in I} U_i \subset U_j$. Sei nun $V \in \mathfrak{U}(G)$ eine andere untere Schranke; dh. $\bigwedge_{i\in I} V\subset U_i \Rightarrow V \subset \bigcap_{i\in I} U_i$. Daher ist $\bigcap_{i\in I} U_i$ das Infimum. Mit 6.9 folgt die Behauptung.

Beweis des Zusatz': Die Menge auf der rechten Seite von (540) bezeichnen wir mit V.

Da alle U_i in $\bigsqcup_{i\in I} U_i$ enthalten sind, folgt für beliebige $U_{i_1},\ldots,U_{i_n}$ und beliebige Elemente $x_{i_1},\ldots,x_{i_n}$ mit $x_{i_k} \in U_{i_k}$ für alle k, nach den Gruppenaxiomen : $\sum_{k=1}^{n} x_{i_k} \in \bigsqcup_{i\in I} U_i \Rightarrow V \subset \bigsqcup_{i\in I} U_i$.-

Andererseits ist V eine Untergruppe von G; denn mit $\sum_{k=1}^{n} x_{i_k} \in V$ und $\sum_{k=1}^{m} y_{i_k} \in V$ ist auch deren Summe in V.

Zu einem Element $\sum_{k=1}^{n} x_{i_k} \in V$ ist auch das Inverse $-\sum_{k=1}^{n} x_{i_k} = \sum_{k=1}^{n} (-x_{i_k}) \in V$.

Daher ist $V \in \mathfrak{U}(G)$. Außerdem gilt: $\bigwedge_{i\in I} U_i \subset V$ nach Def. von V.

Damit ist V eine obere Schranke zu $(U_i)_{i\in I}$ in $\mathfrak{U}(G)$. Daher ist $\bigsqcup_{i\in I} U_i \subset V$.

QED

Bemerkung: Der Leser überlege sich, daß im Falle endlicher Familien die Gleichungen (540) und (540') übereinstimmen.

Gegeben seien zwei Verbände, $(M, \leq)$ und $(N, \leq)$, ferner eine Abbildung $f : M \longrightarrow N$.

Wir hatten früher den Begriff des Gruppenhomomorphismus definiert. Das war eine Abbildung zwischen Gruppen, die die Gruppenoperationen respektierte. Etwas ähnliches können wir auch in dem nun vorliegenden Fall verlangen: f soll die Ordnungsrelationen respektieren; dh.

$$\bigwedge_{x,y\in M} x \leq y \Rightarrow f(x) \leq f(y) \qquad (550)$$

Ebenso sinnvoll ist es auch, zu verlangen, daß f die Operationen $\sqcup$ und $\sqcap$ respektiert; dh. daß gilt

$$\bigwedge_{x,y\in M} f(x \sqcap y) = f(x) \sqcap f(y) \wedge f(x \sqcup y) = f(x) \sqcup f(y) \qquad (560)$$

<u>Definition 6.14</u> : Eine Abbildung f mit der Eigenschaft (550) heißt <u>Ordnungshomomorphismus</u>. Eine Abbildung f mit der Eigenschaft (560) heißt <u>Verbandshomomorphismus</u>.

Es erhebt sich die Frage, wie diese beiden Begriffe zusammenhängen. Offenbar gilt:

<u>Satz 6.15</u> : Sei f eine Abbildung zwischen Verbänden. Wenn f ein Verbandshomomorphismus ist, so ist f auch ein Ordnungshomomorphismus.

<u>Beweis</u>: Sei $x \leq y \Rightarrow x = x \sqcap y \Rightarrow f(x) = f(x \sqcap y) = f(x) \sqcap f(y)$ $\Rightarrow f(x) \leq f(y)$ <u>QED</u>

Die Umkehrung gilt im allgemeinen nicht, wie folgendes Gegenbeispiel zeigt:
Die identische Abbildung von $\mathbb{N}^*$ auf $\mathbb{N}^*$ ist ein Ordnungshomomorphismus des Verbands $(\mathbb{N}^*, \leq)$, wo $\leq$ die Teilbarkeitsrelation ist, auf den Verband $(\mathbb{N}^*, \leq)$, wo $\leq$ die übliche Ordnung ist; denn wenn y durch x teilbar ist, so ist $y \geq x$ (im gewöhnlichen Sinn). Dies ist aber kein Verbandshomomorphismus; denn etwa zu $\{2,3\}$ ist das Supremum im ersten Verband gleich 6 (kgV), im zweiten Verband 3.
Da für zwei Zahlen $x,y \in \mathbb{N}^*$ mit $x \leq y$ nicht notwendig gilt: y ist durch x teilbar, sehen wir an diesem Beispiel auch: Die inverse Abbildung eines bijektiven Ordnungshomomorphismus ist i.a. <u>kein</u> Ordnungshomorphismus.

Dagegen gilt: Die inverse Abbildung eines bijektiven Verbandshomomorphismus ist wiederum ein Verbandshomomorphismus.
Außerdem: Die Hintereinanderausführung zweier Ordnungshomomorphismen (bzw. Verbandshomomorphismen) ist wiederum ein Ordnungshomomorphismus (bzw. Verbandshomomorphismus). Die Menge aller <u>Verbandsautomorphismen</u> eines Verbands (= bijektive Verbandshomomorphismen eines Verbandes auf sich selbst) bildet eine Untergruppe der Permutationsgruppe des Verbands.

Die einfachen Beweise dieser Aussagen seien dem Leser als Übung überlassen.

Wir wollen den Begriff des Ordnungshomomorphismus etwas verschärfen:
Eine Abbildung $f: M \longrightarrow N$ zwischen Verbänden M,N (oder allgemeiner : geordneten Mengen) heißt Ordnungs-Einbettung, wenn gilt:

$$\bigwedge_{x,y \in M} x \leq y \Longleftrightarrow f(x) \leq f(y) \qquad (570)$$

Jede Ordnungseinbettung ist injektiv; denn sei $f(x) = f(y)$ für $x,y \in M$. Daraus folgt: $f(x) \leq f(y) \wedge f(x) \geq f(y) \Rightarrow x \leq y \wedge x \geq y$ $\Rightarrow x = y$.-

Wir hatten in Satz 6.15 gesehen, daß jeder Verbandshomomorphismus ein Ordnungshomomorphismus ist. Es gilt sogar:
Jeder injektive Verbandshomomorphismus ist eine Ordnungs-Einbettung.
Bew.:Wegen 6.15 brauchen wir nur die Richtung "$\Longleftarrow$" von (570) zu zeigen. Seien $x,y \in M$ und $f(x) \leq f(y) \Rightarrow f(x) \sqcap f(y) = f(x) \Rightarrow$
$\Rightarrow f(x \sqcap y) = f(x) \Rightarrow x \sqcap y = x$, da f injektiv. $\Rightarrow x \leq y$. qed

Eine bijektive Ordnungseinbettung nennen wir auch Ordnungsisomorphismus, einen bijektiven Verbandshomomorphismus auch Verbandsisomorphismus.
Falls wir eine bijektive Abbildung zwischen den geordneten Mengen M,N haben, so ist (570) offensichtlich äquivalent zu

$$\bigwedge_{x,y \in M} x \leq y \Rightarrow f(x) \leq f(y) \wedge \bigwedge_{x',y' \in N} x' \leq y' \Rightarrow f^{-1}(x') \leq f^{-1}(y').$$

f ist also genau dann ein Ordnungsisomorphismus, wenn f bijektiv ist und f unf f^{-1} Ordnungshomomorphismen sind.

Satz 6.16 : Seien M,N Verbände und $f: M \longrightarrow N$ ein Ordnungsisomorphismus. Dann ist f auch ein Verbandsisomorphismus. Falls M und N vollständige Verbände sind, ist f sogar ein Isomorphismus von vollständigen Verbänden; dh. es gilt für jede Familie $(x_i)_{i \in I}$ in M

$$f\left(\bigsqcup_{i \in I} x_i\right) = \bigsqcup_{i \in I} f(x_i) \quad \text{und} \quad f\left(\bigsqcap_{i \in I} x_i\right) = \bigsqcap_{i \in I} f(x_i) \qquad (580)$$

<u>Beweis</u>: Wir zeigen (580). Darin ist zugleich die erste Behauptung enthalten. Wir beschränken uns hier auf Infima, der Beweis für Suprema ist dual. Zu zeigen also :

$$f\Big(\bigsqcap_{i\in I} x_i\Big) = \bigsqcap_{i\in I} f(x_i)\ .$$

Es ist $\bigsqcap_{i\in I} x_i \leq x_i$ für alle $i\in I$

$\Rightarrow f\Big(\bigsqcap_{i\in I} x_i\Big) \leq f(x_i)$ für alle $i\in I$

$\Rightarrow f\Big(\bigsqcap_{i\in I} x_i\Big) \leq \bigsqcap_{i\in I} f(x_i)$.-

Sei $z\in N$ mit $z \leq f(x_i)$ für alle $i\in I \Rightarrow f^{-1}(z) \leq x_i$ für alle $i\in I \Rightarrow$
$f^{-1}(z) \leq \bigsqcap_{i\in I} x_i \Rightarrow z \leq f\Big(\bigsqcap_{i\in I} x_i\Big)$ <u>QED</u>

Bevor wir zu Beispielen übergehen, weisen wir noch auf die dualen Begriffe zu den bisher neu eingeführten Begriffen bei Abbildungen hin:

Oft kommt es vor, daß wir eine Abbildung $f : M \longrightarrow N$ zwischen geordneten Mengen M,N mit der Eigenschaft

$$\bigwedge_{x,y\in M} x\leq y \Rightarrow f(x) \geq f(y) \quad \text{haben.} \tag{590}$$

Ein solches f nennen wir <u>Ordnungs-Antihomomorphismus</u>. Analog heißt eine Abbildung f zwischen den Verbänden M,N <u>Verbands-Antihomomorphismus</u>, wenn gilt

$$\bigwedge_{x,y\in M} f(x\sqcup y) = f(x)\sqcap f(y) \wedge f(x\sqcap y) = f(x)\sqcup f(y) \tag{600}$$

Analog werden die Begriffe <u>Ordnungs-Antieinbettung</u>, <u>Ordnungs-Antiisomorphismus</u>, <u>Verbands-Antiisomorphismus</u> definiert.
Über diese Begriffe gelten die entsprechenden dualen Aussagen; unter anderem auch die dualen Aussagen zu 6.15 und 6.16, die <u>Sätze 6.15</u>' und <u>6.16'</u>, die wir nicht mehr gesondert formulieren wollen.

Beispiel: Wir bestimmen $\mathfrak{U}(\mathbb{Z})$, den vollständigen Verband aller Untergruppen von $(\mathbb{Z},+)$.
Aus Beispiel b),p.48 wissen wir, daß $a\mathbb{Z} \in \mathfrak{U}(\mathbb{Z})$ für alle $a \in \mathbb{N}$.
Beh.: Es gibt keine weiteren Untergruppen von $\mathbb{Z}$.
Bew.: Sei U eine Untergruppe von $\mathbb{Z}$. Falls $U = 0$ ($:= \{0\}$), so ist $U = 0\mathbb{Z}$. Wenn $U \neq 0$ ist, so gibt es eine kleinste positive Zahl $a \in U$. Jedes $x \in U$ läßt sich dann schreiben als

$$x = qa + r \quad \text{mit } q \in \mathbb{Z} \text{ und } 0 \leq r < a .$$

Da $a \in U$, ist auch $qa \in U$, da U eine Untergruppe ist und qa nichts anderes ist als die Summe

$$\underbrace{a + \ldots + a}_{q\text{-mal}} \quad (\text{für } q>0) \quad \text{bzw.} \quad \underbrace{(-a) + \ldots + (-a)}_{(-q)\text{-mal}} \quad (\text{für } q<0)$$

$\Rightarrow r = x - qa \in U$. Da a die kleinste positive Zahl in U sein sollte und $r < a$ ist, folgt: $r = 0$.
$\Rightarrow x = qa \Rightarrow x \in a\mathbb{Z} \Rightarrow U \subset a\mathbb{Z}$, da x beliebig war.
Andererseits ist natürlich $a\mathbb{Z} \subset U$, da $a \in U$ und U Untergruppe ist.
Daher ist $U = a\mathbb{Z}$. qed

Damit ist $\mathfrak{U}(\mathbb{Z}) = \{a\mathbb{Z} \mid a \in \mathbb{N}\}$.

Wir wissen, daß $\mathfrak{U}(\mathbb{Z})$ ein vollständiger Verband ist mit der Inklusionsrelation als Ordnungsrelation.
Betrachten wir außerdem den vollständigen Verband $(\mathbb{N}, \leq)$, wo $\leq$ die Teilbarkeitsrelation ist (vgl. Beispiel,p.102).
Wir haben eine Abbildung

$$f : \mathbb{N} \longrightarrow \mathfrak{U}(\mathbb{Z})$$
$$a \longmapsto a\mathbb{Z}$$

f ist trivialerweise bijektiv, da alle $a\mathbb{Z}$ voneinander verschieden sind. Wir behaupten: f und f^{-1} sind Ordnungs-Antihomomorphismen.
Bew.: Seien $x,y \in \mathbb{N}$ und $x \leq y \Rightarrow$ y ist teilbar durch x; dh. es gibt ein $n \in \mathbb{N}$ mit $y = nx$. Wir wollen zeigen: $x\mathbb{Z} \supset y\mathbb{Z}$.
Sei $a \in y\mathbb{Z} \Rightarrow$ Es gibt ein $z \in \mathbb{Z}$ mit $a = yz = x(nz) \Rightarrow a \in x\mathbb{Z}$.-
Wenn umgekehrt $y\mathbb{Z} \subset x\mathbb{Z}$ für $x,y \in \mathbb{N}$, so ist speziell $y \in x\mathbb{Z}$
$\Rightarrow$ Es gibt ein $z \in \mathbb{Z}$ mit $y = xz \Rightarrow$ y ist durch x teilbar $\Rightarrow x \leq y$. qed

Nach 6.16' ist f dann auch ein Anti-Isomorphismus von vollständigen Verbänden. Es gilt also für jede Familie $(a_i)_{i\in I}$ in $\mathbb{N}$:

$$\bigsqcap_{i\in I} a_i\mathbb{Z} = \bigcap_{i\in I} a_i\mathbb{Z} = b\mathbb{Z} \text{ mit } b = \text{kgV der } a_i$$

$$\bigsqcup_{i\in I} a_i\mathbb{Z} = \sum_{i\in I} a_i\mathbb{Z} = c\mathbb{Z} \text{ mit } c = \text{ggT der } a_i$$

Speziell im Fall von zwei Untergruppen:

$$a\mathbb{Z} \cap b\mathbb{Z} = c\mathbb{Z} \quad \text{mit } c = \text{kgV von } a \text{ und } b$$

$$a\mathbb{Z} + b\mathbb{Z} = d\mathbb{Z} \quad \text{mit } d = \text{ggT von } a \text{ und } b$$

Falls z.B. a und b keinen gemeinsamen Teiler besitzen, folgt:

$$\begin{aligned} a\mathbb{Z} \cap b\mathbb{Z} &= ab\mathbb{Z} \quad \text{und} \\ a\mathbb{Z} + b\mathbb{Z} &= \mathbb{Z} \end{aligned} \tag{610}$$

G sei eine abelsche Gruppe, U eine Untergruppe von G. In welcher Beziehung stehen die vollständigen Verbände $\mathfrak{U}(G)$ und $\mathfrak{U}(G/U)$?

Sei $\pi : G \longrightarrow G/U$ der Restklassenhomomorphismus.

Dann ist für jede Untergruppe $H \in \mathfrak{U}(G)$ das Bild $\pi(H) \in \mathfrak{U}(G/U)$ nach 4.3. π induziert also eine Abbildung

$$\overline{\pi} : \mathfrak{U}(G) \longrightarrow \mathfrak{U}(G/U) ,$$

die offensichtlich ein Ordnungshomomorphismus ist, da $\pi(H) \subset \pi(H')$ für $H \subset H'$. – Umgekehrt: Wenn $K \in \mathfrak{U}(G/U)$ ist, so ist $\pi^{-1}(K) \in \mathfrak{U}(G)$ nach 4.4. Also haben wir auch eine Abbildung

$$\widetilde{\pi} : \mathfrak{U}(G/U) \longrightarrow \mathfrak{U}(G) ,$$

die ebenfalls ein Ordnungshomomorphismus ist, da $\pi^{-1}(K) \subset \pi^{-1}(K')$ für $K \subset K'$.

Da π surjektiv ist, gilt nach 1.9 :

$\pi\pi^{-1}(K) = K$ für $K \in \mathfrak{U}(G/U)$.

Das heißt : $\overline{\pi} \circ \widetilde{\pi} = \mathrm{id}_{\mathfrak{U}(G/U)}$.

Nach 1.6 ist daher $\overline{\pi}$ surjektiv und $\widetilde{\pi}$ injektiv.

$\overline{\pi}$ ist aber i.a. nicht injektiv; denn enthalte etwa U noch eine Untergruppe U'. Dann ist $\overline{\pi}(U) = \overline{\pi}(U') = 0 \in \mathfrak{U}(G/U)$.

Bestimmen wir $\tilde{\pi}(\mathfrak{U}(G/U))$!

Wir behaupten: Genau diejenigen $H \in \mathfrak{U}(G)$ treten als Bilder auf, für die $H \supset U$ ist.

Bew.: Sei $K \in \mathfrak{U}(G/U)$. Dann ist $\tilde{\pi}(K) = \pi^{-1}(K)$, und es gilt $\pi^{-1}(K) \supset \pi^{-1}(0) = U$.

Sei umgekehrt ein $H \in \mathfrak{U}(G)$ mit $H \supset U$ gegeben. Dann ist nach 1.9 $H \subset \pi^{-1}\pi(H)$. Es ist aber auch $\pi^{-1}\pi(H) \subset H$; denn wenn $x \in \pi^{-1}\pi(H)$, so folgt: $\pi(x) \in \pi(H) \Rightarrow \bigvee_{h \in H} \pi(x) = \pi(h) \Rightarrow x - h \in U \subset H$

$\Rightarrow x \in H$, da $h \in H$ und H Untergruppe ist.

Daher ist $H = \pi^{-1}\pi(H)$; dh. H ist Bild der Untergruppe $\pi(H)$ von G/U unter der Abbildung $\tilde{\pi}$. qed

Wir betrachten daher die folgende Teilmenge von $\mathfrak{U}(G)$:

$$\mathfrak{U}_U(G) := \{ H \in \mathfrak{U}(G) \mid U \subset H \}$$

Diese Teilmenge ist unter der Inklusionsrelation wieder ein vollständiger Verband, da das Einselement G in $\mathfrak{U}_U(G)$ liegt und $U \subset \bigcap_{i \in I} H_i$ für eine Familie $(H_i)_{i \in I}$ von Untergruppen H_i mit $U \subset H_i$ für alle $i \in I$. Daher ist $\bigcap_{i \in I} H_i$ das Infimum der Familie $(H_i)_{i \in I}$ in $\mathfrak{U}_U(G)$; und $\mathfrak{U}_U(G)$ ist ein vollständiger Verband, ein vollständiger Teilverband des vollständigen Verbands $\mathfrak{U}(G)$.

Wir haben wiederum den Ordnungshomomorphismus

$$\bar{\pi} : \mathfrak{U}_U(G) \longrightarrow \mathfrak{U}(G/U)$$

und den surjektiven Ordnungshomomorphismus

$$\tilde{\pi} : \mathfrak{U}(G/U) \longrightarrow \mathfrak{U}_U(G)$$

Wiederum ist $\bar{\pi} \circ \tilde{\pi} = id_{\mathfrak{U}(G/U)} \Rightarrow \tilde{\pi}$ injektiv.

Daher ist $\tilde{\pi}$ bijektiv. Mit 6.16 ergibt sich somit:

Satz 6.17 : G sei eine abelsche Gruppe, U eine Untergruppe von G. $\pi : G \longrightarrow G/U$ sei der Restklassenhomomorphismus.

Die Abbildung

$$\bar{\pi} : \mathfrak{U}_U(G) \longrightarrow \mathfrak{U}(G/U)$$
$$H \longmapsto \pi(H)$$

ist ein Isomorphismus von vollständigen Verbänden. QED

Beispiel: Wir bestimmen die Anzahl der Untergruppen von $\mathbb{Z}_a$ ($a \in \mathbb{N}$, $a > 1$, fest gewählt).

Nach Satz 6.17 hat $\mathbb{Z}_a$ genausoviele Untergruppen, wie es Untergruppen $b\mathbb{Z}$ von $\mathbb{Z}$ gibt mit $b\mathbb{Z} \supset a\mathbb{Z}$.

Nach dem Beispiel von p.109 ist das äquivalent zu: a ist teilbar durch b. $\mathbb{Z}_a$ hat also genausoviele Untergruppen, wie es Teiler von a gibt.

Wenn p eine Primzahl ist, so hat $\mathbb{Z}_p$ keine Untergruppen außer den zwei trivialen, 0 und $\mathbb{Z}_p$.

Die Untergruppen von $\mathbb{Z}_a$ sind nach 6.17 gegeben durch $\pi(b\mathbb{Z})$, wobei a durch b teilbar ist.

Geben wir dazu noch ein ganz konkretes Beispiel:

$\mathbb{Z}_{12}$ hat genau 6 Untergruppen :

$\mathbb{Z}_{12}$

$\pi(2\mathbb{Z}) = \{\bar{0}, \bar{2}, \bar{4}, \bar{6}, \bar{8}, \overline{10}\}$

$\pi(3\mathbb{Z}) = \{\bar{0}, \bar{3}, \bar{6}, \bar{9}\}$

$\pi(4\mathbb{Z}) = \{\bar{0}, \bar{4}, \bar{8}\}$

$\pi(6\mathbb{Z}) = \{\bar{0}, \bar{6}\}$

0

Der Graph von $\mathfrak{U}(\mathbb{Z}_{12})$ ist :

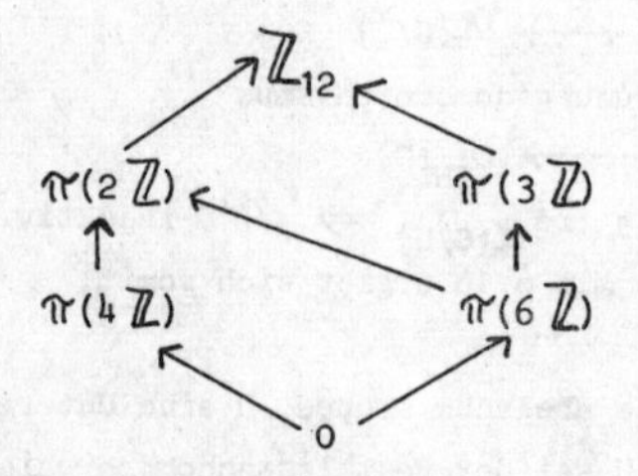

Das ist bis auf Anti-Isomorphie derselbe Verband wie $\{0,1,2,3,4,6\} \subset \mathbb{N}$, versehen mit der Teilbarkeitsrelation.

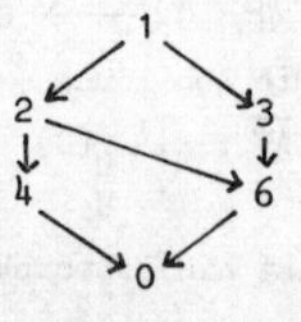

§ 7 : Ringe und Körper

Auf der abelschen Gruppe ($\mathbb{Z}$,+) mit der gewöhnlichen Addition + haben wir außer der Operation + auch noch die Operation ., die gewöhnliche Multiplikation. Wir definieren allgemein:

Definition 7.1 : Ein Ring ist ein Tripel (R,+,.) mit folgenden Eigenschaften:

(i) (R,+) ist eine abelsche Gruppe.
"+" heißt Addition. Das neutrale Element bezeichnen wir mit 0. Zu einem $x \in R$ das inverse Element bezeichnen wir mit $-x$.

(ii) ". " ist eine assoziative Operation.
"." heißt Multiplikation.

(iii) Es gilt

$$\bigwedge_{x,y,z \in R} (x+y).z = x.z + y.z$$

$$\bigwedge_{x,y,z \in R} x.(y+z) = x.y + x.z$$

(Distributivgesetze)

Zusätze:

1) Ein Ring (R,+,.) heißt Ring mit Eins, falls $|R| \geq 2$ und falls es bzgl. der Multiplikation ein neutrales Element gibt (das wir dann mit 1 bezeichnen); dh. falls es $1 \in R$ gibt mit

$$\bigwedge_{x \in R} 1.x = x.1 = x \tag{620}$$

2) Ein Ring (R,+,.) heißt kommutativer Ring, falls "." eine kommutative Operation ist; dh. falls gilt

$$\bigwedge_{x,y \in R} x.y = y.x \tag{630}$$

In diesem Falle brauchen wir in (iii) nur eines der beiden Distributivgesetze zu fordern.

3) Ein Ring mit Eins (R,+,.) heißt Divisionsring oder Schiefkörper, falls es zu jedem $x \in R$ mit $x \neq o$ ein inverses Element bzgl. der Multiplikation gibt; dh. es soll gelten

$$\bigwedge_{x \in R^*} \bigvee_{y \in R} x.y = 1 \qquad \text{mit } R^* := R \setminus \{0\} \tag{640}$$

Dieses y, das für festes x eindeutig bestimmt ist, wie wir bald sehen werden, bezeichnen wir auch mit x^{-1}.

4) Ein kommutativer Schiefkörper heißt Körper. Statt $x.y^{-1}$ für $x \in K$, $y \in K^*$, schreibt man oft auch $\frac{x}{y}$.

Bemerkungen:

1) Da ein Ring immer das Element 0 enthält, muß stets $|R| \geq 1$ sein. Wenn wir eine Menge mit genau einem Element gegeben haben, so gibt es darauf offenbar genau eine Ringstruktur. Die Operationen + und . sind identisch. Dieses eine Element ist das neutrale Element bzgl. der Addition (die 0) und neutrales Element bzgl. der Multiplikation. Der Ring ist kommutativ. Diesen Ring bezeichnen wir auch als den trivialen Ring. In Zusatz 1) bedeutet also die Forderung, daß $|R| \geq 2$ ist, lediglich, daß wir den pathologischen Fall des trivialen Rings ausschließen wollen.

2) Bei Axiom (iii) mußten wir eigentlich exakt schreiben $(x+y).z = (x.z) + (y.z)$. Aber wie es etwa auch in $(\mathbb{Z},+,.)$ üblich ist, vereinbaren wir, daß in einem Ausdruck, in dem sowohl die Operation + als auch die Operation . vorkommen, zunächst die Operation . ausgeführt wird, daß also "." stärker "bindet" als "+".

Außerdem werden wir das Operationszeichen "." oft einfach weglassen, ebenso wie wir es in § 3 bereits vereinbart hatten.

Ferner schreiben wir für einen Ring (R,+,.) oft einfach R, wenn keine Mißverständnisse zu befürchten sind.

Ziehen wir einige einfache Folgerungen:

1) R sei ein Ring. Dann gilt :

$$\bigwedge_{x \in R} ox = xo = o$$

2) In jedem nicht trivialen Ring sind die Operationen + und . verschieden; dh. es gibt $x,y \in R$ mit $x + y \neq xy$.

3) R sei ein Ring. Dann gilt

$$\bigwedge_{x,y \in R} (-y)x = -(yx) = y(-x)$$

4) R sei ein Ring mit 1. Dann gilt:
Die "1" ist eindeutig; dh. falls es ein $y \in R$ gibt mit $\bigwedge_{x \in R} yx = x$ oder $\bigwedge_{x \in R} xy = x$, so ist $y = 1$.

5) R sei ein Ring mit 1. Dann ist $1 \neq 0$

6) Bei Def. 7.1 können wir auf das Axiom, daß die Gruppe (R,+) abelsch ist, verzichten; dh. die Kommutativität folgt bereits aus den übrigen Axiomen.

7) Wenn R ein Schiefkörper ist, so ist . auf $R^* = R \setminus \{0\}$ eine Gruppenstruktur. Insbesondere ist das Inverse x^{-1} zu einem $x \in R^*$ eindeutig bestimmt, und es ist auch linksinvers (In (640) war nur gefordert, daß es rechtsinvers ist).

8) Ein nicht trivialer Ring, in dem es ein Element $1 \in R$ gibt mit $\bigwedge_{x \in R} 1.x = x$ und für den (640) gilt, ist bereits ein Schiefkörper; dh. bei Schiefkörpern können wir das Axiom (620) abschwächen.

9) In jedem Schiefkörper gilt : $x.x = 1 \Leftrightarrow x = 1 \vee x = -1$

<u>Beweise</u>:

1) $ox + xx = (o+x)x$ nach dem Distributivgesetz

$= xx \Rightarrow ox = o$.-

$xo = o$ zeigt man analog.

2) Da $|R| \geq 2$, gibt es ein $x \in R$ mit $x \neq 0$. Dann gilt:

$x + 0 = x$ und $x.0 = 0$ nach 1)

3) Wir haben zu zeigen: $yx + (-y)x = 0$:

$yx + (-y)x = (y-y)x$ (Distributivgesetz)

$= ox = o$ nach 1). Die zweite Gleichung zeigt man analog.

4) Sei $xy = x$ für alle $x \in R$. Dann ist

$y = y.1$, da 1 neutral

$= (1.y).1$, da 1 neutral

$= 1.1$ nach Voraussetzung

$= 1$.

Entsprechend für $yx = x$ für alle $x \in R$:

$y = y.1 = (y.1).1 = 1.1 = 1$

5) Sei $1 = 0$. Sei $x \in R$ mit $x \neq 0$. Dann ist $ox = 1.x = x$.

Das ist ein Widerspruch zu 1)

6) Man beachte, daß die bisherigen Beweise geführt wurden, ohne die Tatsache zu verwenden, daß die Operation + kommutativ ist.-

Seien $x,y \in R$. Dann ist

$x + y = 0 + x + y = y - y + x + y = y + 0 - y + x + y =$

$= y + x - x - y + x + y = (y+x) + (-1)x + (-1)y + x + y$ nach 3)

$= (y+x) + (-1)(x+y) + (x+y)$ nach dem Distributivgesetz

$= y + x$ nach 3)

Man beachte, daß wir zum Beweis im wesentlichen nur die Gültigkeit der Distributivgesetze gebraucht haben.

7) Wir haben lediglich zu zeigen, daß . auf R^* eine Operation ist; dh. wenn $a,b \in R^*$ sind, so soll $ab \in R^*$ sein.
Zu a,b gibt es Inverse a^{-1}, b^{-1}. Dann ist $b^{-1}a^{-1}$ zu ab invers.
Nach 1) folgt dann: $ab \neq 0$; dh. $ab \in R^*$.

ACHTUNG: Die Multiplikation . liefert bei einem beliebigen Ring i.a. keine Operation auf R^*; dh. es gibt i.a. Elemente $a,b \in R^*$ mit $ab = 0$.

8) folgt aus 7), da $(R^*,.)$ eine Gruppe ist.

9) Es ist $1.1 = 1$ und $(-1).(-1) = 1$ nach 3).-
Umgekehrt: Sei $xx = 1$. $\Rightarrow (x+1)(x-1) = xx + x(-1) + 1.x + 1.(-1) =$
$= xx - x + x - 1 = xx - 1 = 0 \Rightarrow x+1 = 0$ oder $x-1 = 0$ nach 7)
$\Rightarrow x = -1$ oder $x = 1$ qed

Beispiele:
a) $(\mathbb{Z},+,.)$ ist ein kommutativer Ring mit 1. Es ist kein Körper, da es zu keinem Element außer der Eins ein multiplikatives Inverses gibt.

b) $(\mathbb{Q},+,.)$ mit den gewöhnlichen Operationen ist ein Körper.

c) $(\mathbb{R},+,.)$ mit den gewöhnlichen Operationen ist ein Körper.

d) Sei $a \in \mathbb{N}$. Wir betrachten die abelschen Gruppen $\mathbb{Z}_a$. Auf $\mathbb{Z}_a$ führen wir eine zusätzliche Operation . ein durch

$$\bar{x}.\bar{y} := \overline{x.y} \qquad \text{für } x,y \in \mathbb{Z}. \qquad (650)$$

Wir müssen zeigen, daß diese Definition von der Auswahl der Repräsentanten aus den Restklassen unabhängig ist (vgl.p.81).
Seien also $x' \in \bar{x} \wedge y' \in \bar{y} \Rightarrow x-x' \in a\mathbb{Z} \wedge y-y' \in a\mathbb{Z}$. Daher gibt es $k,m \in \mathbb{Z}$ mit

$$x = x' + ka \quad \wedge \quad y = y' + ma$$

$$\Rightarrow xy = x'y' + (ky' + mx' + akm).a$$

$\Rightarrow xy - x'y' \in a\mathbb{Z} \Rightarrow x'y' \in \overline{xy}$.

(650) definiert also eine Operation auf $\mathbb{Z}_a$.

$(\mathbb{Z}_a,+,.)$ ist für a = 1 der triviale Ring und für a = o gleich $(\mathbb{Z},+,\cdot)$

Beh.: Für $a \geqslant 2$ ist $(\mathbb{Z}_a,+,.)$ ein kommutativer Ring mit 1.

Bew.: Für $a \geqslant 2$ ist $|\mathbb{Z}_a| \geqslant 2$.

Assoziativität: $(\overline{x}.\overline{y}).\overline{z} = \overline{xy}.\overline{z} = \overline{(xy)z} = \overline{x(yz)} = \overline{x}.\overline{yz} = \overline{x}.(\overline{y}.\overline{z})$

Kommutativität: $\overline{x}.\overline{y} = \overline{xy} = \overline{yx} = \overline{y}.\overline{x}$

Distributivgesetz: $\overline{x}.(\overline{y}+\overline{z}) = \overline{x}.\overline{y+z} = \overline{x(y+z)} = \overline{xy+xz} = \overline{xy} + \overline{xz} =$
$= \overline{x}.\overline{y} + \overline{x}.\overline{z}$

Existenz der 1: $\overline{1}$ ist neutral; denn $\overline{1}.\overline{x} = \overline{1x} = \overline{x}$ qed

Wir wollen nun untersuchen, ob die $\mathbb{Z}_a$ sogar Körper sind.

Zunächst zwei Beispiele:

$\mathbb{Z}_2$ ist ein Körper; denn zu $\overline{1} \in \mathbb{Z}_2$ ist $\overline{1}$ das Inverse.

$\mathbb{Z}_4$ ist kein Körper; denn $\overline{2}.\overline{2} = \overline{4} = \overline{o}$. Daher ist . keine Operation auf $\mathbb{Z}_4^*$, was ein Widerspruch zu 7),p.115 wäre, falls $\mathbb{Z}_4$ ein Körper wäre.

Wir wollen für den Fall, daß in einem Ring die Operation . keine Operation auf R^* liefert, eine neue Bezeichnung einführen:

Definition 7.2 : Sei R ein Ring. Ein $a \in R^*$ heißt linker Nullteiler in R, wenn es ein $b \in R^*$ gibt mit ab = 0.
$a \in R^*$ heißt rechter Nullteiler in R, wenn es ein $c \in R^*$ gibt mit ca = 0.
$a \in R^*$ heißt Nullteiler in R , wenn a linker oder rechter Nullteiler in R ist.
R heißt nullteilerfrei , falls R keine Nullteiler hat; falls R zusätzlich kommutativ mit Eins ist: Integritätsring.

In 7),p.115 haben wir damit gezeigt

Korollar 7.3 : Jeder Schiefkörper ist nullteilerfrei. QED

Im vorangehenden Beispiel sehen wir, daß nicht jeder Ring nullteilerfrei ist. Am Beispiel des Ringes $(\mathbb{Z},+,.)$ sehen wir, daß nicht jeder

nullteilerfreie Ring ein Schiefkörper ist.
Allerdings gilt:

Satz 7.4 : Ein endlicher nicht trivialer Ring ist genau dann ein Schiefkörper, wenn er nullteilerfrei ist.

Beweis: Wegen des Korollars 7.3 brauchen wir nur zu zeigen:
Ein endlicher nicht trivialer Ring ist ein Schiefkörper, falls er keine Nullteiler enthält.
Dazu beachten wir, daß die Operation . für jedes $a \in R^*$ die Rechtstranslation mit a

$$R_a : R \longrightarrow R$$
$$x \longmapsto xa \qquad \text{(vgl.p.43)}$$

und die Linkstranslation mit a

$$L_a : R \longrightarrow R$$
$$x \longmapsto ax \qquad \text{(vgl.p.43)}$$

definiert.
Wenn R nullteilerfrei ist, so heißt das: Für jedes $a \in R^*$ induzieren die R_a und die L_a Abbildungen

$$R_a : R^* \longrightarrow R^* \qquad \text{und} \qquad L_a : R^* \longrightarrow R^*$$
$$x \longmapsto xa \qquad\qquad\qquad x \longmapsto ax$$

Die L_a und R_a sind injektiv; denn wenn für $x,y \in R^*$ gilt
$R_a(x) = R_a(y), \Rightarrow xa = ya \Rightarrow xa - ya = 0 \Rightarrow (x-y)a = 0$
$\Rightarrow x-y = 0$, da R nullteilerfrei. $\Rightarrow x = y$. (Für L_a analog)

Da die L_a und R_a injektive Abbildungen von einer endlichen Menge in sich selbst sind, sind sie nach 1.10 sogar bijektiv.
Nach 3.6 ist daher $(R^*,.)$ eine Gruppe. Daher ist $(R,+,.)$ ein Schiefkörper. QED

Satz 7.5 : Sei $p \in \mathbb{N}$ und $p \geq 2$. Dann gilt:
$(\mathbb{Z}_p, +, .)$ ist genau dann ein Körper, wenn p eine Primzahl ist.

<u>Beweis:</u> Sei p keine Primzahl. Dann gibt es $r,s \in \mathbb{N}$ mit $1 < r,s < p$, so daß $r.s = p$. $\Rightarrow \bar{r}.\bar{s} = \overline{rs} = \bar{p} = \bar{o}$.

Da $\bar{r} \neq \bar{o}$, enthält $\mathbb{Z}_p$ also Nullteiler und kann daher kein Schiefkörper sein.-

Für die umgekehrte Beweisrichtung läßt sich aus der Annahme, daß $\mathbb{Z}_p$ kein Körper ist, mithin nach 7.4 Nullteiler hat, herleiten, daß p keine Primzahl ist. Wir wollen den Beweis hier allerdings etwas anders führen:

Sei $\bar{x} \in \mathbb{Z}_p$ und $\bar{x} \neq \bar{o}$, und p sei eine Primzahl. Wir bestimmen zu $\bar{x}$ ein Inverses. Da $\bar{x} \neq \bar{o}$, folgt : $x \notin p\mathbb{Z}$;dh. x ist nicht durch p teilbar. Da p Primzahl ist, haben x und p keinen gemeinsamen Teiler (außer 1). Nach (610) ist dann

$$\mathbb{Z} = x\mathbb{Z} + p\mathbb{Z} .$$

Es gibt also insbesondere $a,b \in \mathbb{Z}$ mit

$$1 = xa + pb.$$

$$\Rightarrow \bar{1} = \overline{xa} + \overline{pb} = \overline{xa} \text{ , da } \bar{p}=\bar{o}.$$

Folglich ist $\bar{a}$ zu $\bar{x}$ invers. <u>QED</u>

Für jeden Ring R definieren wir für ein $z \in \mathbb{Z}$ und ein $x \in R$ das Element zx durch

$$zx := \underbrace{x + \dots + x}_{z\text{-mal}} \quad \text{für } z > o$$

$$ox := o$$

$$zx := -(-zx) \quad \text{für } z < o$$

(allgemeiner auch für jede abelsche Gruppe)

<u>Definition 7.6</u> : Sei R ein Ring mit Einselement. Unter der <u>Charakteristik von R</u>, Bezeichnung: Char(R), verstehen wir die kleinste natürliche Zahl n ($\neq$ o), für die $n.1 = 0$.
Falls kein derartiges n existiert, dh. falls $n.1 \neq 0$ für alle $n \in \mathbb{N}^*$ ist, so sagen wir, R habe die Charakteristik 0.

<u>Beispiele</u>:

a) Char $(\mathbb{R},+,.) = 0$

b) Char $(\mathbb{Q},+,.) = 0$

c) Char $(\mathbb{Z},+,.) = 0$

d) Char $(\mathbb{Z}_p,+,.) = p$

Als Übung zeige der Leser: Die Charakteristik eines <u>Körpers</u> ist stets 0 oder eine Primzahl.

Wie bei Gruppen und Verbänden wollen wir den Begriff des Homomorphismus einführen:

<u>Definition 7.7</u> : Seien $(R,+,.)$ und $(R',+,.)$ Ringe. Eine Abbildung $f : R \longrightarrow R'$ heißt <u>Ringhomomorphismus</u>, wenn gilt

$$\bigwedge_{x,y \in R} f(x+y) = f(x) + f(y) \qquad \text{und}$$

$$\bigwedge_{x,y \in R} f(x.y) = f(x) \, . \, f(y)$$

Ein Ringhomomorphismus zwischen Körpern heißt auch <u>Körperhomomorphismus</u>. (entsprechend bei Schiefkörpern)

<u>Beispiele</u>:

a) Die Restklassenabbildung

$$\pi : \mathbb{Z} \longrightarrow \mathbb{Z}_p$$

ist ein Ringhomomorphismus, da wir die Ringstruktur auf $\mathbb{Z}_p$ gerade so eingeführt hatten (vgl.(650)).

b) Die Inklusionsabbildungen

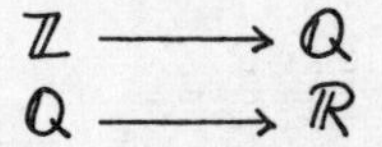

$$\mathbb{Z} \longrightarrow \mathbb{Q}$$
$$\mathbb{Q} \longrightarrow \mathbb{R}$$

sind Ringhomomorphismen.

c) Die identische Abbildung ist ein Ringhomomorphismus jedes Ringes auf sich selbst.

d) Seien R,R' Ringe. Die Abbildung

$$f : R \longrightarrow R'$$
$$r \longmapsto 0$$

ist ein Ringhomomorphismus, der sog. triviale Homomorphismus oder Null-Homomorphismus.

Nach Definition ist jeder Ringhomomorphismus auch ein Gruppenhomomorphismus der additiven Gruppen. Speziell gilt also für jeden Ringhomomorphismus: $f(0) = 0$.
Dagegen ist nicht jeder Schiefkörper-Homomorphismus ein Homomorphismus der multiplikativen Gruppen. Der triviale Ringhomomorphismus ist ein Beispiel dafür. Es gilt aber

Satz 7.8 : K, K' seien Schiefkörper, $f : K \longrightarrow K'$ sei ein Schiefkörper-Homomorphismus, der nicht der triviale sei. Dann gilt :

(i) f ist injektiv

(ii) f ist ein Homomorphismus der multiplikativen Gruppen $(K^*,.)$ und $(K'^*,.)$

Beweis: Zunächst zeigen wir: $f(1) = 1$.
Da f nicht trivial ist, gibt es ein $x \in K$ mit $f(x) \neq 0$.
$\Rightarrow f(x) = f(x.1) = f(x).f(1)$.
Durch Multiplikation mit $(f(x))^{-1}$ folgt die Behauptung. qed
Wir zeigen jetzt : $\ker f = 0$. Daraus folgen dann (i) und (ii) unmittelbar.
Sei $x \in K^*$. $\Rightarrow$ Es gibt zu x ein Inverses x^{-1} mit $x^{-1}x = 1$
$\Rightarrow 1 = f(1) = f(x^{-1}x) = f(x^{-1}).f(x)$.
$f(x)$ hat also ein Inverses, und damit ist $f(x) \in K'^*$.
Daher ist $\ker f = 0$. QED

Tragen wir noch die üblichen Definitionen nach, die wir analog auch schon für Gruppen definiert hatten:

Ein bijektiver Ringhomomorphismus heißt Ringisomorphismus.
Ein Ringhomomorphismus eines Ringes in sich selbst heißt Ringendomorphismus. Ein bijektiver Ringendomorphismus heißt Ringautomorphismus.

Falls in diesen Definitionen die jeweiligen Ringe Schiefkörper oder Körper sind, sprechen wir auch von Körperisomorphismen Schiefkörperautomorphismen usw.

Leicht bestätigt man die folgenden Aussagen (Beweise zur Übung): Die Hintereinanderausführung zweier Ringhomomorphismen ist ein Ringhomomorphismus. Das Inverse eines Ringisomorphismus ist ein Ringisomorphismus. Die Automorphismen eines Ringes, Schiefkörpers oder Körpers R sind Untergruppen der Permutationsgruppe S_R.

Zwei Ringe, Schiefkörper oder Körper heißen <u>isomorph</u>, in Zeichen: $R \cong R'$, wenn es einen Isomorphismus zwischen ihnen gibt.

Analog zum Begriff der Untergruppe bei Gruppen können wir die Begriffe Unterring und Unterkörper definieren:
Eine Teilmenge M eines Ringes oder Körpers R heißt Unterring bzw. Unterkörper, wenn M unter den induzierten Operationen einen Ring bzw. einen Körper bildet (entsprechend für Schiefkörper).
Analog zum Untergruppenkriterium zeigt man:
Eine Teilmenge M eines Ringes R ist ein Unterring von R genau dann, wenn gilt:

(i) M ist eine Untergruppe der Gruppe (R,+)
(ii) $\bigwedge_{x,y \in M} xy \in M$

Eine Teilmenge M eines Körpers (Schiefkörpers) K ist ein Unterkörper (Unter-Schiefkörper) von K genau dann, wenn gilt:

(i) M ist eine Untergruppe der Gruppe (K,+)
(ii) $M^* = M \setminus \{0\}$ ist eine Untergruppe der Gruppe $(K^*,.)$

Ferner gilt, analog zu den Aussagen in § 4:
Wenn $f : R \longrightarrow R'$ ein Ringhomomorphismus bzw. ein Körperhomomorphismus ist, so sind ker f und im f Unterringe von R bzw. R'.
Wenn f ein nicht trivialer Körperhomomorphismus ist, ist im f sogar ein Unterkörper von R'.(Entsprechend für Schiefkörper).
Beweise zur Übung!

Wenn $f : K \longrightarrow K'$ ein nicht trivialer Schiefkörperhomomorphismus ist, gilt wegen 7.8:

$K \cong \text{im } f$ als Isomorphie von Schiefkörpern.

<u>Beispiele</u>:

a) $\mathbb{Z}$ mit den üblichen Operationen ist ein Unterring von $\mathbb{Q}$ mit den üblichen Operationen, $\mathbb{Q}$ wiederum ein Unterkörper von $\mathbb{R}$ mit den üblichen Operationen.

b) Die Mengen $a\mathbb{Z} \subset \mathbb{Z}$ sind offenbar Unterringe von $\mathbb{Z}$ (mit den üblichen Operationen). Die Ringe $a\mathbb{Z}$ sind keine Ringe mit Eins (außer für $a=1$, wo $a\mathbb{Z} = \mathbb{Z}$ ist).
Daran sehen wir: Unterringe von Ringen mit Eins sind i.a. keine Ringe mit Eins, selbst wenn sie vom trivialen Ring verschieden sind.

Allerdings gilt offensichtlich:
Sei R ein Ring mit 1, R' ein Unterring von R, und $1 \in R'$. Dann ist R' ein Ring mit Eins (nämlich der 1 aus R).

c) Auf p.112 hatten wir gesehen, daß alle Untergruppen von $\mathbb{Z}_a$ ($a \in \mathbb{N}^*$) gegeben sind durch $\pi(b\mathbb{Z})$, wo π die Restklassenabbildung ist und b ein Teiler von a.
Da π ein Ringhomomorphismus ist, gilt:
$\pi(b\mathbb{Z}) = \pi(b).\pi(\mathbb{Z}) = \bar{b}.\mathbb{Z}_a$
Da die $b\mathbb{Z}$ Unterringe von $\mathbb{Z}$ sind, sind die $\bar{b}.\mathbb{Z}_a$ Unterringe von $\mathbb{Z}_a$.
Wir erhalten jetzt ein Beispiel für einen Unterring R' eines Ringes R mit Einselement 1_R, der selbst ein Einselement $1_{R'}$ besitzt, das aber von 1_R verschieden ist. Notwendig dazu ist, nach der Bemerkung am Ende des vorigen Beispiels, daß $1_R \notin R'$ ist.
Wir betrachten nämlich den Ring $\mathbb{Z}_{12}$ und darin den Unterring $\bar{4}.\mathbb{Z}_{12}$. Es ist

$$\bar{4}.\mathbb{Z}_{12} = \{\bar{0}, \bar{4}, \bar{8}\}$$

Das Element $\bar{4}$ ist neutrales Element bzgl. der Multiplikation; denn

$$\bar{4}.\bar{4} = \overline{16} = \bar{4} \qquad \text{und} \qquad \bar{4}.\bar{8} = \overline{32} = \bar{8}$$

$\bar{4}$. $\mathbb{Z}_{12}$ ist also ein Ring mit Einselement $\bar{4}$, und es ist $\bar{4} \neq \bar{1}$.

Zum Abschluß dieses §en wollen wir Beispiele geben, wie man aus gegebenen Ringen neue Ringe konstruiert.

Beispiele:

a) Seien $R_1, \ldots, R_k$ Ringe. Auf dem direkten Produkt $R_1 \times \ldots \times R_k$ der additiven Gruppen R_i (vgl. Beispiel c), p.42) führen wir eine Operation "." ein durch

$$(r_1, \ldots, r_k) \cdot (r'_1, \ldots, r'_k) := (r_1 . r'_1, \ldots, r_k . r'_k)$$

Versehen mit dieser zusätzlichen Operation, wird $R_1 \times \ldots \times R_k$ zu einem Ring, wie man leicht verifiziert.
Dieser Ring heißt das direkte Produkt der Ringe R_i.
Das direkte Produkt von Ringen ist genau dann ein Ring mit 1, wenn alle R_i Ringe mit 1 sind; es ist genau dann kommutativ, wenn alle R_i kommutativ sind.
Der Leser führe zur Übung die Einzelheiten aus!

b) $K_1, \ldots, K_n$ seien Körper. Dann können wir das direkte Produkt der Ringe $K_1, \ldots, K_n$ betrachten. Es erhebt sich die Frage, ob dieser Ring sogar ein Körper ist. Es gilt:
Ein Körper liegt genau dann vor, wenn $n = 1$ ist.
Wenn nämlich $n \neq 1$ ist, so gilt:
$(0,1,0,\ldots,0) \cdot (1,0,\ldots,0) = (0,\ldots,0)$;
dh. $K_1 \times \ldots \times K_n$ hat Nullteiler.

c) Wenn K ein Körper ist, wissen wir, daß die Menge $K \times K$, versehen mit der Ringstruktur des direkten Produkts, kein Körper ist. Wir werden aber feststellen, daß sich diese Menge durch Abändern der bisherigen Multiplikationsvorschrift zu einem Körper machen läßt.
Betrachten wir zunächst den Fall, daß K ein kommutativer Ring ist. Sei $d \in K$. Dann definieren wir auf dem direkten Produkt $K \times K$ der additiven Gruppe $(K,+)$ eine zusätzliche Operation . durch

$$(a,b) \,.\, (a',b') := (aa' + dbb' \,,\, ab' + a'b) \qquad (660)$$

für $a,a',b,b' \in K$

Die Menge $K \times K$ mit der Addition + und der eben definierten Operation "." bezeichnen wir mit $K(\sqrt{d})$.

Beh.: $K(\sqrt{d})$ ist ein kommutativer Ring. Wenn K ein Einselement hat, so ist (1,o) das Einselement von $K(\sqrt{d})$.

Der einfache Beweis bleibt dem Leser überlassen.

Es gilt: Die Abbildung

$$i : K \longrightarrow K(\sqrt{d})$$
$$k \longmapsto (k,o)$$

ist ein injektiver Ringhomomorphismus.

Die Injektivität ist offensichtlich.

Homomorphismus: $f(k+l) = (k+l,o) = (k,o) + (l,o) = f(k) + f(l)$; $f(kl) = (kl,o) = (k,o).(l,o) = f(k).f(l)$.-

Daher ist der Ring K isomorph zu einem Unterring von $K(\sqrt{d})$, und zwar in kanonischer Weise. Man identifiziert daher die Ringe K und im(i), und schreibt für das Element $(k,o) \in K(\sqrt{d})$, das das Bild des Elements $k \in K$ unter der Abbildung i ist, einfach k.

Mit dieser Konvention ergibt sich für $(k,l) \in K(\sqrt{d})$:

$(k,l) = (k,o) + (o,l) = k + (o,1).l$;

denn $(o,1).(o,l) = (l,o)$, wie man direkt aus (660) abliest.

Nun gilt:

$$(o,1).(o,1) = (d,o) = d \qquad (670)$$

Wegen dieser Eigenschaft bezeichnet man das Element $(o,1) \in K(\sqrt{d})$ auch als $\sqrt{d}$ und hat damit folgende Schreibweise:

$$k + \sqrt{d}l := (k,l) \quad \text{für } k,l \in K.$$

Mit dieser Konvention sind die Operationen + und . in $K(\sqrt{d})$ folgendermaßen gegeben:

$$(k + \sqrt{d}l) + (k' + \sqrt{d}l') = (k+k') + \sqrt{d}(l+l')$$
$$(k + \sqrt{d}l) \,.\, (k' + \sqrt{d}l') = (kk' + dll') + \sqrt{d}\cdot(kl' + k'l)$$

Falls K sogar ein Körper ist, erhebt sich die Frage, wann $K(\sqrt{d})$ ein Körper ist.

Die Antwort lautet:

$K(\sqrt{d})$ ist ein Körper genau dann, wenn d keine Wurzel in K hat, dh. wenn es kein $a \in K$ gibt mit $a^2 := a.a = d$. (680)

Beweis: Sei d eine Wurzel, sei etwa $c^2 = d$ mit $c \in K$.

Dann ist

$$(-c , 1) . (c , 1) = (-c^2 + d , o) = (o , o)$$

$K(\sqrt{d})$ hat also Nullteiler und ist daher kein Körper.-

Wenn dagegen d keine Wurzel hat, so ist für jedes $x+\sqrt{d}y \in K(\sqrt{d})^*$ das Element $x^2 - dy^2 \neq 0$; denn andernfalls wäre

$d = (\frac{x}{y})^2$, d also eine Wurzel. Daher können wir das Element

$$h := \frac{1}{x^2-dy^2} (x - \sqrt{d}y) \quad \text{bilden.}$$

Durch Ausrechnen nach Formel (660) bestätigt man, daß $h.(x+\sqrt{d}y) = 1$ ist. h ist also das inverse Element. qed

Definition 7.9 : $\mathbb{R}$ sei der gewöhnliche Körper der reellen Zahlen. Der Körper $\mathbb{R}(\sqrt{-1})$ heißt der Körper der komplexen Zahlen.

Folgende Schreibweisen sind üblich:

$$\mathbb{C} := \mathbb{R}(\sqrt{-1})$$

$$i := \sqrt{-1}$$

Jede komplexe Zahl schreibt sich also in der Form

$x + iy$ mit $x,y \in \mathbb{R}$

Mit komplexen Zahlen rechnet man also wie mit reellen Zahlen unter Beachtung von $i^2 = -1$.

Bei einer komplexen Zahl $x + iy$ bezeichnet man $x \in \mathbb{R}$ auch als den Realteil von $x + iy$, und $y \in \mathbb{R}$ auch als Imaginärteil von $x + iy$.

Schreibweise : $\mathrm{Re}(x + iy) := x$

$\mathrm{Im}(x + iy) := y$

Wir haben die "Betragsabbildung" $|\ |$ von $\mathbb{C}$ in $\mathbb{R}$:

$$\mathbb{C} \ni z \longmapsto |z| \in \mathbb{R} \text{ mit } |z| := +\sqrt{\operatorname{Re}(z)^2+\operatorname{Im}(z)^2}$$

Es gilt:

Die Betragsabbildung ist ein surjektiver Gruppenhomomorphismus von $(\mathbb{C}^*,.)$ nach $(\mathbb{R}^+\setminus\{0\},.)$

Insbesondere gilt also:

$$\bigwedge_{a,b\in\mathbb{C}} |a.b| = |a||b| \tag{690}$$

Beweis: als Übung.

Ferner gilt: $|z| = 0 \Longleftrightarrow z = 0.$ (700)

Der Kern dieses Gruppenhomomorphismus ist also eine Untergruppe von $(\mathbb{C}^*,.)$. Er besteht aus allen $z\in\mathbb{C}$ mit $|z| = 1$.

Schreibweise: $S^1 := \ker(|\ |)$.
S^1 heißt Einheitskreis in $\mathbb{C}$.

Es gilt:

Die Abbildung

$$\operatorname{cis} : \mathbb{R} \longrightarrow \mathbb{C}$$
$$r \longmapsto \operatorname{cis}(r) := \cos(r) + i.\sin(r)$$

ist ein Homomorphismus von $(\mathbb{R},+)$ in $(\mathbb{C}^*,.)$, und es ist

$$\operatorname{im}(\operatorname{cis}) = S^1$$
$$\ker(\operatorname{cis}) = \{2k\pi \mid k \in \mathbb{Z}\} \tag{710}$$

Beweis: als Übung.

Zu einer beliebigen komplexen Zahl z gibt es nach (710) ein $r\in\mathbb{R}$ mit $z = |z|\operatorname{cis}(r)$, da $\frac{z}{|z|} \in S^1$.

(r ist sogar eindeutig bestimmt, falls ein r mit $-\pi < r \le \pi$ gewählt wird)

Diese Schreibweise für komplexe Zahlen ist sehr nützlich; denn da $\operatorname{cis} : \mathbb{R} \longrightarrow S^1$ ein Homomorphismus ist, gilt für die Multiplikation zweier komplexer Zahlen

$$a = |a|\operatorname{cis}(r) \quad \text{und}$$
$$b = |b|\operatorname{cis}(s) \quad :$$
$$a.b = |a||b|\operatorname{cis}(r+s),$$

und für das multiplikativ Inverse zu a gilt:

$$a^{-1} = |a|^{-1}\operatorname{cis}(-r)$$

Ferner haben wir eine Abbildung

$$\bar{\ } : \mathbb{C} \longrightarrow \mathbb{C}$$

$$x+iy \longmapsto \overline{x+iy} := x-iy$$

Zu $z \in \mathbb{C}$ heißt $\bar{z}$ die <u>konjugiert komplexe Zahl</u>. (720)

Es gilt:

"$\bar{\ }$" ist ein Körperautomorphismus von $\mathbb{C}$; dh. "$\bar{\ }$" ist bijektiv und

$$\overline{a+b} = \bar{a} + \bar{b} \qquad \text{für } a,b \in \mathbb{C} \qquad (730)$$

$$\overline{a.b} = \bar{a}.\bar{b} \qquad (740)$$

<u>Beweis:</u> als Übung. Zur Bijektivität beachte man, daß

$\bar{\ } \circ \bar{\ } = id_{\mathbb{C}}$ (Man sagt, $\bar{\ }$ sei <u>involutorisch</u>)

Ferner gilt: $|z|^2 = z.\bar{z}$ für $z \in \mathbb{C}$ (750)

$\bar{z} = z \iff z \in \mathbb{R} \subset \mathbb{C}$ (für $z \in \mathbb{C}$) (760)

Anhang zu Kapitel I : Darstellungen von Gruppen

VORBEMERKUNG : Die Definitionen und Aussagen dieses Abschnitts werden erst in Band 2 benötigt. Der Leser kann daher zunächst auf die Lektüre dieses Abschnitts verzichten.-

Sei G eine Gruppe, M eine Menge. Unter einer Darstellung T von G als Transformationsgruppe von M verstehen wir einen Homomorphismus

$$T : G \longrightarrow S_M$$

Statt T(g)(m) für $g \in G$ und $m \in M$ schreibt man oft auch einfach g.m oder, falls G abelsch ist: g + m. (770)

Beispiele:

a) Sei G eine Gruppe. Die Abbildung

$$L : G \longrightarrow S_G$$

(Linkstranslation) ist

eine Darstellung von G als Transformationsgruppe der Menge G. (vgl. Beisp. a),p.60)

b) Sei G eine Gruppe. Die Abbildung

$$i : G \longrightarrow S_G$$

(innere Automorphismen)

ist eine Darstellung von G als Transformationsgruppe der Menge G. (vgl. p.69)

Wir nennen eine Darstellung

$$T : G \longrightarrow S_M$$

treu, falls T injektiv ist;

transitiv, falls gilt : $\bigwedge_{m,m' \in M} \bigvee_{g \in G} T(g)(m) = m'$ (780)

Beispiele: Die Darstellung L aus dem vorigen Beispiel a) ist treu. Die Darstellung i aus Beispiel b) ist genau dann treu, wenn das Zentrum Z(G) der Gruppe G die triviale Untergruppe $\{e\}$ ist (vgl.p.69)

Die Darstellung L ist transitiv; denn wenn $a,b \in G$ sind, dann ist

$$L_{(ba^{-1})}(a) = b.$$

Dagegen ist i nicht transitiv, falls $G \neq \{e\}$; denn:

Sei $x \in G$ mit $x \neq e$. Angenommen, es gäbe ein $a \in G$ mit $i_a(e) = x$.

$\Rightarrow x = aea^{-1} = e$. <u>Widerspruch!</u> (790)

Sei M eine Menge und U eine Untergruppe von S_M. Sei G eine Gruppe. Eine <u>Darstellung T von G als U-Transformationsgruppe von M</u> ist eine Darstellung T von G als Transformationsgruppe von M mit der zusätzlichen Eigenschaft, daß $T(G) \subset U$. (800)

<u>Beispiel</u>: Die Darstellung

$$i : G \longrightarrow S_G$$

ist eine Darstellung von G als Aut(G)-Transformationsgruppe von G.

Sei $T : G \longrightarrow S_M$ eine Darstellung von G als Transformationsgruppe von M. Zwei Elemente $m,m' \in M$ heißen <u>konjugiert bzgl. T</u>, wenn es ein $x \in G$ gibt mit $T(x)(m) = m'$. (810)

Man zeigt leicht, daß die Eigenschaft zweier Elemente, konjugiert zu sein, eine Äquivalenzrelation auf M ist.

Falls es nur eine Äquivalenzklasse gibt, so bedeutet das gerade, daß T transitiv ist.

Sei $x \in M$. Dann ist die Äquivalenzklasse von x bzgl. der Konjugiertheitsrelation offenbar gegeben durch

$$T(G)(x) := \{ T(g)(x) \mid g \in G \}$$

<u>Beispiele</u>:

a) Sei U eine Untergruppe von G. Dann ist die Abbildung

$$\begin{aligned} L : U &\longrightarrow S_G \\ u &\longmapsto (L_u : G \longrightarrow G) \end{aligned}$$

(Linkstranslation)

eine treue Darstellung von U als Transformationsgruppe von G.

Zwei Elemente $g,g' \in G$ sind konjugiert bzgl. L, wenn gilt

$$\bigvee_{u \in U} L(u)(g) = g' \Leftrightarrow \bigvee_{u \in U} ug = g' \Leftrightarrow \bigvee_{u \in U} u = g'g^{-1}$$

$\Longleftrightarrow g'g^{-1} \in U$. Das ist die Äquivalenzrelation von 5.9, die sich damit als spezieller Fall einer Konjugiertheitsrelation bzgl. einer Darstellung herausstellt.

b) $(K,+,.)$ sei ein Körper. Dann ist die Abbildung

$$L : K^* \longrightarrow Aut(K,+)$$
$$k \longmapsto L_k \text{ (Linkstranslation); dh. } L_k(x)=kx \text{ für } x \in K$$

eine treue Darstellung der Gruppe $(K^*,.)$ als $Aut(K,+)$-Transformationsgruppe von K. Die Konjugationsklassen dieser Darstellung sind $\{o\}$ und K^*.

c) Eine Halbgruppe $(G,\circ)$ ist eine Menge G mit einer assoziativen Operation $\circ$.

$(G,\circ)$ heißt Halbgruppe mit Eins, falls es ein Element $1 \in G$ gibt mit $\bigwedge_{x \in G} 1\circ x = x\circ 1 = x$

Ein Halbgruppenhomomorphismus f von einer Halbgruppe $(G,\circ)$ in eine Halbgruppe $(H,\circ)$ ist eine Abbildung $f : G \longrightarrow H$ mit

$$\bigwedge_{x,y \in G} f(x\circ y) = f(x)\circ f(y) \qquad (820)$$

Ein Automorphismus einer Halbgruppe $(G,\circ)$ ist ein bijektiver Halbgruppenhomomorphismus von G in sich selbst. Die Menge der Automorphismen einer Halbgruppe $(G,\circ)$ bilden offenbar eine Untergruppe von S_G, die wir mit $Aut(G,\circ)$ bezeichnen.

In jeder Halbgruppe mit Eins ist die Menge G' aller Elemente, die ein Linksinverses und ein Rechtsinverses haben, offenbar eine Gruppe unter der induzierten Operation $\circ$ (vgl. auch Bew. zu 3.3). (830)

Dann haben wir, analog wie bei Gruppen, eine Abbildung

$$i : G' \longrightarrow Aut(G,\circ)$$
$$g' \longmapsto i_{g'} \text{ (innerer Automorphismus mit } g' \text{ ; dh.: } i_{g'}(a) := g'\circ a\circ g'^{-1} \text{ für } a \in G)$$

Ferner ist i ein Gruppenhomorphismus; dh. i ist eine Darstellung von G' als $Aut(G,\circ)$-Transformationsgruppe von G.

In Anlehnung an den Begriff bei Gruppen definieren wir:

$$Z(G) := \left\{ x \in G \mid \bigwedge_{y \in G} x \circ y = y \circ x \right\}$$

heißt Zentrum der Halbgruppe $(G, \circ)$. (840)

Dann gilt offenbar:

$$\ker i = Z(G) \cap G'$$

i ist also i.a. nicht treu. Ferner ist i nicht transitiv, falls $G \neq \{1\}$. Dies können wir von (790) übernehmen.

Sei $(R,+,.)$ ein Ring mit 1. Dann ist $(R,.)$ eine Halbgruppe mit Eins. Daher können wir die Aussagen von eben verwenden.
Da jeder innere Automorphismus von $(R,.)$ auch mit der Addition verträglich ist, haben wir:
Die Abbildung $i : R' \longrightarrow \mathrm{Aut}(R,+,.)$ (Gruppe der Ringautomorphismen)
$r' \longmapsto i_{r'}$

ist eine nicht transitive, i.a. nicht treue Darstellung von R' als $\mathrm{Aut}(R,+,.)$-Transformationsgruppe von R.
In einem Ring R bezeichnet man übrigens die Gruppe $(R',.)$ auch als Einheitengruppe von R. (850)

Seien $(G,.)$ und $(H,.)$ Gruppen. Sei T eine Darstellung von G als $\mathrm{Aut}(H,.)$-Transformationsgruppe von H.
Auf dem cartesischen Produkt $G \times H$ definieren wir folgende Operation:

$$(g,h) \,.\, (g',h') := (g.g' \,,\, h.T(g)(h'))$$

für $g,g' \in G$; $h,h' \in H$.

$G \times H$ mit dieser Operation ist, wie man leicht sieht, eine Gruppe mit (e_G, e_H) als neutralem Element.
Zu einem $(g,h) \in G \times H$ ist $(\, g^{-1} \,,\, T(g^{-1})(h^{-1}) \,)$ invers.

Diese Gruppe bezeichnen wir mit $G \times_T H$ und nennen sie das T-semidirekte Produkt von G mit H. (860)

Für den Spezialfall der trivialen Darstellung $T = ID$

$$ID : G \longrightarrow \mathrm{Aut}(H,.)$$
$$g \longmapsto id_H$$

ist das T-semidirekte Produkt von G mit H gleich dem direkten Produkt der Gruppen G und H, (vgl. Beispiel c), p.42).

Es gilt:

$$\begin{aligned} p_1 : G \times_T H &\longrightarrow G \\ (g,h) &\longmapsto g \end{aligned}$$

ist ein surjektiver Gruppenhomomorphismus mit ker $p_1 = \{e_G\} \times H$.

Dagegen ist

$$\begin{aligned} p_2 : G \times_T H &\longrightarrow H \\ (g,h) &\longmapsto h \end{aligned}$$

genau dann ein Gruppenhomomorphismus, wenn T = ID ist.

Kapitel II: Vektorräume und lineare Abbildungen

(Alle Ringe in Kap.II seien kommutativ mit Eins)

§ 8: Moduln und Vektorräume

Wir werden nun abelsche Gruppen V betrachten, bei denen zusätzlich zu der Operation "+" noch eine "Multiplikation" von Elementen $v \in V$ mit Elementen eines Rings definiert ist. Wir haben ein Beispiel bereits kennengelernt. Für eine beliebige abelsche Gruppe V hatten wir eine Abbildung

$$\mathbb{Z} \times V \to V$$
$$(z,v) \mapsto z \cdot v \qquad \text{(vgl. p.120)}$$

Für diese Abbildung von $\mathbb{Z} \times V$ in V verifiziert man leicht die folgenden Eigenschaften:

$$\left.\begin{array}{l} \left.\begin{array}{l} (z_1 + z_2)\cdot v = z_1\cdot v + z_2\cdot v \\ z\cdot(v_1 + v_2) = z\cdot v_1 + z\cdot v_2 \end{array}\right\} \text{Distributivgesetze} \\ z_1\cdot(z_2\cdot v) = (z_1\cdot z_2)\cdot v \quad \text{Assoziativgesetz} \\ 1\cdot v = v \end{array}\right\} \quad (10)$$

für alle $z, z_1, z_2 \in \mathbb{Z}$; $v, v_1, v_2 \in V$.
Man beachte, daß für die Gültigkeit der Distributivgesetze die Tatsache wichtig ist, daß V abelsch ist.

Wir definieren nun allgemein:

Definition 8.1: $(R, +, \cdot)$ sei ein kommutativer Ring mit 1. Unter einem R-Modul (oder einem "Modul über R") verstehen wir ein Tripel $(V, +, \cdot)$ mit folgenden Eigenschaften:

(i) $(V, +)$ ist eine abelsche Gruppe.
Das neutrale Element bezeichnen wir mit 0, zu einem $x \in V$ das Inverse mit $-x$.

(ii) "$\cdot$" ist eine Abbildung

$$\cdot : R \times V \to V$$
$$(\lambda, v) \mapsto \lambda \cdot v$$

mit folgenden Eigenschaften:

$$(\lambda_1 + \lambda_2)\cdot v = \lambda_1\cdot v + \lambda_2\cdot v \quad \underline{\text{1. Distributivgesetz}} \quad (20)$$

$$\lambda\cdot(v_1 + v_2) = \lambda\cdot v_1 + \lambda\cdot v_2 \quad \underline{\text{2. Distributivgesetz}} \quad (30)$$

$$\lambda_1\cdot(\lambda_2\cdot v) = (\lambda_1\cdot\lambda_2)\cdot v \quad \underline{\text{Assoziativgesetz}} \quad (40)$$

$$1\cdot v = v \quad \underline{\text{Neutralität der Eins}} \quad (50)$$

für alle $\lambda, \lambda_1, \lambda_2 \in R$; $v, v_1, v_2 \in V$

$1 \in R$ ist das Einselement von R

<u>Bemerkungen</u>: 1) Man sagt auch, der Ring R <u>operiere</u> vermöge der Abbildung $\cdot: R \times V \to V$ auf V.

2) Wir haben mit +, ·, 0 verschiedene Dinge bezeichnet:
"+" bezeichnet die Addition in R und die Addition in V.
"·" bezeichnet die Ringmultiplikation in R und die Operation von R auf V.
"0" bezeichnet das neutrale Element von (R, +) und das neutrale Element von (V, +).
Mißverständnisse sind allerdings dadurch nicht zu befürchten.
Man mache sich aber den Unterschied dieser Operationen klar!
Beispielsweise bedeuten in (40) auf der linken Seite die beiden Punkte die Operation von R auf V, auf der rechten Seite hingegen die Ringmultiplikation in R (der erste Punkt) bzw. die Operation von R auf V (der zweite Punkt).

3) Wir treffen die üblichen Konventionen: In einem "gemischten Ausdruck", dh. ein Ausdruck, in dem die Zeichen "·" und "+" vorkommen, vereinbaren wir, daß die Operation "·" stärker bindet als die Operation "+", und sparen dadurch Klammerungen. So haben wir zum Beispiel auf der rechten Seite von (20) statt $(\lambda_1\cdot v) + (\lambda_2\cdot v)$ gleich $\lambda_1\cdot v + \lambda_2\cdot v$ geschrieben.
Das Zeichen "·", sei es die Ringmultiplikation in R oder die Operation von R auf V, lassen wir meistens weg, schreiben also statt $\lambda\cdot v$ einfach λv ($\lambda \in R \wedge v \in V$).
Wegen des Assoziativgesetzes können wir auch auf Klammerungen in Ausdrücken verzichten, die nur das Zeichen "·" enthalten.

4) Eine zusätzliche Konvention erweist sich als nützlich:
Wir wollen bei einem R-Modul die Ringelemente i.a. mit griechischen Buchstaben bezeichnen (bis auf feststehende Bezeichnungen, wie etwa 0 und 1), Elemente aus dem Modul V i.a. mit lateinischen Buchstaben.

5) Ferner bezeichnen wir den R-Modul (V, +, ·) oft auch einfach mit V, falls keine Mißverständnisse zu befürchten sind. Falls wir etwas präziser sein wollen, schreiben wir statt V auch V_R und meinen damit: V ist ein R-Modul.

Definition 8.2: Sei V_R ein R-Modul. Falls R ein Körper ist, so nennt man V_R auch Vektorraum (über R) oder R-Vektorraum oder linearen Raum (über R).
Die Elemente aus R bezeichnet man dann auch als Skalare, den Körper R als Skalarkörper oder Skalarbereich.
Ein Element aus V_R bezeichnet man als Vektor.
$0 \in V_R$ heißt Nullvektor.
Die Operation von R auf V heißt dann auch Multiplikation mit einem Skalar.

Die Bezeichnungen Skalar, Vektor usw. werden wir gelegentlich auch für Moduln verwenden, die keine Vektorräume sind. Im weiteren Verlaufe dieses Buches werden wir uns mit der Theorie der Vektorräume beschäftigen. Die allgemeine Theorie der Moduln, die sehr viel komplizierter ist, werden wir nicht behandeln. Allerdings werden wir in den §§ 8-11 noch beliebige Moduln zulassen, da die Begriffe, die dort eingeführt werden, für Moduln ebenso einfach zu behandeln sind wie für Vektorräume. Ab § 12 werden wir uns auf Vektorräume beschränken, obwohl viele Aussagen auch noch für allgemeine Moduln gelten. Gelegentlich weisen wir darauf hin, daß gewisse Sätze, die wir für Vektorräume beweisen, für Moduln i.a. nicht gelten und belegen dies durch Beispiele.

<u>Beispiele</u>: a) Jede abelsche Gruppe ist in kanonischer Weise ein $\mathbb{Z}$-Modul, wie wir schon in der Einleitung zu diesem Paragraphen festgestellt haben.

b) Jeder kommutative Ring mit 1 ist ein Modul über sich selbst, und entsprechend ist jeder Körper ein Vektorraum über sich selbst. Als Multiplikation mit einem Skalar wähle man die gewöhnliche Ringmultiplikation. Die Gesetze (20), (30) sind dann identisch mit den Distributivgesetzen für die Ringmultiplikation. (40) ist die gewöhnliche Assoziativität in einem Ring. (50) gilt, da 1 neutrales Element bezüglich der Multiplikation ist.

c) Eine Verallgemeinerung von b) ist: Sei R ein kommutativer Ring mit Einselement 1_R. Sei $R' \subset R$ ein Unterring von R mit $1_R \in R'$. Dann ist R in kanonischer Weise ein R'-Modul. Als Addition auf R nehmen wir wiederum die Ringaddition. Die Multiplikation mit einem Skalar ist folgendermaßen definiert: Für $\lambda \in R'$, $x \in R$ sei $\lambda \cdot x$ das Ringprodukt im Ring R. Abgesehen davon, daß man von links lediglich mit Elementen aus R' multiplizieren "darf", sind die Moduloperationen auf R also identisch mit den Ringoperationen auf R. Die Modulaxiome sind wie bei b) offensichtlich erfüllt.

d) Nach c) ist ein Körper in kanonischer Weise ein Vektorraum über jedem Unterkörper. So ist z.B. $\mathbb{R}$ in kanonischer Weise ein $\mathbb{Q}$-Vektorraum, $\mathbb{C}$ ein $\mathbb{R}$-Vektorraum und ein $\mathbb{Q}$-Vektorraum. Wir werden dieses Konzept, den Skalarbereich eines Vektorraums "einzuschränken" später wieder aufgreifen und verallgemeinern (siehe Anhang zu Kapitel II; § 22 in Band 2)

e) Sei R ein kommutativer Ring mit 1. Sei $k \in \mathbb{N}^*$. Dann führen wir auf der Menge $\underbrace{R \times \ldots \times R}_{k\text{-mal}}$ die Struktur eines R-Moduls ein, wie folgt: Die Addition auf $R \times \ldots \times R$ sei die Addition des direkten Produkts der Gruppen R, d.h. es gilt (vgl. Beisp.c), p.42)

$$(r_1,\ldots,r_k) + (r_1',\ldots,r_k') := (r_1+r_1',\ldots,r_k+r_k') \qquad (60)$$

$$\text{für } r_1, \ldots, r_k, r_1', \ldots, r_k' \in R;$$

dh. die Addition ist komponentenweise definiert.

Die Multiplikation eines k-Tupels mit einem $\alpha \in R$ definieren wir ebenfalls komponentenweise:

$$\alpha \cdot (r_1, \ldots, r_k) := (\alpha r_1, \ldots, \alpha r_k) \qquad (70)$$

für $r_1, \ldots, r_k \in R$.

Wir haben lediglich Axiome (20) bis (50) zu bestätigen, die sehr leicht zu beweisen sind. Wir führen hier nur den Beweis von (20) vor. Die anderen Beweise seien dem Leser als Übung überlassen.

$(\alpha + \beta)(r_1, \ldots, r_k) = ((\alpha + \beta)r_1, \ldots, (\alpha + \beta)r_k)$ nach (70)

$= (\alpha r_1 + \beta r_1, \ldots, \alpha r_k + \beta r_k) = (\alpha r_1, \ldots, \alpha r_k) + (\beta r_1, \ldots, \beta r_k)$

nach (60).

$= \alpha(r_1, \ldots, r_k) + \beta(r_1, \ldots, r_k)$ nach (70). qed

Den Modul, den wir eben definiert haben, bezeichnen wir mit R^k. Dieselbe Bezeichnung verwenden wir, wenn R ein Körper ist und damit R^k ein Vektorraum. Den Nullvektor (0, ... , 0) bezeichnen wir, falls keine Verwechslungen zu befürchten sind, einfach mit 0.

Man unterscheide wohl zwischen dem R-Modul R^k und dem k-fachen direkten Produkt des Ringes R (vgl. Beisp. a), p. 125). Dieses k-fache direkte Produkt des Ringes R ist nur als abelsche Gruppe gleich R^k; die Operationen "·" sind verschieden.

Wir wollen Beispiel e) verallgemeinern. Wir erinnern uns, daß das cartesische Produkt $\underbrace{R \times \ldots \times R}_{k\text{-mal}}$ als Menge nichts anderes ist als die Menge aller Abbildungen

$f: [1, k] \to R$ (vgl. p. 31)

Wir wollen jetzt als Urbildmenge eine beliebige Menge zulassen:

Satz 8.3: Sei M eine Menge und R ein kommutativer Ring mit 1. Dann ist die Menge $R^M = \{f \mid f: M \to R\}$, versehen mit der folgenden Struktur, ein R-Modul:

$$(f+g)(m) := f(m) + g(m) \qquad (80)$$

$$(\alpha.f)(m) := \alpha(f(m)) \qquad (90)$$

für $m\in M$, $\alpha\in R$; $f,g\in R^M$

Der Nullvektor von R^M ist die Nullabbildung (Das ist die Abbildung, die jedes $m\in M$ auf $0\in R$ abbildet.).

Bemerkung: Man beachte, daß dies tatsächlich eine Verallgemeinerung von Beispiel e) ist. Falls nämlich $M = [1,k]$ ist, so ist $f = (f_1,\ldots,f_k)$ und $g = (g_1,\ldots,g_k)$, mit $f_i = f(i)$ und $g_i = g(i)$ für $i\in[1,k]$, und (80) bedeutet:
Die m-te Komponente von f+g ist gleich der Summe der m-ten Komponente von f und der m-ten Komponente von g; dh.
$(f_1,\ldots,f_k) + (g_1,\ldots,g_k) = f+g = (f_1+g_1,\ldots\ldots,f_k+g_k)$,
womit wir (60) haben.
Ebenso ist (90) im Falle $M = [1,k]$ identisch mit (70).

Beweis: R^M ist eine abelsche Gruppe:
Seien $f,g,h\in R^M$.
Assoziativität: Zu zeigen : $(f+g)+h = f+(g+h)$.
Behauptet wird die Gleichheit zweier Abbildungen. Wir haben also zu zeigen:

$$\bigwedge_{m\in M} [(f+g)+h](m) = [f+(g+h)](m) :$$

$[(f+g)+h](m) = (f+g)(m) + h(m) = (f(m) + g(m)) + h(m) =$
$= f(m) + (g(m) + h(m))$, da in R das Assoziativgesetz gilt.
$= f(m) + (g+h)(m) = [f+(g+h)](m)$.
Kommutativität: Zu zeigen : $f+g = g+f$. Sei $m\in M$, dann ist $(f+g)(m) = f(m) + g(m) = g(m) + f(m) = (g+f)(m)$, da $(R,+)$ eine abelsche Gruppe ist.
Existenz des neutralen Elements:
Sei $0\in R^M$ die Nullabbildung; dh.

$$0(m) := 0\in R \quad \text{für alle } m\in M.$$

$0\in R^M$ ist neutral; denn für alle $m\in M$ gilt:
$(0+f)(m) = 0(m) + f(m) = 0 + f(m) = f(m)$. $\Rightarrow 0+f = f$ (für alle $f\in R^M$)

Existenz des additiv Inversen:

Sei $f \in R^M$ gegeben. Dann definieren wir ein $(-f) \in R^M$ durch

$$(-f) : m \longmapsto -(f(m)) \quad \text{für } m \in M$$

(-f) ist zu f invers; denn

$((-f)+f)(m) = (-f)(m) + f(m) = -(f(m)) + f(m) = 0 = 0(m)$

$\Rightarrow (-f) + f = 0.$ qed

Wir zeigen Axiome (20) bis (50):

Seien $f,g \in R^M$; $\alpha,\beta \in R$

1.Distributivgesetz:

Wir haben zu zeigen : $(\alpha+\beta)f = \alpha f + \beta f$. Sei $m \in M$. Dann ist

$((\alpha+\beta)f)(m) = (\alpha+\beta)f(m)$ nach (90)

$= \alpha f(m) + \beta f(m) = (\alpha f)(m) + (\beta f)(m)$ nach (90)

$= (\alpha f + \beta f)(m)$ nach (80)

2.Distributivgesetz:

Wir haben zu zeigen : $\alpha(f+g) = \alpha f + \alpha g$. Sei $m \in M$. Dann ist

$(\alpha(f+g))(m) = \alpha((f+g)(m))$ nach (90)

$= \alpha(f(m) + g(m))$ nach (80)

$= \alpha f(m) + \alpha g(m) = (\alpha f)(m) + (\alpha g)(m)$ nach (90)

$= (\alpha f + \alpha g)(m)$ nach (80)

Assoziativgesetz :

Zu zeigen : $(\alpha\beta)f = \alpha(\beta f)$. Sei $m \in M$. Dann ist

$((\alpha\beta)f)(m) = (\alpha\beta)f(m)$ nach (90)

$= \alpha(\beta f(m)) = \alpha((\beta f)(m))$ nach (9o)

$= (\alpha(\beta f))(m)$ nach (90)

Neutralität der $1 \in R$:

Zu zeigen : $1.f = f$. Sei $m \in M$. Dann ist

$(1.f)(m) = 1.f(m) = f(m)$ nach (90)

$= f(m)$ QED

Nach diesen Beispielen kehren wir zur allgemeinen Theorie zurück.

<u>Satz 8.4</u> : V_R sei ein R-Modul. Dann gilt

(i) $\bigwedge_{x \in V} 0.x = 0$

(ii) $\bigwedge_{\alpha \in R} \alpha.0 = 0$

(iii) $\bigwedge_{x \in V} -x = (-1)x$

(iv) In Def. 8.1 kann man auf die Forderung, daß (V,+) abelsch ist, verzichten; dh. die Kommutativität der Addition folgt bereits aus den anderen Axiomen.

<u>Beweis</u>: (i) $1.x = (1+0)x = 1.x + 0.x. \Rightarrow 0.x = 0$

(iii) $x + (-1)x = 1.x + (-1).x = (1+(-1))x = 0.x = 0$ nach (i)

(ii) Sei $x \in V$. Dann ist $\alpha.0 = \alpha(x-x) = \alpha(x + (-1)x) =$
$= \alpha x + \alpha((-1).x) = \alpha x + (\alpha.(-1))x = \alpha x + (-\alpha)x =$
$= (\alpha - \alpha)x = 0.x = 0.$

(iv) Der Beweis kann von 6),p.116 übernommen werden. Wir bemerkten damals, daß zum Beweis lediglich die Gültigkeit der Distributivgesetze benötigt wird. <u>QED</u>

Wir werden nun versuchen, alle Begriffe und Sätze, die wir für abelsche Gruppen in den §§3-6 formuliert haben, auf Moduln und Vektorräume zu übertragen.

<u>Definition 8.5</u> : V_R sei ein R-Modul. Eine Teilmenge $U \subset V$ heißt <u>Untermodul</u> (für Vektorräume: <u>Unter-Vektorraum</u> oder kurz <u>Unterraum</u>), falls U mit der induzierten Struktur von V_R wieder ein R-Modul ist.

Analog zu Theorem 3.8 können wir ein Untermodulkriterium formulieren:

Satz 8.6 : Untermodulkriterium bzw. Unterraumkriterium

V_R sei ein R-Modul. $U \subset V_R$ sei nicht leer. Dann sind die folgenden Aussagen äquivalent:

(i) $\bigwedge_{x,y \in U} x + y \in U$ und $\bigwedge_{\alpha \in R} \bigwedge_{x \in U} \alpha x \in U$

(ii) $\bigwedge_{\alpha, \beta \in R} \bigwedge_{x,y \in U} \alpha x + \beta y \in U$

(iii) U ist Untermodul von V_R

Bemerkungen

1) Jeder Untermodul von V_R ist Untergruppe von (V,+)

2) Wie bei Theorem 3.8 sehen wir, daß es also reicht zu fordern: $U \neq \emptyset$, und U ist bzgl. der Operationen von V_R abgeschlossen.

Beweis:

(iii) $\Rightarrow$ (i) trivial.

(i) $\Rightarrow$ (iii) : U ist nach Voraussetzung abgeschlossen gegenüber "+" und ".". Wenn $\alpha := -1$ gesetzt wird, folgt nach Vor.: $(-1)x = -x \in U$. Daher ist nach Th. 3.8 U eine Untergruppe von (V,+). Die Axiome (20) bis (5o) gelten in U, da sie auch in V gelten.

(ii) $\Rightarrow$ (i) : Setze $\alpha := \beta := 1$. Dann folgt die erste Aussage von (i) . Setze $\beta := 0$. Dann folgt die zweite Aussage von (i).

(i) $\Rightarrow$ (ii) : Nach Vor. ist $\alpha x \in U$ und $\beta y \in U$. Ebenfalls nach Vor. ist dann ihre Summe $\alpha x + \beta y \in U$. QED

Beispiele:

a) Für einen kommutativen Ring mit 1 betrachten wir den R-Modul R^k ($k \in \mathbb{N}^*$). Sei $i \in [1,k]$. Die Menge

$$\{(r_1,\ldots,r_k) \in R^k \mid r_i = 0\},$$

versehen mit der induzierten Struktur von R^k, ist ein Untermodul. Den Beweis dafür, daß diese Menge eine Untergruppe von $(R^k,+)$ ist, haben wir bereits in Beisp. d),p.48 vollzogen. Daß diese

Menge auch bzgl. der Multiplikation mit einem Skalar abgeschlossen ist, verifiziert man ebenso rasch.

b) $\{(r_1,\ldots,r_k)\in R^k \mid \bigwedge_{i,j} r_i=r_j\}$,

mit den Bezeichnungen aus a), ist ein Untermodul von R^k. (Beweis als leichte Übung).
Für diesen Untermodul von R^k verwenden wir die Bezeichnung Δ_k und nennen ihn die k-dimensionale Diagonale über R.

c) Sei V_R ein beliebiger R-Modul. Dann ist $0 := \{0\}$ ein Untermodul von V_R. -
Ferner ist V_R ein Untermodul von sich selbst. Diese beiden Untermoduln, die jeder Modul besitzt, nenen wir auch gelegentlich die trivialen Untermoduln von V_R.

d) Im allgemeinen hat ein Modul mehr Untermoduln als die beiden trivialen. Allerdings können es auch die einzigen sein.
Als Beispiel betrachten wir einen Körper K als Vektorraum über sich selbst. Sei U ein Unterraum von K. Sei $U \neq 0$. Dann gibt es ein $x\in U$ mit $x \neq 0$. Sei a ein beliebiges Element aus K. Dann ist

$$a = (ax^{-1})x \,. \tag{100}$$

Nach dem Untermodulkriterium (Satz 8.6 ,(i)) folgt: $a\in U$.
Das bedeutet: U = K.
Damit haben wir: Jeder Körper, aufgefaßt als Vektorraum über sich selbst, enthält nur die beiden trivialen Unterräume.

e) Aus der Konstruktion (100) können wir schon vermuten, daß diese Aussage nicht richtig bleibt für kommutative Ringe R; denn dort gibt es i.a. Elemente, die kein Inverses besitzen. Betrachten wir z.B. $\mathbb{Z}$ als $\mathbb{Z}$-Modul, so sind die früher betrachteten Untergruppen $a\mathbb{Z}$ natürlich auch $\mathbb{Z}$-Untermoduln von $\mathbb{Z}$.
Dies können wir sofort verallgemeinern:

Sei R ein kommutativer Ring mit 1. Sei $a \in R$. Dann ist

$$aR := \{ar \mid r \in R\}$$

ein Untermodul von R. aR ist $\neq 0$ genau dann, wenn $a \neq 0$ ist.
aR ist $\neq R$ genau dann, wenn a kein Inverses besitzt.
(Beweis als leichte Übung, analog zu den Untermoduln $a\mathbb{Z}$)

Ein konkreteres Beispiel hierzu: Wir betrachten die Ringe
$\mathbb{Z}_a$. Wenn b ein Teiler von a ist mit $b \neq a$ und $b \neq 1$,
so ist $\bar{b}.\mathbb{Z}_a$ ein nicht-trivialer Untermodul von $\mathbb{Z}_a$.
(vgl. auch Beisp. c),p.124)

f) Zum Abschluß ein "ganz konkretes" Beispiel:
Wir betrachten den $\mathbb{R}$-Vektorraum $\mathbb{R}^4$. Ein Unterraum U von
$\mathbb{R}^4$ ist etwa gegeben durch

$$U := \{x_1,x_2,x_3,x_4 \in \mathbb{R}^4 \mid 7x_1 + 3x_2 + x_3 - x_4 = 0\}$$

Wir verifizieren 8.6(i) :
Seien $(x_1,x_2,x_3,x_4) \in U \wedge (y_1,y_2,y_3,y_4) \in U$; dh. es gilt:
$7x_1 + 3x_2 + x_3 - x_4 = 0$ und $7y_1 + 3y_2 + y_3 - y_4 = 0$.
Dann ist auch

$$(x_1,x_2,x_3,x_4) + (y_1,y_2,y_3,y_4) = (x_1+y_1,x_2+y_2,x_3+y_3,x_4+y_4) \in U;$$

denn $7(x_1+y_1) + 3(x_2+y_2) + (x_3+y_3) - (x_4+y_4) =$
$= (7x_1 + 3x_2 + x_3 - x_4) + (7y_1 + 3y_2 + y_3 - y_4) = 0.$
Entsprechend ist für ein $\alpha \in \mathbb{R}$

$\alpha(x_1,x_2,x_3,x_4) = (\alpha x_1, \alpha x_2, \alpha x_3, \alpha x_4) \in U$; denn
$7(\alpha x_1) + 3(\alpha x_2) + (\alpha x_3) - (\alpha x_4) = \alpha(7x_1 + 3x_2 + x_3 - x_4) = 0.$

Wir wollen jetzt systematisch die Verallgemeinerung der Definitionen und Sätze aus den §§3-6 fortsetzen.

Satz 8.7 : V_R sei ein R-Modul. $(U_i)_{i\in I}$ sei eine Familie von Untermoduln von V_R. Dann ist

$$\bigcap_{i\in I} U_i \text{ ein Untermodul von } V_R$$

(vgl. Satz 3.10)

<u>Beweis</u>: Nach 3.10 ist $\bigcap_{i\in I} U_i$ Untergruppe von $(V_R,+)$. Es bleibt zu zeigen, daß $\bigcap_{i\in I} U_i$ abgeschlossen ist bzgl. der Multiplikation mit einem Skalar $\alpha \in R$. Sei $x \in \bigcap_{i\in I} U_i$. $\Rightarrow \bigwedge_{i\in I} x \in U_i \Rightarrow$
$\Rightarrow \bigwedge_{i\in I} \alpha x \in U_i$, da jedes U_i Untermodul ist. $\Rightarrow \alpha x \in \bigcap_{i\in I} U_i$. <u>QED</u>

<u>Satz 8.8</u>: V_R sei ein R-Modul. $(U_i)_{i\in I}$ sei eine Familie von Untermoduln von V_R. Dann ist

$\sum_{i\in I} U_i$ ein Untermodul von V_R.

(vgl. Theorem 6.13)

<u>Zur Erinnerung</u>: Es gilt:

$$\sum_{i\in I} U_i = \left\{ x \in V \;\middle|\; \text{Es gibt endlich viele } U_{i_1},\ldots,U_{i_n} \text{ und Elemente } x_{i_k} \in U_{i_k} \text{ für } 1 \leq k \leq n, \text{ so daß } x = \sum_{k=1}^{n} x_{i_k} \right\}$$

Für endliche Familien läßt sich dies einfacher schreiben:

$$\sum_{i=1}^{n} U_i = \left\{ x \in V \;\middle|\; \text{Es gibt } x_i \in U_i \text{ für } 1 \leq i \leq n, \text{ so daß } x = \sum_{i=1}^{n} x_i \right\}$$

<u>Beweis:</u> Nach 6.13 ist $\sum_{i\in I} U_i$ Untergruppe von $(V_R,+)$.
Sei $\alpha \in R$ und $x \in \sum_{i\in I} U_i$, also $x = \sum_{k=1}^{n} x_{i_k}$. $\Rightarrow \alpha x =$
$= \alpha \sum_{k=1}^{n} x_{i_k} = \sum_{k=1}^{n} \alpha x_{i_k}$. Da die U_{i_k} Untermoduln sind, ist
$\alpha x_{i_k} \in U_{i_k}$ für jedes k, folglich $\alpha x \in \sum_{i\in I} U_i$ <u>QED</u>

§ 9 : Lineare Abbildungen

Als nächstes haben wir uns mit der Verallgemeinerung des Begriffs des Gruppenhomomorphismus' zu befassen.
Gegeben sei also eine Abbildung

$$f : V \longrightarrow W,$$

wo V und W R-Moduln seien (man beachte: über demselben Ring R!).
Zunächst haben wir, wie bei Gruppenhomomorphismen, zu verlangen, daß f die Addition respektiert, daß also gilt:

$$\bigwedge_{x,y \in V} f(x + y) = f(x) + f(y) \qquad (110)$$

Zusätzlich soll f die Multiplikation mit einem Skalar respektieren; dh. also

$$\bigwedge_{\alpha \in R} \bigwedge_{x \in V} f(\alpha x) = \alpha f(x) \qquad (120)$$

Gemäß unseren üblichen Bezeichnungsweisen wollen wir ein f mit den Eigenschaften (110),(120) einen R-Modul-Homomorphismus (von V_R nach W_R) nennen. Statt R-Modul-Homomorphismus verwendet man auch die Bezeichnung R-lineare Abbildung (oder einfach lineare Abbildung, falls klar ist, welcher Ring R gemeint ist).
Entsprechend bezeichnen wir als R-(Modul-)Isomorphismus eine bijektive R-lineare Abbildung. Eine R-lineare Abbildung eines R-Moduls in sich selbst heißt R-(Modul-)Endomorphismus, und falls sie bijektiv ist, R-(Modul-)Automorphismus.

Es erhebt sich sofort die Frage, ob man den Begriff der linearen Abbildung nicht etwas allgemeiner fassen kann, in der Weise nämlich, daß man Abbildungen

$$f : V_R \longrightarrow W_{R'}$$

zwischen Moduln über verschiedenen Ringen zuläßt. In diesem Fall ergäbe (120) aber keinen Sinn und müßte entsprechend modifiziert werden. Wir wollen dieses Problem erst an späterer Stelle wieder aufgreifen, wenn wir uns mit semilinearen Abbildungen befassen (Anhang zu Kap.II; § 22 in Band 2)

Da R-lineare Abbildungen speziell Homomorphismen der zugrundeliegenden abelschen Gruppen sind, haben wir nach 4.2 :

$$f(0) = 0 \tag{130}$$

$$f(-x) = -f(x) \quad \text{für alle } x \in V \tag{140}$$

Wir hatten früher für einen Gruppenhomomorphismus f die Untergruppen ker f und im f betrachtet. Es gilt

Satz 9.1 : $f : V_R \longrightarrow W_R$ sei eine R-lineare Abbildung. Dann ist

$\ker f = f^{-1}(0) = \{x \in V \mid f(x) = 0\}$ ein Untermodul von V ,

$\operatorname{im} f = \{y \in W \mid \bigvee_{x \in V} f(x) = y\}$ ein Untermodul von W.

(vgl. 4.3)

Beweis: Nach 4.3 sind die beiden Mengen Untergruppen. Zu zeigen bleibt, daß sie bzgl. der Multiplikation mit einem Skalar abgeschlossen sind:

Sei $y \in \operatorname{im} f$ und $\alpha \in R$. Um zu zeigen, daß $\alpha y \in \operatorname{im} f$, konstruieren wir ein Urbild zu αy. y hat ein Urbild nach Voraussetzung, sei etwa $y = f(x)$ mit $x \in V$; dann ist $f(\alpha x) = \alpha f(x) = \alpha y$.

αx ist also Urbild zu αy. $\Rightarrow \alpha y \in \operatorname{im} f$ qed

Der Beweis für ker f folgt aus dem folgenden allgemeineren Satz: QED

Satz 9.2 : $f : V_R \longrightarrow W_R$ sei R-linear. $U \subset W$ sei ein Untermodul von W. Dann ist $f^{-1}(U)$ ein Untermodul von V.

(vgl. 4.4)

Beweis: Nach 4.4 ist $f^{-1}(U)$ Untergruppe von (V,+). Sei $x \in f^{-1}(U)$ und $\alpha \in R$. Dann ist $f(x) \in U \Rightarrow \alpha f(x) \in U$, da U Untermodul von W ist. $\Rightarrow f(\alpha x) \in U$, da f linear ist. $\Rightarrow \alpha x \in f^{-1}(U)$. QED

Beispiele:

a) Betrachten wir zunächst die trivialen Fälle:

Die Nullabbildung

$$0 : V_R \longrightarrow W_R$$
$$v \longmapsto 0$$

ist immer linear. Es ist $\ker 0 = V$.-

Die identische Abbildung

$$id_V : V_R \longrightarrow V_R$$

ist ein R-Automorphismus von V_R.-

Für einen Untermodul U von V_R ist die Inklusionsabbildung

$$i_U : U_R \longrightarrow V_R$$

eine injektive R-lineare Abbildung.

b) Die i-te Projektion

$$p_i : R^k \longrightarrow R$$
$$(r_1,..,r_i,..,r_k) \longmapsto r_i$$

ist für jedes k und jedes i mit $1 \leq i \leq k$ eine R-lineare Abbildung.

Wir hatten bereits bemerkt, daß die p_i Gruppenhomomorphismen sind (vgl. Beisp. a),p.86; dort allerdings nur für k=2).

Wir zeigen (120): Sei $\alpha \in R$. Dann ist

$p_i(\alpha(r_1,..,r_i,..,r_k)) = p_i(\alpha r_1,...,\alpha r_i,...,\alpha r_k) = \alpha r_i =$
$= \alpha p_i(r_1,...,r_i,..,r_k)$.

Es ist $\ker p_i = \{(r_j)_{1 \leq j \leq k} \in R^k \mid r_i = 0\}$

c) Sei $V := R^3$, $W := R^2$ und

$$f : R^3 \longrightarrow R^2$$
$$(x_1,x_2,x_3) \longmapsto (x_1,x_2)$$

f ist eine surjektive R-lineare Abbildung mit $\ker f = \{(0,0,x_3) \mid x_3 \in R\}$

d) $V := R^2$, $W := R^3$

$$f : R^2 \longrightarrow R^3$$
$$(x_1,x_2) \longmapsto (0,x_1,x_2).$$

f ist eine injektive, nicht surjektive R-lineare Abbildung.

e) Sei $V := R^k$. Seien $\alpha_1,\dots,\alpha_k \in R$ fest vorgegeben. Ein Endomorphismus f des R-Moduls R^k ist dann gegeben durch

$$f : (r_1,..,r_k) \longmapsto (\alpha_1 r_1,\dots,\alpha_k r_k).$$

Der einfache Beweis bleibt dem Leser überlassen.

Untersuchen wir f auf Bijektivität:

Wir bestimmen ker f:

Sei also $(\alpha_1 r_1,\dots,\alpha_k r_k) = 0$.

$$\Rightarrow \bigwedge_{i\in[1,k]} \alpha_i r_i = 0.$$

Falls R ein beliebiger Ring ist, lassen sich aus dieser Aussage keine weiteren einfacheren Aussagen schließen. Falls R allerdings ein Körper ist, folgt:

$$\bigwedge_i r_i = 0, \text{ falls } \bigwedge_i \alpha_i \neq 0$$

Das heißt also: Falls R ein Körper ist und alle $\alpha_i \neq 0$ sind, ist f injektiv.

Unter diesen Voraussetzungen ist f auch surjektiv; denn zu $(r_1,\dots,r_k)$ ist $(\alpha_1^{-1} r_1,\dots,\alpha_k^{-1} r_k)$ Urbild.

f) Für jeden Ring R und jedes $k \in \mathbb{N}^*$ haben wir eine Abbildung

$$f_k : R \longrightarrow R^k$$
$$r \longmapsto (r,..,r)$$

f_k ist offensichtlich linear für jedes k. Ferner ist f_k injektiv und im $f_k = \Delta_k$, die k-dimensionale Diagonale über R.

Daher gilt:

$$\bigwedge_{k\in\mathbb{N}^*} \Delta_k \cong R \qquad \text{(R-Modul-Isomorphismus),(vgl.9.5)}$$

g) Sei M_R ein R-Modul. Dann haben wir für jedes $r \in R$ eine Abbildung

$$L_r : M \longrightarrow M$$
$$s \longmapsto rs$$

(vgl. die Linkstranslationen bei Gruppen und Ringen)

L_r ist für jedes r linear:

$L_r(s+t) = r(s+t) = rs+rt = L_r(s) + L_r(t)$

$L_r(\alpha t) = r(\alpha t) = (r\alpha)t = (\alpha r)t$, da R <u>kommutativ</u> ist

$= \alpha(rt) = \alpha L_r(t)$ für $\alpha \in R$; $s,t \in M$.

L_r heißt Streckung mit dem Skalar r.

h) "konkretes Beispiel": Sei $V := \mathbb{R}^4$ und $W := \mathbb{R}$.

$$f : \mathbb{R}^4 \longrightarrow \mathbb{R}$$
$$(x_1,x_2,x_3,x_4) \longmapsto 7x_1 + 3x_2 + x_3 - x_4$$

f ist linear; denn

$f((x_1,x_2,x_3,x_4) + (y_1,y_2,y_3,y_4)) = f(x_1+y_1,x_2+y_2,x_3+y_3,x_4+y_4) =$

$= 7(x_1+y_1) + 3(x_2+y_2) + (x_3+y_3) - (x_4+y_4) =$

$=(7x_1 + 3x_2 + x_3 - x_4) + (7y_1 + 3y_2 + y_3 - y_4) =$

$= f(x_1,x_2,x_3,x_4) + f(y_1,y_2,y_3,y_4)$

Entsprechend für Multiplikation mit Skalaren.

f ist surjektiv; denn zu $x \in \mathbb{R}$ ist etwa $(0,0,x,0)$ Urbild.

Es ist

$$\ker f = \{(x_1,x_2,x_3,x_4) \in \mathbb{R}^4 \mid 7x_1 + 3x_2 + x_3 - x_4 = 0\}$$

Das ist die Menge, die wir bereits in Beisp.f),p.145 betrachtet haben. Da nach dem allgemeinen Satz 9.1 ker f ein Untermodul ist, hätten wir uns den Beweis in Beisp. f),p.145 sparen können.

Satz 9.3 : $f:U_R \longrightarrow V_R$ und $g : V_R \longrightarrow W_R$ seien R-lineare Abbildungen. Dann ist

$g\circ f : U_R \longrightarrow W_R$ R-linear.

(vgl. 4.5)

Beweis: Wegen 4.5 haben wir nur noch (120) für die Abbildung $g\circ f$ zu verifizieren:

Sei $\alpha \in R$, $x \in U$. Dann ist

$(g\circ f)(\alpha x) = g(f(\alpha x)) = g(\alpha f(x))$, da f linear.

$= \alpha(g(f(x))$, da g linear.

$= \alpha[(g\circ f)(x)]$ QED

Satz 9.4 : $f : V_R \longrightarrow W_R$ sei ein R-Isomorphismus.

Dann ist $f^{-1} : W_R \longrightarrow V_R$ ein R-Isomorphismus.

(vgl. 4.7)

Beweis: Zu zeigen bleibt (120). Sei $\alpha \in R$, $y \in W$.
Da f surjektiv ist, gibt es ein $x \in V$ mit $f(x) = y$.
$\Rightarrow f^{-1}(\alpha y) = f^{-1}(\alpha f(x)) = f^{-1}(f(\alpha x))$, da f linear
$= (f^{-1} \circ f)(\alpha x) = \alpha x = \alpha f^{-1}(y)$ QED

Auf Grund von Satz 9.4 können wir definieren:

Definition 9.5 : V,W seien R-Moduln. V und W heißen isomorph, in Zeichen: $V_R \cong W_R$, wenn es einen R-Isomorphismus zwischen ihnen gibt.

Satz 9.6 : V sei ein R-Modul. Die Menge $GL_R(V)$ aller R-Automorphismen von V ist eine Untergruppe der Permutationsgruppe S_V von V.

Beweis: Bleibt dem Leser überlassen. Man verwende 9.3 und 9.4 QED

Beispiel : Wir werden später für Vektorräume die Automorphismengruppe $GL_R(V)$ näher betrachten. Hier wollen wir nur den Fall betrachten, daß V = R ist. Wir wissen, daß die Streckungen L_r lineare Abbildungen sind (vgl.Beisp.g),p.151). Wir behaupten nun, daß die Streckungen die einzigen linearen Abbildungen von R sind. Sei also $f:R \longrightarrow R$ eine R-lineare Abbildung. Sei $r:=f(1)$.
Dann gilt für beliebiges $s \in R$:
$f(s) = f(s.1) = sf(1) = sr = rs = L_r(s)$. $\Rightarrow f = L_r$. qed

Wir untersuchen, welche der L_r bijektiv sind.
1) Beh.: L_r ist bijektiv, wenn r ein Inverses besitzt.
Bew.: Injektivität: Sei $L_r(s) = 0 \Rightarrow rs = 0 \Rightarrow s = r^{-1}rs = 0$
$\Rightarrow \ker L_r = 0 \Leftrightarrow L_r$ injektiv.

<u>Surjektivität</u>: Zu $s \in R$ ist $r^{-1}s$ Urbild bzgl. L_r. <u>qed</u>

2) <u>Beh.</u>: L_r ist nicht surjektiv, wenn r kein Inverses besitzt.
<u>Bew.</u>: Wäre L_r surjektiv, so hätte $1 \in R$ ein Urbild; dh. es gäbe ein $s \in R$ mit $rs = L_r(s) = 1$. Damit wäre s zu r invers. <u>Wspr</u>. <u>qed</u>

Bezeichnen wir die Menge der invertierbaren Elemente von R mit R', so haben wir:

$$GL_R(R) = \{L_r \mid r \in R'\} \tag{150}$$

Diese Aussage läßt sich noch etwas eleganter formulieren:
Wir haben eine Abbildung

$$L : R' \longrightarrow S_R$$
$$r \longmapsto L_r$$

R' bildet eine Gruppe unter der Operation ".", die sog. <u>Einheitengruppe</u> des Ringes R (Beweis als leichte Übung oder aus (I,850)).
L ist, wie man leicht sieht, ein injektiver Gruppenhomomorphismus (entsprechend dem Beweis von Beisp. a),p.60). Es ist im $L = GL_R(R)$.
Daher haben wir:

$$GL_R(R) \cong R' \quad \text{(Gruppenisomorphismus)} \tag{160}$$

unter der Abbildung L.

Betrachten wir noch zwei spezielle Beispiele:
Wenn R ein Körper ist, so ist $R' = R^*$. Daher ist

$$GL_R(R) \cong R^*.$$

Sei $R := \mathbb{Z}$. Dann ist $\mathbb{Z}' = \{1, -1\} \cong \mathbb{Z}_2$. Folglich ist

$$GL_{\mathbb{Z}}(\mathbb{Z}) \cong \mathbb{Z}_2$$
$$GL_{\mathbb{Z}}(\mathbb{Z}) = \{L_1, L_{-1}\} = \{id, -id\}.$$

Sei M ein R-Modul, U ein Untermodul von M. Speziell ist dann U eine Untergruppe von (M,+). Wir können die Restklassengruppe M/U betrachten. Wir haben den kanonischen surjektiven Gruppenhomomorphismus $\pi : M \longrightarrow M/U$, der jedem $m \in M$ seine Restklasse modulo U zuordnet.
Wir wollen nun M/U zu einem R-Modul machen, so daß π eine R-lineare

Abbildung wird. Hätten wir die Modulstruktur auf M/U bereits definiert, so besagte die letzte Forderung, daß für $\alpha \in R$, $m \in M$ gilt:

$$\pi(\alpha m) = \alpha \pi(m) \tag{170}$$

Da π surjektiv ist, ist durch diese Forderung die Multiplikation mit einem Skalar auf M/U eindeutig bestimmt (vgl.(I,400)).
Wir haben nun zu zeigen, daß es überhaupt eine solche Multiplikation gibt, die also (170) erfüllt. Verwenden wir (170) als Definition:

$$\alpha . \pi(m) := \pi(\alpha m)$$

so haben wir, wie früher bei der Definition der Addition, zu zeigen, daß diese Definition unabhängig ist von der Auswahl des Repräsentanten der Restklasse $\pi(m)$.
Seien also $m, m' \in M$ mit $\pi(m) = \pi(m')$. Ist dann auch $\pi(\alpha m) = \pi(\alpha m')$?
Aus $\pi(m) = \pi(m')$ folgt: $m - m' \in U$. Da U nicht nur eine Untergruppe ist, sondern sogar ein Untermodul, ist auch $\alpha(m - m') = \alpha m - \alpha m' \in U$. $\Rightarrow \pi(\alpha m) = \pi(\alpha m')$.
Fassen wir dieses Ergebnis mit den entsprechenden Ergebnissen von Theorem 5.11 zusammen, so erhalten wir

Theorem 9.7 : M sei ein R-Modul, U ein Untermodul von M

(i) Die Relation $\sim_U$, definiert durch

$$x \sim_U y \quad :\Leftrightarrow \quad x - y \in U$$

ist eine Äquivalenzrelation auf M.
Zu einem $x \in M$ ist die zugehörige Restklasse modulo $\sim_U$ gegeben durch $x + U := \{x + y \mid y \in U\}$.

(ii) Auf der Menge M/U aller Restklassen modulo $\sim_U$ gibt es genau eine R-Modul-Struktur, so daß die kanonische Abbildung

$$\pi_U : M \longrightarrow M/U$$

eine R-lineare Abbildung ist.
Dieser Modul heißt Restklassenmodul oder Quotientenmodul von M nach U.

(iii) π_U ist surjektiv, und es ist $\ker \pi_U = U$.

(iv) Zu jedem Untermodul U von M gibt es einen Modul M' und eine surjektive lineare Abbildung $f: M \longrightarrow M'$, so daß $U = \ker f$. Jeder Untermodul eines Moduls läßt sich also als Kern einer linearen Abbildung darstellen. Wie wir schon früher gesehen haben, ist umgekehrt der Kern jeder linearen Abbildung ein Untermodul.

(v) (Homomorphiesatz)
$f : M \longrightarrow M'$ sei eine R-lineare Abbildung. Dann ist

$$\operatorname{im} f \cong M / \ker f$$

Beweis: Wir müssen lediglich noch feststellen, daß sich (iv) und (v) von früheren Ergebnissen her übertragen lassen.
(iv) : Setze $M' := M/U$ und $f := \pi_U$.
(v) : Wir greifen auf den Beweis zu 5.14 zurück.
Dort hatten wir einen Gruppenisomorphismus

$$\Phi : \operatorname{im} f \longrightarrow M / \ker f$$

definiert durch

$$\Phi : f(x) \longmapsto \pi(x) .$$

Zu zeigen bleibt, daß Φ linear ist, dh.daß auch gilt:

$$\Phi(\alpha f(x)) = \alpha \Phi(f(x)) \quad \text{für jedes } \alpha \in R:$$

$\Phi(\alpha f(x)) = \Phi(f(\alpha x))$, da f linear
$= \pi(\alpha x)$ nach Definition
$= \alpha \pi(x)$, da π linear
$= \alpha \Phi(f(x))$ nach Definition. QED

Zum Abschluß dieses §en wollen wir noch eine Bezeichnungsweise einführen, die für das folgende sehr nützlich ist.
Es kommt oft vor, daß wir eine Anzahl von Abbildungen zwischen Mengen haben (oder linearen Abbildungen zwischen Moduln etc.), die in gewissen Beziehungen zueinander stehen. Bringen wir gleich ein Beispiel, um zu zeigen, was wir meinen:
Gegeben seien etwa vier Mengen A,B,C,D und Abbildungen

$f : A \longrightarrow B$ $\qquad$ $g : B \longrightarrow D$
$h : A \longrightarrow C$ $\qquad$ $i : C \longrightarrow D$,

so daß gilt:

$$g \circ f = i \circ h \tag{180}$$

Anstatt diese ganzen Angaben explizit hinzuschreiben, bedient man sich eines Diagramms und schreibt

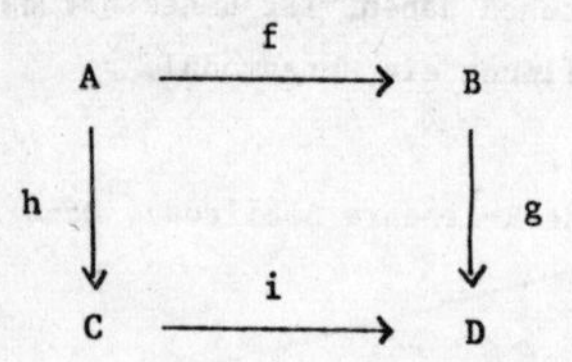

(190)

Um auszudrücken, daß (180) gilt, sagt man:
Das Diagramm (190) ist <u>kommutativ</u>;oder : Das Diagramm (190) <u>kommutiert</u>. Gemeint ist damit, daß, wenn man von A nach D einmal vermöge der Abbildungen f,g gelangt, man dieselbe Abbildung erhält, wie wenn man zum andern vermöge der Abbildungen h,i von A nach D gelangt.
Entsprechend bedeutet etwa:

Das Diagramm

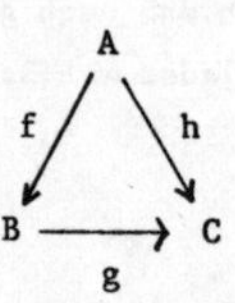

kommutiert:
Wir haben Abbildungen $f : A \longrightarrow B$, $h : A \longrightarrow C$, $g : B \longrightarrow C$, und es gilt: $g \circ f = h$.
Ein anderes Beispiel:

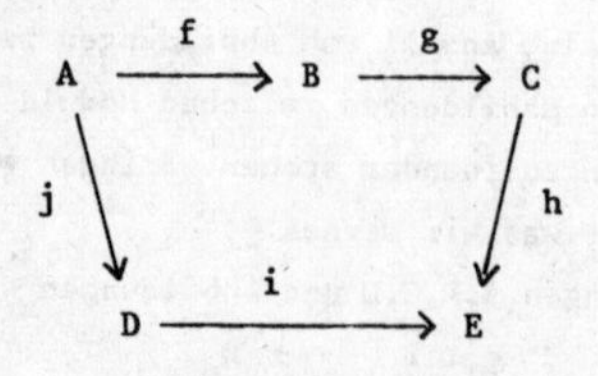

kommutiert, bedeutet: $h \circ g \circ f = i \circ j$.

Entsprechend:

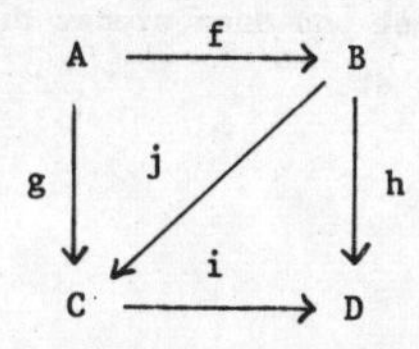

kommutiert, wenn alle "Teildiagramme" kommutieren; dh. wenn

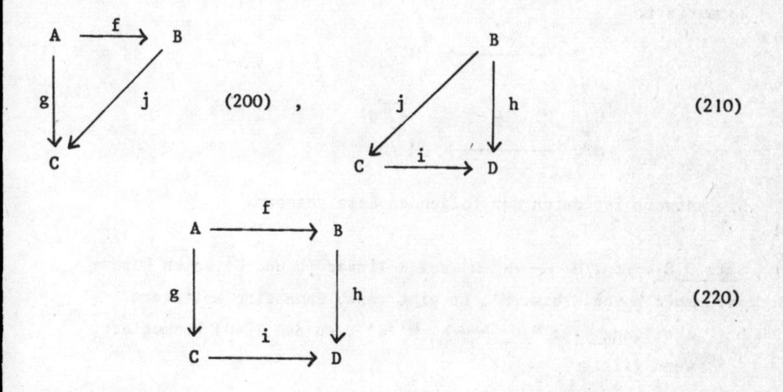

kommutieren. Der Leser sieht sofort, daß aus der Kommutativität von (200) und (210) bereits die Kommutativität von (220) folgt; denn $h \circ f = i \circ j \circ f$ wegen (210),
$= i \circ g$ wegen (200).

Bei dem nächsten Satz werden wir die Diagrammschreibweise bereits benutzen:

Gegeben sei eine R-lineare Abbildung $f : M \longrightarrow M'$. Es seien U und U' Untermoduln von M bzw. M'. Die Frage ist:

Läßt sich aus der Abbildung f eine lineare Abbildung der entsprechenden Restklassenmoduln gewinnen, eine Abbildung

$$\bar{f} : M/U \longrightarrow M'/U'$$

also. Wir müssen noch präzisieren, was mit "aus f gewinnen" gemeint sein soll. Wir meinen offenbar, daß man das Bild einer Restklasse modulo U bzgl. der Abbildung $\bar{f}$ erhalten soll, indem man f auf einen Repräsentanten anwendet und dann wieder die Restklasse (diesmal bzgl. U') bildet; dh.

$$\bigwedge_{m \in M} \bar{f}(\pi_U(m)) = \pi_{U'}(f(m)) \qquad (230)$$

Das bedeutet: $\bar{f} \circ \pi_U = \pi_{U'} \circ f$.

In Diagrammschreibweise lautet unser Problem damit:

Gibt es eine R-lineare Abbildung $\bar{f}$,so daß das folgende Diagramm kommutiert:

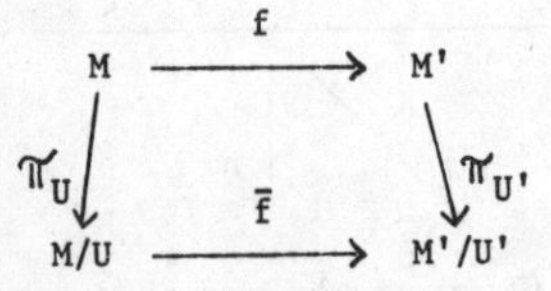

(240)

Die Antwort ist durch den folgenden Satz gegeben:

Satz 9.8 : $f : M \longrightarrow M'$ sei R-linear. U und U' seien Untermoduln von M bzw. M'. Es gibt genau dann eine R-lineare Abbildung $\bar{f} : M/U \longrightarrow M'/U'$, so daß (240) kommutiert, wenn gilt:

$$f(U) \subset U' \qquad (250)$$

In diesem Fall ist $\bar{f}$ eindeutig durch f bestimmt.

(Dh.: Es gibt nur eine Abbildung $\bar{f}$, so daß (240) kommutiert)

Beweis: Daß $\bar{f}$ eindeutig festgelegt ist, erkennt man wieder aus (230), da π_U surjektiv ist.

Zeigen wir nun, daß wir unter der Voraussetzung (250) eine Abbildung $\bar{f}$ finden können. Wir nehmen Gleichung (230) als Definition für $\bar{f}$ und haben zu zeigen, daß sie unabhängig ist von der Auswahl eines Repräsentanten für die Restklasse $\pi_U(m)$.

Sei also $\pi_U(m) = \pi_U(m')$. Wir haben zu zeigen:

$$\pi_{U'}(f(m)) = \pi_{U'}(f(m')) \Leftrightarrow f(m) - f(m') \in U' \Leftrightarrow f(m-m') \in U' \qquad (260)$$

Da wegen $\pi_U(m) = \pi_U(m')$ gilt: $m - m' \in U$, folgt:
$f(m - m') \in f(U) \subset U'$ wegen (250). Damit haben wir (260) qed

Die Abbildung $\bar{f}$ ist linear nach dem folgenden Lemma:

Lemma 9.9 : Sei

$$\begin{array}{ccc} A & \xrightarrow{f} & B \\ p \downarrow & & \downarrow q \\ C & \xrightarrow{g} & D \end{array} \qquad (270)$$

ein kommutatives Diagramm, wo A,B,C,D Moduln über R seien, und f,p,q seien linear. Sei ferner p surjektiv.
Behauptung: Dann ist g linear.

Beweis: Seien $c_1, c_2 \in C$, $\alpha \in R$. Da p surjektiv ist, gibt es $a_1, a_2 \in A$ mit $p(a_1) = c_1$ und $p(a_2) = c_2$. Dann ist

$g(c_1 + c_2) = g(p(a_1) + p(a_2)) = g(p(a_1 + a_2)) = q(f(a_1 + a_2))$,
da (270) kommutiert,
$= q(f(a_1) + f(a_2)) = q(f(a_1)) + q(f(a_2)) = g(p(a_1)) + g(p(a_2))$,
da (270) kommutiert,
$= g(c_1) + g(c_2)$.-

$g(\alpha c_1) = g(\alpha p(a_1)) = g(p(\alpha a_1)) = q(f(\alpha a_1)) = q(\alpha f(a_1)) =$

$= \alpha q(f(a_1)) = \alpha g(p(a_1)) = \alpha g(c_1)$ aus denselben Gründen. QED

Wir setzen den Beweis von Satz 9.8 fort. Es bleibt noch zu zeigen, daß die Bedingung (250) notwendig ist für die Existenz von $\bar{f}$.
Es ist $(\pi_{U'} \circ f)(U) = (\bar{f} \circ \pi_U)(U) = 0$, da $U = \ker \pi_U$.
$\Rightarrow \pi_{U'}(f(U)) = 0 \Rightarrow f(U) \subset \ker \pi_{U'} = U'$ QED

Korollar 9.10 : $f : M \longrightarrow M'$ sei R-linear. U sei Untermodul von M. Es gibt genau dann eine R-lineare Abbildung $\bar{f} : M/U \longrightarrow M'$, so daß

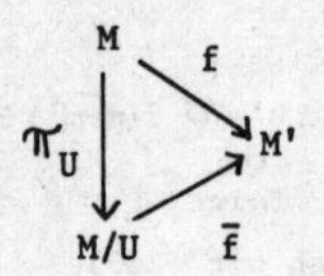

kommutiert, wenn gilt:

$U \subset \ker f$

In diesem Fall ist $\bar{f}$ eindeutig durch f bestimmt.

<u>Beweis</u>: Man setze in 9.8 für $U' := 0$. Die Aussage $f(U) \subset U' = 0$ ist dann äquivalent mit $U \subset \ker f$.
Der Modul $M'/0$ ist in kanonischer Weise isomorph zu M' selbst (vgl. Beisp. a),p.83), so daß wir $M'/0$ durch M' ersetzen können.

<u>QED</u>

§ 10 : Der Verband der Untermoduln eines Moduls

In Theorem 6.13 hatten wir gesehen, daß die Untergruppen einer fest vorgegebenen abelschen Gruppe einen vollständigen Verband bilden. Wir können dies sofort verallgemeinern:

Theorem 10.1 : M_R sei ein R-Modul. Die Menge $\mathcal{U}(M_R)$ aller Untermoduln von M_R, versehen mit der Inklusionsrelation als Ordnungsrelation, ist ein vollständiger Verband.

Es gilt:

$$\bigsqcap_{i \in I} U_i = \bigcap_{i \in I} U_i$$

$$\bigsqcup_{i \in I} U_i = \sum_{i \in I} U_i$$

für eine Familie $(U_i)_{i\in I}$ von Untermoduln von M_R.

Das Einselement des Verbands ist M, das Nullelement der triviale Untermodul 0.

Beweis: Nahezu trivial: Nach 8.7 und 8.8 sind $\bigcap_{i \in I} U_i$ und $\sum_{i \in I} U_i$ in $\mathcal{U}(M_R)$ enthalten, und da sie Infimum bzw. Supremum von $(U_i)_{i\in I}$ in dem Verband der Untergruppen von (M,+) sind, sind sie auch Infimum bzw. Supremum in $\mathcal{U}(M_R)$. QED

Wir erwähnen, daß die Verallgemeinerung von 6.17 ebenfalls gilt:

Satz 10.2 : M_R sei ein R-Modul. U sei ein Untermodul von M_R. $\mathcal{V}_U(M_R)$ sei der vollständige Verband aller Untermoduln von M_R, die U enthalten. Sei ferner $\pi_U: M \longrightarrow M/U$ der Restklassenhomomorphismus.
Dann gilt:
Die Abbildung

$$\overline{\pi}: \quad \mathcal{V}_U(M_R) \longrightarrow \mathcal{V}((M/U)_R)$$
$$H \longmapsto \pi_U(H)$$

ist ein Isomorphismus von vollständigen Verbänden.

Beweis: Der Leser vollziehe die fehlenden Schritte unter Anleitung des Beweises zu 6.17 als Übung nach. QED

Gegeben sei eine lineare Abbildung $f : M_R \longrightarrow N_R$.
Dadurch wird eine Abbildung zwischen den entsprechenden Verbänden der Untermoduln induziert, die wir der Einfachheit halber ebenfalls mit f bezeichnen:

$$f: \quad \mathcal{V}(M_R) \longrightarrow \mathcal{V}(N_R)$$
$$U \longmapsto f(U)$$

Wir fragen: Ist f ein Homomorphismus von vollständigen Verbänden? Falls f bijektiv ist, so ist trivialerweise auch die induzierte Abbildung zwischen den Verbänden bijektiv. Da diese Abbildung ferner eine Ordnungseinbettung ist (vgl.p.107), ist sie auch ein Isomorphismus von vollständigen Verbänden.
Wir beschäftigen uns jetzt mit dem Fall, daß f nicht notwendig bijektiv ist:

Satz 10.3 : M_R, N_R seien R-Moduln, $f : M_R \longrightarrow N_R$ sei linear. Dann gilt für eine Familie $(U_i)_{i\in I}$ von Untermoduln von M_R

$$f\Big(\sum_{i\in I} U_i\Big) = \sum_{i\in I} f(U_i) \tag{280}$$

$$f\Big(\bigcap_{i\in I} U_i\Big) \subset \bigcap_{i\in I} f(U_i) \tag{290}$$

Falls f injektiv ist, gilt in (290) die Gleichheit, und f ist somit ein Homomorphismus von vollständigen Verbänden.

Beweis: (290) haben wir bereits in Satz 2.2 gezeigt. Wir zeigen Gleichung (280):

Sei $y \in f(\sum_{i \in I} U_i)$; dh. es gibt ein n , so daß $y = f(\sum_{k=1}^{n} x_{i_k})$ für gewisse $U_{i_1},..,U_{i_n}$ und $x_{i_k} \in U_{i_k}$ $(1 \leq k \leq n)$.

$\Rightarrow y = \sum_{k=1}^{n} f(x_{i_k}) \Rightarrow y \in \sum_{i \in I} f(U_i)$, da $f(x_{i_k}) \in f(U_{i_k})$ für alle k.

Die Schlüsse sind umkehrbar. QED

Die lineare Abbildung f gibt aber auch Anlaß zu einer Abbildung

$$f^{-1} : \mathfrak{U}(N_R) \longrightarrow \mathfrak{U}(M_R)$$
$$V \longmapsto f^{-1}(V)$$

Dafür gilt:

Satz 10.4 : M_R, N_R seien R-Moduln, $f : M_R \longrightarrow N_R$ sei R-linear. Dann gilt für eine Familie $(V_i)_{i \in I}$ von Untermoduln von N_R :

$$f^{-1}(\bigcap_{i \in I} V_i) = \bigcap_{i \in I} f^{-1}(V_i) \tag{300}$$

$$f^{-1}(\sum_{i \in I} V_i) \supset \sum_{i \in I} f^{-1}(V_i) \tag{310}$$

Falls f surjektiv ist, gilt in (310) die Gleichheit, und f^{-1} ist somit ein Homomorphismus von vollständigen Verbänden.

Beweis: (3oo) haben wir bereits in Satz 2.2 gezeigt. Wir zeigen die Inklusion (310) :

Sei $y \in \sum_{i \in I} f^{-1}(V_i)$. Dann gibt es ein n, endlich viele $f^{-1}(V_{i_1}),\dots,f^{-1}(V_{i_n})$ und Elemente $x_{i_k} \in f^{-1}(V_{i_k})$ für $1 \leq k \leq n$, so daß

$y = \sum_{k=1}^{n} x_{i_k}$. Dann ist $f(y) = f(\sum_{k=1}^{n} x_{i_k}) = \sum_{k=1}^{n} f(x_{i_k})$.

Die $f(x_{i_k})$ liegen jeweils in V_{i_k}, da $x_{i_k} \in f^{-1}(V_{i_k})$.

Daher ist $f(y) \in \sum_{i \in I} V_i \Rightarrow y \in f^{-1}(\sum_{i \in I} V_i)$.-

Sei nun f surjektiv und sei $x \in f^{-1}(\sum_{i \in I} V_i)$. $\Rightarrow f(x) \in \sum_{i \in I} V_i$.

Dann gibt es ein n, endlich viele $V_{i_1},\ldots,V_{i_n}$ und Elemente

$y_{i_k} \in V_{i_k}$ für $1 \leq k \leq n$, so daß $f(x) = \sum_{k=1}^{n} y_{i_k}$.

Da f surjektiv ist, gibt es für jedes k ein x_{i_k} mit $f(x_{i_k}) = y_{i_k}$.

$$\Rightarrow f(x) = \sum_{k=1}^{n} f(x_{i_k}) = f(\sum_{k=1}^{n} x_{i_k}) \Rightarrow f(x - \sum_{k=1}^{n} x_{i_k}) = 0$$

$\Rightarrow x - \sum_{k=1}^{n} x_{i_k} \in \ker f$. Sei $c := x - \sum_{k=1}^{n} x_{i_k}$. Dann ist

$x = c + \sum_{k=1}^{n} x_{i_k} = (c + x_{i_1}) + \sum_{k=2}^{n} x_{i_k}$. Nun ist $f(x_{i_k}) = y_{i_k} \in V_{i_k}$ (320)

für $2 \leq k \leq n$. Daher ist $x_{i_k} \in f^{-1}(V_{i_k})$ für $2 \leq k \leq n$.

Es ist aber auch $f(c + x_{i_1}) = f(c) + f(x_{i_1}) = f(x_{i_1}) = y_{i_1} \in V_{i_1}$,

da $c \in \ker f$. Daher ist $c + x_{i_1} \in f^{-1}(V_{i_1})$.

Nach der Gleichung zu Beginn von Zeile (320) folgt dann :

$x \in \sum_{i \in I} f^{-1}(V_i)$. Damit gilt auch die umgekehrte Inklusion

von (310). QED

Bemerken wir noch, daß i.a. weder in (290) noch in (310) die Gleichheit gilt. Für (290) hatten wir bereits auf p.35 ein Gegenbeispiel gebracht. Ein Gegenbeispiel zu (310) ist das folgende:

Sei $f : \mathbb{R} \longrightarrow \mathbb{R}^2$

$x \longmapsto (x,x)$.

f ist offensichtlich linear. Seien

$U_1 := \{(x,0) \in \mathbb{R}^2 \mid x \in \mathbb{R}\}$

$U_2 := \{(0,y) \in \mathbb{R}^2 \mid y \in \mathbb{R}\}$.

Dann ist $U_1 + U_2 = \mathbb{R}^2$ und $f^{-1}(U_1 + U_2) = \mathbb{R}$.
Aber es ist $f^{-1}(U_1) = 0$ und $f^{-1}(U_2) = 0$; dh. $f^{-1}(U_1) + f^{-1}(U_2) = 0$.

Wir haben gesehen, daß für einen Untermodul U eines R-Moduls M die Abbildung $\pi_U : M \longrightarrow M/U$ eine Abbildung

$$\pi_U: \mathcal{U}(M_R) \longrightarrow \mathcal{U}((M/U)_R)$$

induziert. Wir wollen das Bild $\pi_U(V)$ für ein $V \in \mathcal{U}(M_R)$ etwas anders beschreiben:

Satz 10.5 : $\pi_U : M \longrightarrow M/U$ sei die kanonische R-lineare Abbildung. Dann gilt

$$\bigwedge_{V \in \mathcal{U}(M_R)} \pi_U(V) \cong V / U \cap V$$

Beweis: Wir betrachten die eingeschränkte lineare Abbildung

$\pi_U|_V : V \longrightarrow M/U$. Dann ist $\pi_U(V) = \pi_U|_V(V) \cong V / \ker(\pi_U|_V)$ nach 9.7,(v). Nach dem folgenden Lemma ist

$\ker(\pi_U|_V) = \ker(\pi_U) \cap V = U \cap V$. QED

Lemma 10.6 : $f : M_R \longrightarrow N_R$ sei R-linear. Sei U ein Untermodul von M_R. Dann gilt:

$$\ker(f|_U) = U \cap \ker f$$

Beweis: $x \in \ker(f|_U) \Leftrightarrow x \in U \wedge f(x)=0 \Leftrightarrow x \in U \wedge x \in \ker f \Leftrightarrow x \in U \cap \ker f$

QED

Insbesondere folgt aus Satz 10.5:

Für den durch π_U induzierten Verbandsisomorphismus

$$\overline{\pi}: \mathcal{U}_U(M_R) \longrightarrow \mathcal{U}((M/U)_R)$$

gilt: $\bigwedge_{V \in \mathcal{U}_U(M)} \quad \overline{\pi}(V) = \pi_U(V) \cong V/U$

Als Folgerung erhalten wir:

<u>Korollar 10.7</u> : (<u>1. Isomorphiesatz</u>)

Sei M_R ein R-Modul und U,V Untermoduln von M_R. Dann gilt:

$$(U + V) / U \cong V / U \cap V$$

<u>Beweis:</u> Sei $\pi_U : M \longrightarrow M/U$ die kanonische Abbildung. Dann ist

$(U+V)/U \cong \pi_U(U+V)$, da $U+V \in \mathcal{U}_U(M_R)$

$= \pi_U(U) + \pi_U(V)$ nach 10.3

$= \pi_U(V)$, da $\pi_U(U) = 0$

$\cong V / U \cap V$ nach 10.5 <u>QED</u>

<u>Beispiel</u>: Sei M der $\mathbb{Z}$-Modul $\mathbb{Z}$. Dann ist

$(a\mathbb{Z} + b\mathbb{Z})/a\mathbb{Z} \cong b\mathbb{Z}/a\mathbb{Z} \cap b\mathbb{Z}$.

Nach p.110 gilt damit:

Seien $a,b \in \mathbb{N}^*$. Sei $c :=$ ggT von $\{a,b\}$ und $d :=$ kgV von $\{a,b\}$.

Dann gilt:

$$c\mathbb{Z} / a\mathbb{Z} \cong b\mathbb{Z} / d\mathbb{Z} .$$

Falls speziell a,b teilerfremd sind, so gilt $c = 1$ und $d = ab$.

Daher ist $\mathbb{Z}_a \cong b\mathbb{Z} / ab\mathbb{Z}$ ($\mathbb{Z}$ -Modul-isomorph =

= gruppenisomorph)

§ 11 : Erzeugendensysteme

M_R sei ein R-Modul. Die Potenzmenge von M, versehen mit der Inklusionsrelation, bildet einen vollständigen Verband, den wir mit $\mathcal{P}(M)$ bezeichnen. Darin enthalten ist als Teilverband der vollständige Verband $\mathcal{U}(M_R)$ aller Untermoduln von M_R.

Wir geben jetzt eine Abbildung

$$\mathcal{L} : \mathcal{P}(M) \longrightarrow \mathcal{U}(M_R)$$

an. Gegeben sei eine Teilmenge E von M, also $E \in \mathcal{P}(M)$. Sei

$$U_E := \{V \in \mathcal{U}(M_R) \mid E \subset V\} .$$

Dann definieren wir

$$\mathcal{L}(E) := \inf(U_E) = \inf(\{V \in \mathcal{U}(M_R) \mid E \subset V\}),$$

wobei die Infimumbildung im Verband $\mathcal{U}(M_R)$ vorzunehmen ist.

Nach 1o.1 gilt:

$$\mathcal{L}(E) = \bigcap_{V \in U_E} V$$

Da $\mathcal{L}(E) \in U_E$, ist $\mathcal{L}(E)$ sogar das kleinste Element von U_E.

$\mathcal{L}(E)$ heißt die lineare Hülle von E in M_R oder auch das (lineare) Erzeugnis von E in M_R oder auch der von E erzeugte Untermodul von M_R.

Eine andere Sprechweise ist die folgende:

Definition 11.1 : Sei U ein Untermodul von M_R. Ein $E \in \mathcal{P}(M)$ heißt Erzeugendensystem von U, wenn $\mathcal{L}(E) = U$.

Statt $\mathcal{L}(E)$ schreiben wir im folgenden auch einfach $[E]$.

Geben wir zunächst einige Beispiele:

Beispiele:

a) Für jedes $V \in \mathcal{U}(M_R)$ gilt: $[V] = V$; denn es ist $V \in U_V$, und V ist offensichtlich das kleinste Element von U_V.

b) Ein Erzeugendensystem für den trivialen Unterraum 0 ist nach Beispiel a) die Menge $\{0\}$. Ein anderes Erzeugendensystem ist $\emptyset$; denn $U_\emptyset = \mathcal{U}(M_R)$, folglich $[\emptyset]$ = Nullelement von $\mathcal{U}(M_R) = 0$.

c) Sei $m \in M$ und $E := \{m\}$. Was ist $[\{m\}]$ (kurz: $[m]$) ?
Da $[m]$ ein Untermodul von M_R ist, ist für jedes $\alpha \in R$ das Element $\alpha m \in [m]$; dh. wenn wir die schon früher verwendete Bezeichnungsweise $Rm := \{\alpha m \mid \alpha \in R\}$ benutzen, so gilt

$$Rm \subset [m] .$$

Nach Definition ist aber $[m] \subset Rm$, da Rm ein Untermodul von M ist, der $\{m\}$ enthält. Daher ist

$$[m] = Rm = \{\alpha m \mid \alpha \in R\} \tag{330}$$

d) Wir wollen uns einen Überblick über die Struktur aller von einem Element erzeugten R-Moduln verschaffen. Sei M_R von einem Element $m \in M$ erzeugt; dh. es sei $M = Rm$.
Wir betrachten die Abbildung

$$f : R \longrightarrow Rm$$
$$r \longmapsto rm.$$

Die Abbildung ist offenbar linear und surjektiv. Nach dem Homomorphiesatz (9.7,(v)) folgt:

$$M = Rm = \operatorname{im} f \cong R/\ker f$$

Jeder von einem Element erzeugte R-Modul ist also isomorph zu dem Quotientenraum des Ringes R nach einem Unterraum von R.

Spezialfälle: $R := \mathbb{Z}$. Dann haben wir:
Jede von einem Element erzeugte abelsche Gruppe ist isomorph zur Gruppe $\mathbb{Z}_n$ für geeignetes $n \in \mathbb{N}$.-

R=K ist ein Körper: Da ein Körper keine Unter-Vektorräume außer den beiden trivialen enthält, folgt:
Jeder von einem Element m erzeugte Vektorraum ist entweder 0 (näm-

lich für m=o) oder ist isomorph zu K. Dieses Ergebnis werden wir später verallgemeinern (vgl.13.26).

Stellen wir jetzt die wichtigsten Aussagen über die Abbildung $\mathcal{L}$ im folgenden Satz zusammen:

Satz 11.2 : M_R sei ein R-Modul. Dann gilt:

(i) $\bigwedge_{E \in \mathcal{P}(M)} E \subset [E]$

(ii) $\mathcal{L} \circ \mathcal{L} = \mathcal{L}$; dh. $\bigwedge_{E \in \mathcal{P}(M)} [[E]] = [E]$

(iii) $\mathcal{L}$ ist surjektiv

(iv) $\mathcal{L}$ ist ein Ordnungshomomorphismus; dh.
$\bigwedge_{E,F \in \mathcal{P}(M)} E \subset F \Rightarrow [E] \subset [F]$

(v) $\mathcal{L}$ ist treu bzgl. der Supremumbildung; dh. für eine Familie $(E_i)_{i \in I}$ in $\mathcal{P}(M)$ gilt:
$$\left[\bigcup_{i \in I} E_i\right] = \sum_{i \in I} [E_i]$$

(vi) Sei $E \in \mathcal{P}(M)$ und $E \neq \emptyset$. Dann ist
$$[E] = \sum_{e \in E} Re \ ;$$
dh. nach der Definition der Summe von Unterräumen gilt:
$$[E] = \left\{x \in M \mid \text{Es gibt endlich viele } e_1, \ldots, e_n \in E \text{ und Elemente } \alpha_1, \ldots, \alpha_n \in R, \text{ so daß } x = \sum_{i=1}^{n} \alpha_i e_i \right\}$$
Falls E endlich ist, etwa $E = \{e_1, \ldots, e_n\}$, so gilt:
$$[e_1, \ldots, e_n] := [\{e_1, \ldots, e_n\}] =$$
$$= \left\{x \in M \mid \text{Es gibt Elemente } \alpha_1, \ldots, \alpha_n \in R, \text{ so daß } x = \sum_{i=1}^{n} \alpha_i e_i \right\}$$

Beweis:

(i) trivial, da $[E] \in U_E$

(ii) ist bereits in Beisp.a),p.168 bewiesen, da $[E] \in \mathcal{U}(M_R)$

(iii) Zu $V \in \mathcal{U}(M_R)$ ist V selbst Urbild nach Beisp.a),p.168

(iv) $E \subset F \Rightarrow U_F \subset U_E \Rightarrow \inf(U_F) \geqslant \inf(U_E)$;dh.: $[E] \subset [F]$

(v) Es ist $\left[\bigcup_{i \in I} E_i\right] = \inf B$, mit $B = \{V \in \mathcal{U}(M_R) \mid \bigwedge_{i \in I} V \supset E_i\}$

nach der Definition von $\mathcal{L}$. Ferner ist

$\sum_{i \in I} [E_i] = \inf B'$, mit $B' = \{V \in \mathcal{U}(M_R) \mid \bigwedge_{i \in I} V \supset [E_i]\}$

nach dem Beweisteil (ii) $\Rightarrow$(i) von 6.9.

Wegen (i) ist $B' \subset B$. Da gilt: $E_i \subset V \Rightarrow [E_i] \subset [V] = V$ nach (iv),(ii), ist auch $B \subset B'$. Es ist also $B = B'$ und damit auch $\inf(B) = \inf(B')$.

(vi) $E = \bigcup_{e \in E} e$. Nach (v) folgt: $[E] = \left[\bigcup_{e \in E} e\right] = \sum_{e \in E} [e]$.

Nach Beispiel c),p.168 folgt die Behauptung QED

Für die praktische Anwendung ist die Beschreibung von $[E]$, die in (vi) gegeben ist, die wichtigste. Wir wollen darauf noch einmal kurz eingehen:

Gegeben seien Vektoren $e_1,..,e_n \in M_R$. Jede Summe $\sum_{i=1}^{n} \alpha_i e_i$ mit beliebigen Skalaren $\alpha_1,..,\alpha_n \in R$ heißt eine <u>Linearkombination</u> der Vektoren $e_1,..,e_n$.

$[E]$ besteht also aus allen möglichen Linearkombinationen von beliebigen Vektoren aus E. (340)

Wir geben ein Beispiel, daß $\mathcal{L}$ i.a. nicht treu bzgl. der Infimumbildung ist:

$\mathbb{R}$ als Vektorraum über sich selbst wird erzeugt von $\{1\}$, da $\mathbb{R} = \mathbb{R}.1 = [1]$. Andererseits ist aber auch $\mathbb{R} = \mathbb{R}.(-1) = [-1]$.

Nun ist $\mathcal{L}(\{1\} \cap \{-1\}) = \mathcal{L}(\emptyset) = 0$, aber

$\mathcal{L}(1) \cap \mathcal{L}(-1) = \mathbb{R} \cap \mathbb{R} = \mathbb{R}$.-

<u>Korollar 11.3</u> : Sei E ein Erzeugendensystem des R-Moduls M_R.

Dann ist jede Menge $F \subset M$ mit $F \supset E$ ein Erzeugendensystem von M_R.

Beweis: $E \subset F \Rightarrow M = [E] \subset [F] \Rightarrow M = [F]$ QED

Bemerkung: Fassen wir an dieser Stelle die verschiedenen Charakterisierungen von

$[E]$ für $E \in \mathfrak{P}(M)$

$\sum_{i \in I} U_i$ für eine Familie $(U_i)_{i \in I}$ in $\mathfrak{U}(M_R)$

zusammen.

a) $[E]$ ist der kleinste Untermodul von M_R, der E enthält.

b) $[E]$ ist der Durchschnitt aller E enthaltenden Untermoduln von M_R.

c) $[E]$ ist die Menge aller (endlichen) Linearkombinationen von Elementen aus E.

α) $\sum_{i \in I} U_i$ ist der kleinste Untermodul von M_R, der alle U_i enthält.

β) $\sum_{i \in I} U_i$ ist der Durchschnitt aller Untermoduln von M_R, die alle U_i enthalten.

γ) $\sum_{i \in I} U_i$ ist die Menge aller (endlichen) Summen von Elementen aus den U_i.

Definition 11.4 : Ein R-Modul M_R heißt endlich erzeugt, wenn es ein endliches Erzeugendensystem von M_R gibt.

Wenn M_R endlich erzeugt ist, dann gibt es also endlich viele Vektoren $e_1,..,e_n$, so daß $M = [e_1,..,e_n]$. Nach der Beschreibung (vi) von Satz 11.2 heißt das:
Jeder Vektor $m \in M$ läßt sich als Linearkombination der e_i darstellen:

$$m = \sum_{i=1}^{n} \alpha_i e_i \quad \text{mit Skalaren } \alpha_1,..,\alpha_n \in R.$$

Man beachte, was eigentlich nicht besonders erwähnt werden brauchte, daß gewisse α_i Null sein können.
Die Eigenschaft eines Moduls, endlich erzeugt zu sein, ist sehr wichtig. Wir werden später viele Aussagen nur für endlich erzeugte Vektorräume machen können.

Beispiele:

a) Jeder kommutative Ring R mit Eins ist als R-Modul endlich erzeugt, da die Menge $\{1\}$ ein Erzeugendensystem ist. Nach Korollar 11.3 ist ferner jede Teilmenge von R, die 1 enthält, ein Erzeugendensystem von R.

b) $\{2\}$ ist kein Erzeugendensystem von $\mathbb{Z}$, da $2\mathbb{Z} \neq \mathbb{Z}$.

c) Jeder Körper K, aufgefaßt als Vektorraum über sich selbst, wird von jeder Menge $\{r\}, r \in K^*$, erzeugt, da für jedes solche r gilt: $Kr = K$. Trivialerweise ist nämlich $Kr \subset K$. Wenn umgekehrt $k \in K$ ist, so ist $k = (kr^{-1})r \in Kr$.

d) Wir betrachten den R-Modul R^k. Ein Erzeugendensystem von R^k ist gegeben durch $\{e_1,..,e_k\}$ mit

$$e_i := (o,..,1,..,o) \quad ,$$

(die 1 steht an der i-ten Stelle)

denn jedes $(r_1,..,r_k) \in R^k$ läßt sich schreiben als

$$(r_1,..,r_k) = \sum_{i=1}^{k} r_i e_i$$

e) Sei $M_{\mathbb{R}} = \mathbb{R}^3$. Ein Erzeugendensystem von $\mathbb{R}^3$ ist, wie im allgemeineren Beispiel d), gegeben durch

$$\{(1,o,o) \ , \ (o,1,o) \ , \ (o,o,1)\} .$$

Ein anderes Erzeugendensystem $\{f_1,f_2,f_3,f_4\}$ ist

$f_1 = (-1,1,o)$ $\quad f_2 = (2,o,1)$ $\quad f_3 = (o,1,2)$
$f_4 = (1,1,1)$

<u>Bew.:</u> Wir haben zu zeigen, daß sich jedes $(x_1,x_2,x_3) \in \mathbb{R}^3$ darstellen läßt als

$$(x_1,x_2,x_3) = \sum_{i=1}^{4} \alpha_i f_i \quad \text{mit } \alpha_i \in \mathbb{R} \text{ für alle } i \qquad (350)$$

$$\Leftrightarrow (x_1,x_2,x_3) = \alpha_1(-1,1,o) + \alpha_2(2,o,1) + \alpha_3(o,1,2) + \alpha_4(1,1,1)$$
$$= (-\alpha_1, \alpha_1, o) + (2\alpha_2, o, \alpha_2) + (o, \alpha_3, 2\alpha_3) + (\alpha_4, \alpha_4, \alpha_4) =$$
$$= (-\alpha_1+2\alpha_2+\alpha_4\,,\ \alpha_1+\alpha_3+\alpha_4\,,\ \alpha_2+2\alpha_3+\alpha_4)$$

Da zwei Tupel genau dann gleich sind, wenn alle ihre Komponenten übereinstimmen, folgt daraus:

(a) $x_1 = -\alpha_1 + 2\alpha_2 + \alpha_4$

(b) $x_2 = \alpha_1 + \alpha_3 + \alpha_4$

(c) $x_3 = \alpha_2 + 2\alpha_3 + \alpha_4$

Dem Leser ist bekannt, wie ein solches Gleichungssystem weiter behandelt wird. Die "Unbekannten" des Systems sind $\alpha_1, \alpha_2, \alpha_3, \alpha_4$, die wir bestimmen müssen:

Gleichung (a) wird nach α_1 aufgelöst und in Gleichung (b) eingesetzt. Gleichung (c) wird mit 2 multipliziert und dann von Gleichung (b) subtrahiert. Durch Auflösen dieser Gleichung nach α_3 ergibt sich:

$$\underline{\alpha_3 = \tfrac{2}{3} x_3 - \tfrac{1}{3} x_1 - \tfrac{1}{3} x_2}$$

Wenn wir

$$\underline{\alpha_4 = 0}$$

setzen, ergibt sich weiter:

$$\underline{\alpha_2 = \tfrac{2}{3} x_2 + \tfrac{2}{3} x_1 - \tfrac{1}{3} x_3}$$

$$\underline{\alpha_1 = \tfrac{4}{3} x_2 + \tfrac{1}{3} x_1 - \tfrac{2}{3} x_3}$$

Wir bestätigen durch Ausrechnen, daß bei Wahl dieser α_i tatsächlich Gleichung (350) gilt.

Da wir stets $\alpha_4 = 0$ setzen können, erhalten wir sogar, daß schon $\{f_1,f_2,f_3\}$ ein Erzeugendensystem von $\mathbb{R}^3$ ist.

f) Wir geben ein Beispiel eines Vektorraums, der kein endliches Erzeugendensystem besitzt. Sei K ein Körper. Wir betrachten den Vektorraum der Folgen $K^{\mathbb{N}}$ (vgl. 8.3).
Darin betrachten wir die folgende Teilmenge U:
Eine Folge $(a_i)_{i\in\mathbb{N}}$ liege genau dann in U, wenn es ein $n_o \in \mathbb{N}$ gibt, so daß $a_i = o$ für alle $i > n_o$. Man sagt: In der Folge $(a_i)_{i\in\mathbb{N}}$ sind "<u>fast alle</u>" Folgenglieder Null (dh.: alle, bis auf endlich viele).
U ist offenbar ein Unterraum von $K^{\mathbb{N}}$.
Angenommen, U hätte ein endliches Erzeugendensystem $\{e_1,..,e_n\}$ (beachte: e_i ist eine Folge $(e_{ij})_{j\in\mathbb{N}}$). Da in den Folgen $e_1,..,e_n$ fast alle Folgenglieder Null sind, gibt es ein n', so daß von der n'-ten Stelle ab die Glieder aller Folgen $e_1,..,e_n$ gleich Null sind. Dann läßt sich aber eine Folge aus U, die an der (n'+1)-ten Stelle etwas von Null verschiedenes stehen hat, nicht mehr als Linearkombination der $e_1,..,e_n$ darstellen.
Natürlich hat U ein nicht endliches Erzeugendensystem. Wir können das für die Räume R^k angegebene System direkt verallgemeinern:
Ein Erzeugendensystem von U ist gegeben durch die Menge

$$\{e_i \mid i \in \mathbb{N}\},$$

wobei $e_{ij} = \begin{cases} o \text{ für } i \neq j \\ 1 \text{ für } i = j \end{cases}$

(Dabei ist e_{ij} die j-te Komponente der Folge e_i).
Es gilt nämlich für jedes $(a_i)_{i\in\mathbb{N}} \in U$:

$$(a_i)_{i\in\mathbb{N}} = \sum a_i e_i \ ,$$

wobei die Summe über diejenigen $i \in \mathbb{N}$ zu erstrecken ist, für die a_i von Null verschieden ist. Nach Definition von U sind das für jedes $(a_i)_{i\in\mathbb{N}} \in U$ nur endlich viele, so daß die Summenbildung sinnvoll ist.
<u>ACHTUNG</u>: Man beachte, daß es sinnlos ist, von "unendlichen" Summen zu sprechen. Leider wird dieser Fehler von Anfängern immer wieder gemacht.

Dieses Erzeugendensystem von U ist allerdings kein Erzeugendensystem von $K^{\mathbb{N}}$ selbst, da sich etwa die Folge

$(a_i)_{i \in \mathbb{N}}$ mit $a_i := 1$ für alle $i \in \mathbb{N}$

nicht als Linearkombination der e_i darstellen läßt.
(Man beachte die vorausgegangene Warnung vor "unendlichen" Summen)

Zum Abschluß dieses §en wollen wir noch die Beziehungen zwischen linearen Abbildungen und Erzeugendensystemen untersuchen.

Satz 11.5 : M_R , N_R seien R-Moduln. $f : M_R \longrightarrow N_R$ sei R-linear. Sei $E \subset M$. Dann gilt:

(i) Wenn f surjektiv ist und E ein Erzeugendensystem von M_R, so ist f(E) ein Erzeugendensystem von N_R.

(ii) Wenn es eine Teilmenge E von M gibt, so daß f(E) ein Erzeugendensystem von N_R ist, so ist f surjektiv.

Beweis: Wir benutzen das folgende Lemma 11.6.
(i) $[f(E)] = f([E]) = f(M)$, da E ein Erzeugendensystem von M_R ist. Da f surjektiv ist, folgt: $[f(E)] = f(M) = N$. Daher ist f(E) ein Erzeugendensystem von N_R.
(ii) $f(M) \supset f([E]) = [f(E)] = N$, da f(E) ein Erzeugendensystem von N_R ist. Trivialerweise ist $f(M) \subset N$. Daher ist $f(M)=N$, und f ist surjektiv. QED

Lemma 11.6 : M_R , N_R seien R-Moduln. $f : M_R \longrightarrow N_R$ sei R-linear. Sei $E \subset M$. Dann gilt:
$f([E]) = [f(E)]$

Beweis: Nach 11.2,(vi) ist $f([E]) = f(\sum_{e \in E} Re) = \sum_{e \in E} f(Re)$ nach 10.3. Da offensichtlich $f(Re) = R.f(e)$ für alle $e \in E$ gilt, folgt:
$f([E]) = \sum_{e \in E} R.f(e) = [f(E)]$ nach 11.2,(vi) QED

Satz 11.7 : M_R , N_R seien R-Moduln. f,g seien R-lineare Abbildungen von M_R nach N_R. Sei E ein Erzeugendensystem von M_R. Dann gilt:

Falls $f|_E = g|_E$, so ist $f = g$;

dh. eine lineare Abbildung ist durch ihre Bilder auf einem Erzeugendensystem von M_R bereits eindeutig bestimmt.

Anders ausgedrückt:

Sei $\bar{f} : E \longrightarrow N_R$ eine Abbildung. Dann gibt es höchstens eine lineare Abbildung $f : M_R \longrightarrow N_R$ mit $f|_E = \bar{f}$.

(Man sagt: Es gibt höchstens eine lineare Abbildung f, die $\bar{f}$ "fortsetzt")

Beweis: Wir haben zu zeigen: $\bigwedge_{x \in M} f(x) = g(x)$.

x läßt sich schreiben als

$x = \sum_{i=1}^{n} \alpha_i e_i$ mit $e_i \in E$ für alle i.

$\Rightarrow f(x) = f(\sum_{i=1}^{n} \alpha_i e_i) = \sum_{i=1}^{n} \alpha_i f(e_i) = \sum_{i=1}^{n} \alpha_i g(e_i)$, da $f|_E = g|_E$

$= g(\sum_{i=1}^{n} \alpha_i e_i) = g(x)$ QED

§ 12 : Freie Teilmengen

Von diesem §en an wollen wir nur noch Moduln über Körpern betrachten, Vektorräume also. Als Standardbezeichnung für einen beliebigen Körper wählen wir die Bezeichnung "K". Mit V_K sei stets ein Vektorraum über K gemeint.
Viele der Ergebnisse lassen sich auch direkt auf Moduln über kommutativen Ringen mit Eins übertragen, einige lassen sich ohne große Mühe verallgemeinern. Einige Aussagen gelten jedoch nur, falls Vektorräume betrachtet werden. Der Leser prüfe, je nach Lust und Laune, welche Ergebnisse sich übertragen lassen!

In Beisp.e),p.172 hatten wir gesehen, daß im Vektorraum $\mathbb{R}^3$ die beiden Mengen

$$E = \{e_1 = (1,0,0)\ ,\ e_2 = (0,1,0)\ ,\ e_3 = (0,0,1)\}$$

$$F = \{f_1 = (-1,1,0),\ f_2 = (2,0,1)\ ,\ f_3 = (0,1,2)\ ,\ f_4 = (1,1,1)\}$$

Erzeugendensysteme sind. Jedes $(x_1,x_2,x_3) \in \mathbb{R}^3$ läßt sich also schreiben als

$$(x_1,x_2,x_3) = \sum_{i=1}^{3} \alpha_i e_i \quad \underline{\text{und}} \quad (x_1,x_2,x_3) = \sum_{j=1}^{4} \beta_j f_j$$

Es gibt allerdings einen wesentlichen Unterschied zwischen den Erzeugendensystemen E und F. Erläutern wir das an einem Beispiel:
Sei $(x_1,x_2,x_3) := (3,2,4)$. Es gilt

$$(3,2,4) = 0.f_1 + 1.f_2 + 1.f_3 + 1.f_4 \quad \text{und}$$

$$(3,2,4) = 1.f_1 + 2.f_2 + 1.f_3 + 0.f_4$$

Der Vektor (3,2,4) läßt sich also auf zwei verschiedene Weisen (dh. durch verschiedene Wahl der Skalare $\beta_1,\beta_2,\beta_3,\beta_4$) als Linearkombination von f_1,f_2,f_3,f_4 darstellen.

Dagegen ist dies bei dem Erzeugendensystem E nicht möglich; denn angenommen, es gebe zwei verschiedene Möglichkeiten, einen Vektor x als Linearkombination der e_i darzustellen, etwa

$$\sum_{i=1}^{3} \alpha_i e_i = x = \sum_{i=1}^{3} \beta_i e_i$$

$$\Rightarrow (\alpha_1, \alpha_2, \alpha_3) = x = (\beta_1, \beta_2, \beta_3)$$

$$\Rightarrow \bigwedge_{i=1,2,3} \alpha_i = \beta_i$$

Das heißt: Bei dem Erzeugendensystem E läßt sich jeder Vektor x auf genau eine Weise als Linearkombination der Vektoren aus E darstellen.

<u>Definition 12.1</u> : V_K sei ein Vektorraum über K. Eine n-elementige Teilmenge $E = \{x_1, .., x_n\}$ von V ($E \neq \emptyset$) heißt <u>frei</u> oder <u>linear unabhängig</u>, wenn gilt:
Jedes $x \in [E]$ läßt sich auf genau eine Weise als Linearkombination der x_i schreiben; dh. wenn gilt

$$\sum_{i=1}^{n} \alpha_i x_i = \sum_{i=1}^{n} \beta_i x_i$$

mit Skalaren $\alpha_1, .., \alpha_n, \beta_1, ..., \beta_n \in K$, so folgt: (360)

$$\bigwedge_i \alpha_i = \beta_i$$

<u>Zusätzlich</u> definieren wir:
Die leere Menge $\emptyset$ soll frei sein als Teilmenge eines jeden Vektorraums V_K.

<u>Satz 12.2</u> : $E = \{x_1, .., x_n\}$, $E \neq \emptyset$, sei eine Teilmenge von V_K.
E ist genau dann frei, wenn gilt:

$$\bigwedge_{(\alpha_i)_{1 \leq i \leq n} \in K^n} \left[\sum_{i=1}^{n} \alpha_i x_i = 0 \Rightarrow \bigwedge_i \alpha_i = 0 \right] \quad (370)$$

<u>Beweis</u>: Wenn E frei ist, läßt sich jeder Vektor auf genau eine Weise als Linearkombination der x_i schreiben. Unter anderem gilt

diese Aussage auch für den Nullvektor. Da eine der möglichen Darstellungen des Nullvektors die triviale Darstellung

$$0 = \sum_{i=1}^{n} \beta_i x_i \quad \text{mit} \quad \bigwedge_i \beta_i = o$$

ist, ist dies nach Definition 12.1 die einzig mögliche Darstellung; dh. falls für ein $(\alpha_i)_{1\leq i\leq n} \in K^n$ gilt

$$0 = \sum_{i=1}^{n} \alpha_i x_i \text{ , so folgt: } \alpha_i = o \text{ für jedes } i \text{ .-}$$

Wir zeigen die Umkehrung:

Sei $\sum_{i=1}^{n} \alpha_i x_i = \sum_{i=1}^{n} \beta_i x_i . \Rightarrow \sum_{i=1}^{n} (\alpha_i - \beta_i) x_i = 0$

Nach (370) folgt dann:

$$\bigwedge_i (\alpha_i - \beta_i = o) \Rightarrow \bigwedge_i \alpha_i = \beta_i$$

QED

Wir wollen Def. 12.1 erweitern auf nicht notwendig endliche Teilmengen:

Definition 12.3 : Eine Teilmenge $E \subset V_K$ heißt frei oder linear unabhängig, falls jede endliche Teilmenge von E frei ist.
E heißt gebunden oder linear abhängig, wenn E nicht frei ist.

Erläutern wir die Definition:

E frei, heißt: Jede endliche Teilmenge ist frei; dh. für beliebiges n und eine beliebige Teilmenge $\{x_1,..,x_n\} \subset E$ gilt (360) oder äquivalent dazu (370).

E gebunden, heißt: E ist nicht frei; dh. es gibt eine endliche Teilmenge von E, die nicht frei ist. Das bedeutet:
Es gibt ein $n \in \mathbb{N}^*$ und eine Teilmenge $\{x_1,..,x_n\} \subset E$, so daß (360) und damit (370) nicht gilt; dh. es gilt eine der beiden äquivalenten Aussagen:

$$\bigvee_{n\in\mathbb{N}^*} \ \bigvee_{\{x_1,..,x_n\}\subset E} \ \bigvee_{(\alpha_i)_{1\leq i\leq n},(\beta_i)_{1\leq i\leq n}\in K^n} \left[(\alpha_i)_{1\leq i\leq n} \neq (\beta_i)_{1\leq i\leq n} \wedge \sum_{i=1}^{n} \alpha_i x_i = \sum_{i=1}^{n} \beta_i x_i \right] \tag{380}$$

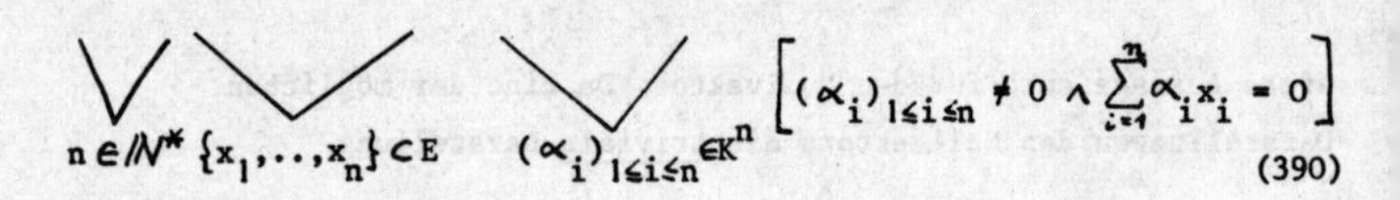

$$\bigvee_{n\in\mathbb{N}^*} \; \bigvee_{\{x_1,\dots,x_n\}\subset E} \; \bigvee_{(\alpha_i)_{1\le i\le n}\in K^n} \left[(\alpha_i)_{1\le i\le n} \neq 0 \wedge \sum_{i=1}^{n} \alpha_i x_i = 0\right] \qquad (390)$$

Korollar 12.4 :

(i) Sei $E \subset V_K$ frei. Dann ist jede Teilmenge von E frei

(ii) Sei $E \subset V_K$ gebunden. Dann ist jede Obermenge von E, dh. jede Teilmenge F von V_K mit $F \supset E$, gebunden.

Beweis: trivial nach Def. 12.3 QED

Beispiele: Standardabkürzung: frei = l.u. ; gebunden = l.a.

a) $\emptyset$ ist in jedem Vektorraum nach Definition frei.

b) $0 = \{o\}$ ist immer gebunden; denn es gilt $\bigwedge_{\alpha\in K} 0 = \alpha . o$,

dh. der Nullvektor läßt sich auf mehrere Weisen als Linearkombination von Elementen aus $\{o\}$ (die ja nur aus der Null besteht) darstellen.

c) Jede Teilmenge $E \subset V_K$, die den Nullvektor enthält, ist gebunden nach Kor. 12.4.

d) Sei $x \in V_K$. $\{x\}$ ist genau dann frei, wenn $x \neq o$.

Bew.: Nach b) bleibt zu zeigen: $x \neq o \Rightarrow \{x\}$ frei.

Sei also $\alpha x = o$ für ein beliebiges $\alpha \in K$. Wäre $\alpha \neq o$, so müßte $x = o$ sein. Daraus folgt: $\alpha = o$. Damit haben wir (370) benutzt und gezeigt, daß $\{x\}$ frei ist.

e) Machen wir noch einmal einen kurzen Abstecher in die Modultheorie. Alle Definitionen und Sätze, die wir bisher brachten, sind offenbar auch für Moduln gültig. Bei Moduln ist aber die Aussage von Beisp.d) i.a. falsch:

Wir geben ein Beispiel für $\mathbb{Z}$ als Grundring.

Dann gilt: In jeder endlichen abelschen Gruppe (= endliche $\mathbb{Z}$-Moduln) ist jede einelementige Teilmenge linear abhängig.
Sei A eine endliche abelsche Gruppe, sei $r \in A$. Betrachte $\mathbb{Z}.r \subset A$. Da $\mathbb{Z}.r$ eine endliche Menge ist, gibt es Elemente $z_1, z_2 \in \mathbb{Z}$ mit $z_1 \neq z_2$, so daß $z_1 r = z_2 r$. $\Rightarrow (z_1 - z_2)r = o$.
Da $z_1 - z_2 \neq o$, ist also $\{r\}$ nicht frei.
Man hätte auch anders schließen können: $(r \neq o)$
Nach Beisp.d),p.168 ist $\mathbb{Z}.r \cong \mathbb{Z}_n$ für geeignetes $n \geq 2$. Jede einelementige Teilmenge von $\mathbb{Z}_n$ ist aber offensichtlich nicht frei, da $n.s = o$ für alle $s \in \mathbb{Z}_n$. Wegen der obigen Isomorphie ist dann auch jede einelementige Teilmenge von $\mathbb{Z}.r$ linear abhängig, speziell also $\{r\}$.
Nach Kor. 12.4 folgt: In einer endlichen abelschen Gruppe ist $\emptyset$ die einzige freie Teilmenge.
Bei dem Schluß eben haben wir übrigens einen Sachverhalt benutzt, den wir kurz explizit formulieren wollen (Beweis trivial) :

Korollar 12.5 : Sei $E \subset V_K$ frei. Dann ist E auch frei in jedem Unterraum von V_K, der E enthält. QED

Fahren wir fort mit Beispielen:
f) Wir untersuchen, wann in einem Vektorraum V_K eine zweielementige Teilmenge $\{x,y\}$ frei ist. Wenn die Menge linear abhängig ist, heißt das: Es gibt Skalare α, β mit $(\alpha, \beta) \neq (o,o)$, so daß

$$\alpha x + \beta y = 0 \tag{400}$$

Da $(\alpha, \beta) \neq (o,o)$, ist $\alpha \neq o \vee \beta \neq o$. OBdA. sei $\alpha \neq o$.
Dann folgt aus (400):

$$x = \lambda y \quad \text{mit } \lambda = -\frac{\beta}{\alpha} \tag{410}$$

Wenn umgekehrt Gleichung (410) gilt für ein $\lambda \in K$, oder $y = \tilde{\lambda}.x$, so ist $\{x,y\}$ linear abhängig; denn es ist dann

$$x - \lambda y = o \quad \text{bzw.} \quad y - \tilde{\lambda} x = o$$

Es gilt also: $\{x,y\}$ ist genau dann linear abhängig, wenn x ein skalares Vielfaches von y ist oder umgekehrt, dh. wenn es Skalare $\lambda, \tilde{\lambda}$ gibt mit $x = \lambda y$ oder $y = \tilde{\lambda} x$.

g) Es ist nützlich, sich die Aussagen der linearen Algebra anschaulich vorzustellen. Es empfiehlt sich, sich alle Aussagen und Definitionen am Beispiel des $\mathbb{R}^3$ oder $\mathbb{R}^2$ klarzumachen.

Als anschauliches Modell für den $\mathbb{R}^2$ wählen wir die Zeichenebene dieses Blattes mit einem ausgezeichneten Punkt als Nullvektor von $\mathbb{R}^2$. Jedem Vektor in $\mathbb{R}^2$ entspricht ein Pfeil vom Nullpunkt zu dem Punkt, dessen Abstand von der y-Achse (repräsentiert durch den Basisvektor (o,1)) gleich der ersten Komponente des Vektors ist und dessen Abstand von der x-Achse (repräsentiert durch den Basisvektor (1,o)) gleich der zweiten Komponente des Vektors ist:

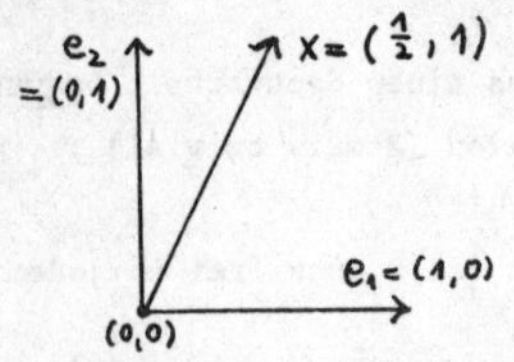

Dem Leser sind diese Dinge sicher schon vom Schulunterricht her vertraut, so daß wir uns hier kurz fassen können.

Addition von Vektoren bedeutet in dieser Darstellung die bekannte Addition von Pfeilen nach dem "Kräfteparallelogramm"; die Multiplikation mit einem $\alpha \in \mathbb{R}$ eine "Streckung" des Pfeils um das α-fache:

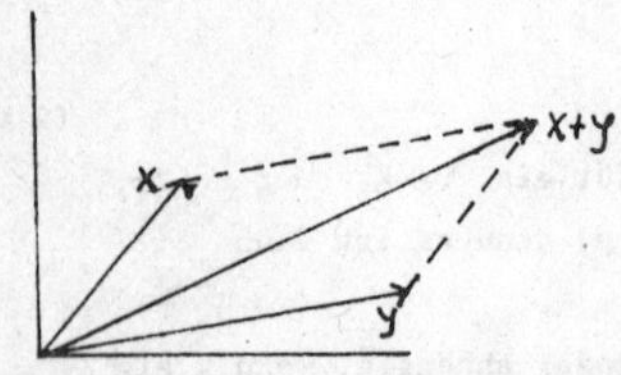

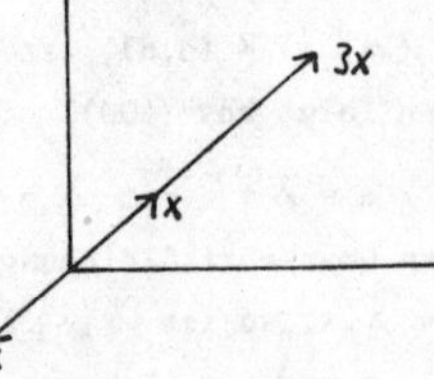

In dieser Darstellung sind also zwei Vektoren genau dann linear abhängig, wenn sie auf einer Geraden liegen. (Die Geraden im Modell entsprechen unseren von einem Element $\neq 0$ erzeugten Unterräumen).

h) Wir untersuchen, ob die Menge der drei Vektoren

$e_1 = (o,1,2)$ $e_2 = (1,2,3)$ $e_3 = (2,o,o)$

in $\mathbb{R}^3$ frei ist.

Sei also $\sum_{i=1}^{3} \alpha_i e_i = o$ für Skalare $\alpha_1, \alpha_2, \alpha_3 \in \mathbb{R}$. (420)

Wenn wir daraus folgern können, daß $\alpha_1 = \alpha_2 = \alpha_3 = o$, so haben wir gezeigt, daß $\{e_1, e_2, e_3\}$ frei ist. Im Laufe eines solchen Beweises kann sich aber auch herausstellen, daß es möglich ist, Gleichung (420) mit Skalaren $\alpha_i \in \mathbb{R}$ zu realisieren, für die $(\alpha_1, \alpha_2, \alpha_3) \neq 0$. In diesem Fall hätten wir also gezeigt, daß $\{e_1, e_2, e_3\}$ gebunden ist. Diese Schlußweise empfiehlt sich übrigens meist bei Untersuchungen auf lineare Abhängigkeit bzw. Unabhängigkeit: Man geht zunächst von einer Gleichung der Form (420) aus und untersucht, was daraus für die α_i folgt. In ganz einfachen Fällen sieht man es einer Menge natürlich sofort an, ob sie l.a. oder l.u. ist.

In unserem speziellen Beispiel folgt aus (420):

$o = \alpha_1(o,1,2) + \alpha_2(1,2,3) + \alpha_3(2,o,o) =$

$= (\alpha_2 + 2\alpha_3\ ,\ \alpha_1 + 2\alpha_2\ ,\ 2\alpha_1 + 3\alpha_2)$

$$\Rightarrow \begin{cases} \text{(a)} & \alpha_2 + 2\alpha_3 = o \\ \text{(b)} & \alpha_1 + 2\alpha_2 = o \\ \text{(c)} & 2\alpha_1 + 3\alpha_2 = o \end{cases}$$

Aus (b) folgt: $\alpha_1 = -2\alpha_2$. Setzt man dies in (c) ein, so folgt:

$\underline{\alpha_2 = o}$ und damit

$\underline{\alpha_1 = o}$ und aus (a) dann auch

$\underline{\alpha_3 = o}$

Also ist $\{e_1, e_2, e_3\}$ l.u.

i) Wie in h) untersuchen wir

$\{e_1 = (3,2,1)\ ,\ e_2 = (1,o,o)\ ,\ e_3 = (o,o,1)\ ,\ e_4 = (2,1,o)\}$

auf lineare Unabhängigkeit.

Die Gleichung $\sum_{i=1}^{4} \alpha_i e_i$ impliziert die folgenden drei Gleichungen:

(a) $3\alpha_1 + \alpha_2 + 2\alpha_4 = o$

(b) $2\alpha_1 + \alpha_4 = o$

(c) $\alpha_1 + \alpha_3 = o$

Aus (a) und (b) folgt: $\alpha_4 = -2\alpha_2$. Aus (b) folgt dann: $\alpha_1 = \alpha_2$.
Aus (c) folgt: $\alpha_3 = -\alpha_2$.
Daraus folgt nicht, daß $(\alpha_1, \alpha_2, \alpha_3, \alpha_4) = 0$; denn wenn wir etwa $\alpha_2 := 1$ setzen, so folgt, daß dies ein Lösung des Gleichungssystems ist, wenn wir $\alpha_1 := 1$, $\alpha_3 := -1$, $\alpha_4 := -2$ setzen.
Durch Nachrechnen bestätigt man, daß tatsächlich gilt:

$(3,2,1) + (1,o,o) - (o,o,1) -2(2,1,o) = (o,o,o)$.

Also ist $\{e_1, e_2, e_3, e_4\}$ l.a.

j) Sei $K = \mathbb{Z}_2$ und $V_K := (\mathbb{Z}_2)^3$.

Wir werden in Zukunft, da der Leser inzwischen ja mit den Körpern $\mathbb{Z}_p$ hinreichend gut vertraut ist, statt $\bar{q} \in \mathbb{Z}_p$ einfach q schreiben. Das steht im Einklang mit der allgemeinen Konvention, in jedem Körper das Element

$$q.1 := \underbrace{1 + \ldots + 1}_{q\text{-mal}} \quad , q \in \mathbb{N}^*$$

kurz mit q zu bezeichnen.

Frage: Sind in $(\mathbb{Z}_2)^3$ die drei Vektoren (dh. die Menge, die aus den drei Vektoren besteht)

$e_1 = (o,1,1) \quad e_2 = (1,o,1) \quad e_3 = (1,1,o)$

linear unabhängig?
Offenbar ist es nicht nötig, explizit die Gleichungssysteme anzuwenden; denn man sieht sofort, daß

$$e_1 + e_2 + e_3 = o \tag{430}$$

$\{e_1, e_2, e_3\}$ ist also l.a.
Führen wir trotzdem als Beispiel den systematischen Lösungsweg an:
Aus $\sum_{i=1}^{3} \alpha_i e_i = o$ (mit $\alpha_i \in \mathbb{Z}_2$ für alle i) folgt:

(a) $\alpha_2 + \alpha_3 = o$

(b) $\alpha_1 + \alpha_3 = o$

(c) $\alpha_1 + \alpha_2 = o$

Aus (a) folgt: $\alpha_2 = -\alpha_3$. Eingesetzt in (b),(c), ergibt :

(b') $\alpha_1 + \alpha_3 = o$

(c') $\alpha_1 - \alpha_3 = o$

Die Addition beider Gleichungen ergibt:

$$\alpha_1 + \alpha_1 = o \tag{440}$$

Diese Gleichung ist aber für jedes $\alpha_1 \in \mathbb{Z}_2$ richtig; wir können also $\alpha_1 := 1$ setzen. Dann folgt: $\alpha_2 = \alpha_3 = 1$, und wir erhalten (430) als nichttriviale Darstellung des Nullvektors.

Fassen wir dagegen e_1, e_2, e_3 als Vektoren in $\mathbb{R}^3$ auf und untersuchen auf lineare Unabhängigkeit, so können wir den Beginn des Beweises für $\mathbb{Z}_2$ übernehmen. An der Stelle (440) ergibt sich:

$2\alpha_1 = o \Rightarrow \alpha_1 = o \Rightarrow \alpha_2 = \alpha_3 = o$.

In $\mathbb{R}^3$ ist also $\{e_1, e_2, e_3\}$ l.u.

k) <u>letztes Beispiel</u>: Sei $V_{\mathbb{C}} := \mathbb{C}^3$

$e_1 := (\ i\ ,\ 1+i\ ,\ 2\ )$

$e_2 := (\ -1\ ,\ -i\ ,\ o\ )$

$e_3 := (\ 2-i\ ,\ 1-i\ ,\ 3i\ )$

Wir untersuchen auf lineare Unabhängigkeit. Aus $\sum_{i=1}^{3} \alpha_i e_i = o \ (\alpha_i \in \mathbb{C})$ folgt:

(a) $i\alpha_1 - \alpha_2 + (2-i)\alpha_3 = o$

(b) $(1+i)\alpha_1 - i\alpha_2 + (1-i)\alpha_3 = o$

(c) $2\alpha_1 + 3i\alpha_3 = o$

Aus (c) folgt: $\alpha_1 = -\frac{3}{2}i\alpha_3$. Eingesetzt in (a),(b):

(a') $(3\frac{1}{2} - i)\alpha_3 - \alpha_2 = o$

(b') $(2\frac{1}{2} - 2\frac{1}{2}i)\alpha_3 - i\alpha_2 = o$

Daraus folgt: $(6i - \frac{3}{2})\alpha_3 = o \Rightarrow \alpha_3 = o \Rightarrow \alpha_1 = \alpha_2 = o.$
$\{e_1, e_2, e_3\}$ ist l.u.

Kehren wir zur Theorie zurück und untersuchen die Zusammenhänge zwischen linearen Abbildungen und linearer Unabhängigkeit:

Satz 12.6 : Sei $f : V_K \longrightarrow W_K$ linear. Sei $C \subset W_K$. Sei $(x_c)_{c \in C}$ eine Familie in V_K mit

$\bigwedge_{c \in C} f(x_c) = c$ (eine Familie von Urbildern zu C also)

Dann gilt:

$\{x_c \mid c \in C\}$ l.a. in $V_K \Rightarrow C$ l.a. in W_K

Beweis: Sei $B := \{x_c \mid c \in C\}$. Sei B l.a. Dann gibt es ein n und $\{x_{c_1}, .., x_{c_n}\} \subset B$ und ein $(\alpha_i) \in K^n$ mit $(\alpha_i) \neq 0$, so daß

$$\sum_{i=1}^{n} \alpha_i x_{c_i} = o. \Rightarrow o = f(o) = f(\sum_{i=1}^{n} \alpha_i x_{c_i}) = \sum_{i=1}^{n} \alpha_i f(x_{c_i}) =$$

$= \sum_{i=1}^{n} \alpha_i c_i$. Daher ist $\{c_1, .., c_n\}$ l.a. und damit auch C. QED

Die Umkehrung der Implikation in Satz 12.6:
" B l.u. $\Rightarrow$ C l.u. " ist falsch. Um ein Gegenbeispiel zu finden, setze man C := O und wähle für f die Nullabbildung. $(V \neq 0)$

Satz 12.7 : Sei $f : V_K \longrightarrow W_K$ linear. Sei $M \subset V_K$. Falls f injektiv ist, gilt:

M l.u. $\Rightarrow$ f(M) l.u.

Beweis: Wir müssen zeigen, daß jede Teilmenge $\{f(x_1), .., f(x_n)\} \subset f(M)$ l.u. ist. Sei also

$\sum_{i=1}^{n} \alpha_i f(x_i) = o$ mit $\alpha_1, .., \alpha_n \in K$

$\Rightarrow f(\sum_{i=1}^{n} \alpha_i x_i) = o$, da f linear ist

$\Rightarrow \sum_{i=1}^{n} \alpha_i x_i = o$, da f injektiv ist $\Rightarrow \bigwedge_i \alpha_i = o$, da M l.u.

QED

§ 13 : Basissysteme

Definition 13.1 : Eine Teilmenge $B \subset V_K$ heißt Basis oder Basissystem von V_K, falls gilt:

(i) B ist frei in V_K

(ii) B ist ein Erzeugendensystem von V_K

Wenn B eine Basis von V_K ist, läßt sich also nach den Definitionen 12.1 und 12.3 jedes $x \in V$ in eindeutiger Weise als Linearkombination von Vektoren aus B schreiben. Umgekehrt ist jede Teilmenge von V mit dieser Eigenschaft eine Basis von V.

Wir wollen diese Aussage weiter verdeutlichen:
Zu jedem x gibt es also ein n und n Vektoren $b_1,..,b_n \in B$, so

$$\text{daß} \quad x = \sum_{i=1}^{n} \alpha_i b_i \quad \text{für Skalare } \alpha_1,..,\alpha_n \tag{450}$$

Da $\{b_1,..,b_n\}$ frei ist, ist diese Darstellung bzgl. der b_i eindeutig, dh. falls

$$\sum_{i=1}^{n} \alpha_i b_i = x = \sum_{i=1}^{n} \beta_i b_i$$

so folgt: $\alpha_i = \beta_i$ für alle i.
Allerdings ist die Auswahl des n und der n Vektoren $b_1,..,b_n$ noch willkürlich. Wir können etwa noch einen weiteren Vektor $b_{n+1} \in B$ hinzunehmen und x darstellen als

$$x = \sum_{i=1}^{n+1} \alpha_i b_i \quad \text{mit} \quad \alpha_{n+1} = o.$$

Stellen wir allerdings noch gewisse Forderungen an die Skalare α_i, so ist n eindeutig bestimmt und die Vektoren $b_1,..,b_n$ auch. Haben wir nämlich einmal eine Darstellung (450) gefunden, so können wir aus der Summe diejenigen Summanden weglassen, für die $\alpha_i = o$ ist. Bis auf den Fall $x = o$, den wir im folgenden oBdA. weglassen wollen, gibt es daher paarweis verschiedene Vektoren

$b_1,..,b_m \in B$ und Skalare $\alpha_1,..,\alpha_m \in K^*$, so daß

$$x = \sum_{i=1}^{m} \alpha_i b_i \tag{460}$$

Sei nun eine andere Zahl k gefunden und paarweis verschiedene Vektoren $c_1,..,c_k \in B$ und Skalare $\gamma_1,..,\gamma_k \in K^*$, so daß

$$x = \sum_{i=1}^{k} \gamma_i c_i \tag{470}$$

Sei oBdA. $m \leq k$. Wenn $m = k$ ist und $\{b_1,..,b_m\} = \{c_1,..,c_k\}$, so folgt, daß für jedes i die Skalare α_i gleich den Skalaren γ_i sind (bis auf Umnumerierung). Falls $m = k$ ist und $\{b_1,..,b_m\} \neq \{c_1,..,c_k\}$, gibt es ein k', so daß $c_{k'} \notin \{b_1,..,b_m\}$. Falls $m < k$ ist, so gibt es in jedem Fall ein k' mit dieser Eigenschaft. Dann lassen sich (460) und (470) schreiben als

$$x = \sum_{i=1}^{m} \alpha_i b_i + \alpha_{k'} c_{k'} + \sum_j \delta_j c_j \quad \text{mit } \alpha_{k'} = o \text{ und } \bigwedge_j \delta_j = o, \tag{480}$$

wobei in der hinteren Summe alle weiteren $c_j \in \{c_1,..,c_k\}$ vorkommen, die nicht in $\{b_1,..,b_m\}$ enthalten sind. (Falls $c_{k'}$ das einzige Element ist, das nicht in $\{b_1,..,b_m\}$ liegt, kann die hintere Summe auch wegfallen);

<u>bzw.</u> (für (470)) :

$$x = \gamma_{k'} c_{k'} + \sum_j \varepsilon_j d_j ,$$

wobei d_j alle Elemente von $\{b_1,..,b_m\} \cup \{c_1,...,c_k\} \setminus \{c_{k'}\}$ durchläuft und die Skalare $\varepsilon_j = o$ sind, falls $d_j \notin \{c_1,..,c_k\}$, und gleich γ_j sonst.

Da $\{b_1,..,b_m\} \cup \{c_1,..,c_k\}$ frei ist, folgt :

$\gamma_{k'} = \alpha_{k'} = o$. Das ist ein Widerspruch zu der Annahme, daß alle $\gamma_i \in K^*$.

Daher gilt: $m = k$ und $\{b_1,..,b_m\} = \{c_1,..,c_k\}$.

<u>Wir haben also:</u>

Zu jedem $x \in V$ mit $x \neq o$ gibt es ein eindeutig bestimmtes $n \in \mathbb{N}^*$, eindeutig bestimmte paarweis verschiedene $b_1,..,b_m \in B$, so daß

$$x = \sum_{i=1}^{m} \alpha_i b_i$$

mit eindeutig bestimmten $\alpha_1,..,\alpha_m \in K^*$.

Man kann diese etwas umständliche Beschreibung sofort vergessen, wenn man sich die Aussage, zwar etwas weniger genau, dafür aber einprägsamer, in der folgenden Form merkt:

Wenn B eine Basis von V_K ist, so läßt sich jedes $x \in V_K$ als

$$x = \sum_{i=1}^{m} \alpha_i b_i$$

schreiben für ein $n \in \mathbb{N}$, gewisse paarweis verschiedene $b_1,..,b_m \in B$ und gewisse Skalare $\alpha_1,..,\alpha_m \in K$.
Diese Darstellung ist eindeutig "bis auf Skalare α_i, die gleich O sind", dh. wenn man alle Glieder $\alpha_i b_i = o$ wegläßt, so ist diese Darstellung eindeutig. (Was das exakt heißt, haben wir eben beschrieben).

Beispiele:

a) $\emptyset$ ist Basis des trivialen Vektorraums O (über jedem Körper)

b) Sei $V_K := K^n$. Wir betrachten das in Beisp. d),p.172 definierte Erzeugendensystem $E = \{e_1,..,e_n\}$ mit

$$e_{ij} = \begin{cases} o \text{ für } i \neq j \\ 1 \text{ für } i = j \end{cases}$$

E ist auch frei; denn falls $\sum_{i=1}^{n} \alpha_i e_i = o$, so folgt trivialerweise: $(\alpha_1,..,\alpha_n) = o$

E heißt die kanonische Basis von K^n.

c) Wir wollen b) verallgemeinern. Bereits in Beisp. f),p.174 haben wir den Vektorraum aller Folgen in K, bei denen fast alle Folgenglieder gleich Null sind, betrachtet. Wir bezeichnen diesen Vektorraum im folgenden mit $K^{(\mathbb{N})}$. Für den Vektorraum aller Folgen in K behalten wir die alte Bezeichnung $K^{\mathbb{N}}$ bei.
Ein Erzeugendensystem von $K^{(\mathbb{N})}$ war die Menge $E = \{e_i \mid i \in \mathbb{N}\}$ mit

$$e_{ij} = \begin{cases} o \text{ für } i \neq j \\ 1 \text{ für } i = j \end{cases} .$$

Wir wollen alles noch etwas allgemeiner durchführen:
Sei I eine beliebige Menge. Im K-Vektorraum K^I, dem Vektorraum aller Abbildungen von I nach K (vgl.8.3), betrachten wir den Unterraum $K^{(I)}$, der aus allen Abbildungen $f : I \longrightarrow K$ besteht mit der Eigenschaft: $f(i) = o$ für fast alle $i \in I$
(dh. genauer: Zu jedem $f \in K^{(I)}$ gibt es eine endliche Teilmenge $I_f \subset I$, so daß $f(I \setminus I_f) = 0$. Es gibt also nur endlich viele $i_1,..,i_n \in I$ mit $f(i_k) \neq o$ für $1 \leq k \leq n$).
Der Leser zeige, daß $K^{(I)}$ ein Unterraum von K^I ist.
Man beachte, daß $K^{(I)} = K^I$ genau dann, wenn I endlich ist.
Der Leser zeige, analog zu Beisp. f),p.174 und zu Beisp. b), p.189, daß die Menge $E = \{e_i | i \in I\}$ mit

$$e_{ij} := \begin{cases} o \text{ für } i \neq j \\ 1 \text{ für } i = j \end{cases} \qquad i,j \in I$$

(mit $e_{ij} = e_i(j)$ für $i,j \in I$)
eine Basis von $K^{(I)}$ ist, die sog. kanonische Basis von $K^{(I)}$.
Man zeige ferner, daß E kein Erzeugendensystem von K^I ist, also auch keine Basis.
Man beachte, daß der Raum K^n ein Spezialfall der Räume $K^{(I)}$ ist, nämlich für $I := [1,n] \subset \mathbb{N}^*$.

d) Wir zeigen, daß

$$\{e_1 = (1,2,o) \ , \ e_2 = (1,1,1) \ , \ e_3 = (-1,o,1)\}$$

eine Basis von $\mathbb{R}^3$ ist.
Dazu ist es bei dem jetzigen Stand unserer Kenntnisse am einfachsten zu zeigen, daß sich jedes Element $x \in \mathbb{R}^3$ auf genau eine Weise als Linearkombination der e_i darstellen läßt (Später brauchen wir uns nicht mehr so viel Mühe zu machen).
Wir suchen also Skalare $\alpha_1, \alpha_2, \alpha_3$ so daß

$$(x_1,x_2,x_3) = \sum_{i=1}^{3} \alpha_i e_i \tag{490}$$

Das liefert uns drei Gleichungen

(a) $x_1 = \alpha_1 + \alpha_2 - \alpha_3$

(b) $x_2 = 2\alpha_1 + \alpha_2$

(c) $x_3 = \alpha_2 + \alpha_3$

(Der Leser beachte, daß dieser Ansatz formal derselbe ist, wie wenn wir zeigen wollten, daß $\{e_1, e_2, e_3\}$ l.u. ist, nur daß auf den linken Seiten der Gleichungen (a),(b),(c) beliebige $x_i \in \mathbb{R}$ stehen anstelle der Null).

Aus (a),(b),(c) folgt nach dem üblichen Schema:

$$\alpha_1 = -\tfrac{1}{3}x_1 + \tfrac{2}{3}x_2 - \tfrac{1}{3}x_3$$

$$\alpha_2 = \tfrac{2}{3}x_1 - \tfrac{1}{3}x_2 + \tfrac{2}{3}x_3$$

$$\alpha_3 = -\tfrac{2}{3}x_1 + \tfrac{1}{3}x_2 + \tfrac{1}{3}x_3$$

Die Skalare $\alpha_1, \alpha_2, \alpha_3$ erfüllen aber auch tatsächlich Gleichung (490). Das bedeutet, daß $\{e_1, e_2, e_3\}$ eine Basis ist.

Das Verhalten von Basissystemen unter linearen Abbildungen wird durch den folgenden Satz beschrieben:

Theorem 13.2 : $f : V_K \longrightarrow W_K$ sei linear. Sei B eine Basis von V_K. Dann gilt:

(i) f bijektiv $\Leftrightarrow$ $f|_B$ injektiv und f(B) ist Basis von W_K

(ii) f injektiv $\Leftrightarrow$ $f|_B$ injektiv und f(B) ist frei in W_K

(iii) f surjektiv $\Leftrightarrow$ f(B) ist Erzeugendensystem von W_K

Beweis:

(ii) " $\Rightarrow$ " : folgt aus 12.7

(ii) " $\Leftarrow$ " : Wir zeigen: ker f = O:

Sei $x \in V$ und f(x) = o. Da B ein Erzeugendensystem von V_K ist, läßt sich x schreiben als $x = \sum_{i=1}^{n} \alpha_i b_i$ für ein n, paarweis verschiedene $b_1, .., b_n \in B$ und Skalare $\alpha_1, .., \alpha_n \in K$.

$$\Rightarrow 0 = f(x) = f\left(\sum_{i=1}^{n} \alpha_i b_i\right) = \sum_{i=1}^{n} \alpha_i f(b_i).$$

Da $f|_B$ injektiv ist, sind die $f(b_i)$ paarweis verschieden und wegen der Voraussetzung, daß f(B) frei ist, folgt:

$\alpha_i = o$ für alle i. Daraus folgt: $x = 0$. $\Rightarrow$ ker f = 0

(iii) Satz 11.5

(i) folgt aus (ii) und (iii) QED

Theorem 13.3 : Sei B eine Basis von V_K. Sei W_K ein beliebiger Vektorraum über K. Dann gibt es zu jeder Familie $(x_b)_{b\in B}$ von Elementen $x_b \in W_K$ (für alle $b \in B$) genau eine lineare Abbildung

$$f : V_K \longrightarrow W_K \quad \text{, so daß}$$

$$\bigwedge_{b\in B} f(b) = x_b$$

Eine lineare Abbildung ist also genau dadurch eindeutig definiert, daß man vorschreibt, welche Bilder auf einer beliebigen Basis angenommen werden sollen.

Analog zu 11.7 läßt sich das Theorem auch, wie folgt, ausdrücken:

Theorem 13.3' : Sei B eine Basis von V_K. Sei W_K ein beliebiger Vektorraum über K. Gegeben sei eine beliebige Abbildung

$$\bar{f} : B \longrightarrow W_K$$

Dann gibt es genau eine lineare Abbildung

$$f : V_K \longrightarrow W_K,$$

die $\bar{f}$ fortsetzt; dh. für die gilt: $f|_B = \bar{f}$.

Beweis zu Th. 13.3 :

Daß f eindeutig bestimmt ist, folgt aus 11.7, da B ein Erzeugendensystem von V_K ist. Wir müssen lediglich zeigen, daß sich $\bar{f}$ überhaupt fortsetzen läßt in eine lineare Abbildung f von V_K nach W_K.

Sei $x \in V_K$. x läßt sich in eindeutiger Weise (bis auf Skalare $\alpha_i = o$) in der Form

$$x = \sum_{i=1}^{n} \alpha_i b_i \qquad \text{mit } b_i \in B,\ \alpha_i \in K \text{ für alle } i$$

schreiben.

Dann definieren wir:

$$f(x) := \sum_{i=1}^{n} \alpha_i f(b_i) \qquad (500)$$

Damit ist f eindeutig definiert, da die Skalare $\alpha_i = o$ auf der rechten Seite von (500) nichts ändern.

f ist linear:

Seien $x,y \in V_K$, $\alpha \in K$, $x = \sum_{i=1}^{n} \alpha_i b_i$, $y = \sum_{i=n+1}^{n+m} \alpha_i b_i$

Dann ist $f(x+y) = f(\sum_{i=1}^{n+m} \alpha_i b_i) = \sum_{i=1}^{n+m} \alpha_i f(b_i) =$

$= \sum_{i=1}^{n} \alpha_i f(b_i) + \sum_{i=n+1}^{n+m} \alpha_i f(b_i) = f(x) + f(y).$

Analog zeigt man : $f(\alpha x) = \alpha f(x)$ QED

Man beachte, daß eine lineare Abbildung f, die durch Angabe ihrer Bilder auf einer Basis definiert wird, durch (500) für alle $x \in V_K$ definiert ist.

Beispiel:

Gegeben seien Mengen M, M' und eine bijektive Abbildung $f : M \longrightarrow M'$.

Beh.: Es ist $K^{(M)} \cong K^{(M')}$

Bew.: Wir wählen in $K^{(M)}$ bzw. $K^{(M')}$ die kanonischen Basen $E_M = \{e_i \mid i \in M\}$ bzw. $E_{M'} = \{e'_j \mid j \in M'\}$.

Dann induziert f eine bijektive Abbildung

$$\bar{f} : E_M \longrightarrow E_{M'}$$
$$e_i \longmapsto e'_{f(i)}$$

$\bar{f}$ läßt sich nach Th. 13.3 erweitern zu einer linearen Abbildung $g : K^{(M)} \longrightarrow K^{(M')}$.

Es ist $g(E_M) = \bar{f}(E_M) = E_{M'}$ und $g|_{E_M} = \bar{f}$ ist injektiv.

Nach 13.2,(i) ist dann g ein Isomorphismus. qed

Dieses Beispiel gibt uns Anlaß zu der folgenden Bemerkung :

Wir hatten definiert: $K^n = K^{[1,n]}$.

Haben wir nun irgendeine endliche n-elementige Menge $\{x_1,..,x_n\}$, so gibt es offensichtlich eine bijektive Abbildung von dieser

Menge auf die Menge $[1,n]$, und folglich ist

$$K^{\{x_1,\ldots,x_n\}} \cong K^{[1,n]} = K^n.$$

Damit gilt: Wenn I eine endliche Menge ist, so ist

$$K^I = K^{(I)} \cong K^{|I|}$$

Wegen dieser Isomorphien identifiziert man auch alle diese drei Räume.

Korollar 13.4 : V_K , W_K seien K-Vektorräume. B sei eine Basis von V_K. Dann gibt es eine bijektive Abbildung von der Menge $\mathrm{Hom}_K(V,W)$ aller K-linearen Abbildungen von V_K nach W_K, auf die Menge W^B.

Beweis: Ordne jedem $f \in \mathrm{Hom}_K(V,W)$ die Familie $(f(b))_{b\in B}$ zu. Th. 13.3 besagt gerade, daß diese Abbildung bijektiv ist. QED

Beispiel: Sei $K := \mathbb{Z}_p$, p eine Primzahl.
Sei $W_K := V_K := \mathbb{Z}_p \times \mathbb{Z}_p$. Dann gibt es genau p^4 verschiedene lineare Abbildungen von V_K nach W_K; denn da $\mathbb{Z}_p$ genau p Elemente hat, hat W_K genau p^2 Elemente. Eine Basis von $\mathbb{Z}_p \times \mathbb{Z}_p$ ist die kanonische Basis $\{(o,1),(1,o)\}$. Damit gibt es $(p^2)^2 = p^4$ verschiedene lineare Abbildungen von V_K nach W_K nach Kor.13.4.

Wir sehen an diesen Sätzen und Beispielen, daß der Begriff der Basis für Vektorräume sehr wichtig ist. Wir haben aber noch nicht untersucht, ob es in jedem Vektorraum überhaupt eine Basis gibt. Diese Frage wollen wir im folgenden untersuchen:

Zeigen wir zunächst an einem Beispiel, daß es durchaus Moduln gibt, die keine Basis besitzen:
Ein trivialer Fall ist uns schon bekannt: In Beisp. e),p.180 hatten wir gesehen, daß es in jedem endlichen $\mathbb{Z}$-Modul außer $\emptyset$ keine freien Teilmengen gibt. Also besitzt jeder von Null verschiedene endliche $\mathbb{Z}$-Modul auch keine Basis.
Wir geben nun ein weniger triviales Beispiel:

Wir betrachten die abelsche Gruppe $\mathbb{Q}$ als $\mathbb{Z}$-Modul. In $\mathbb{Q}$ sind alle einelementigen Teilmengen $\neq \{o\}$ frei; denn wenn $z.q = o$ für $z \in \mathbb{Z}$ und $q \in \mathbb{Q}^*$ gilt, so folgt: $z = o$. Aber keine einelementige Teilmenge von $\mathbb{Q}$ erzeugt ganz $\mathbb{Q}$; denn sei etwa $\left\{\frac{p}{q}\right\}$ ein Erzeugendensystem von $\mathbb{Q}$. p und q seien oBdA. teilerfremd (bis auf 1 und -1). Dann läßt sich die rationale Zahl $\frac{1}{r}$, mit $r \neq q$, nicht als ganzzahliges Vielfaches von $\frac{p}{q}$ darstellen; denn aus

$\frac{1}{r} = z.\frac{p}{q}$ folgt : $q = zrp$; dh. p und q hätten einen gemeinsamen Teiler. Da wir $r \neq 1$ und $r \neq -1$ annehmen können, ergibt sich ein Widerspruch.

Jede zweielementige Teilmenge $\left\{\frac{p}{q}, \frac{r}{s}\right\} \subset \mathbb{Q}$ ist aber bereits nicht mehr frei, da

$$rq.\frac{p}{q} + (-sp).\frac{r}{s} = o$$

$\mathbb{Q}$ als $\mathbb{Z}$-Modul besitzt also keine Basis.

Wir werden dagegen zeigen, daß jeder <u>Vektorraum</u> eine Basis besitzt. Das wichtigste Hilfsmittel zu diesem Beweis ist der folgende Satz:

<u>Theorem 13.5</u> : V_K sei ein K-Vektorraum. Dann sind für einen Teil $B \subset V_K$ die folgenden Aussagen äquivalent:

(i) B ist eine Basis von V_K

(ii) B ist ein minimales Erzeugendensystem von V_K
(= ein minimales Element in der durch Inklusion geordneten Menge aller Erzeugendensysteme von V_K)

(iii) B ist eine maximale freie Menge von V_K
(= ein maximales Element in der durch Inklusion geordneten Menge aller freien Teilmengen von V_K)

Zum Beweis benötigen wir zwei Lemmata:

<u>Lemma 13.6</u> : Sei U eine linear abhängige Teilmenge von V_K.
Dann gibt es ein $x \in U$ mit $x \in [U \setminus \{x\}]$.

Beweis: Es gibt $x_1,..,x_n \in U$ und $\alpha_1,..,\alpha_n \in K$, wobei für mindestens ein j gilt: $\alpha_j \neq o$, so daß $\sum_{i=1}^{n} \alpha_i x_i = o$. Daraus folgt: $x_j = -\frac{1}{\alpha_j} \cdot \sum_{i \neq j} \alpha_i x_i$ QED

Lemma 13.7 : Sei U eine freie Teilmenge von V_K. Sei $x \notin [U]$. Dann ist $U \cup \{x\}$ frei.

Beweis: Angenommen, $U \cup \{x\}$ sei nicht frei. Dann gibt es eine Darstellung $\sum_{i=1}^{n} \alpha_i x_i = o$ mit $x_1,..,x_n \in U \cup \{x\}$, wobei wir oBdA. annehmen können, daß alle $\alpha_i \neq o$ sind (Andernfalls machen wir n etwas kleiner). Eines der x_i muß gleich x sein; denn andernfalls wäre U l.a. Es gibt also eine Darstellung

$$\sum_{i=1}^{m} \alpha_i x_i + \gamma x = o \text{ , wobei } \gamma \neq o \text{ ; } x_1,..,x_m \in U$$

$$\Rightarrow x = -\frac{1}{\gamma} \cdot \sum_{i=1}^{m} \alpha_i x_i \Rightarrow x \in [U] \text{ Widerspruch.}$$ QED

Beweis zu Theorem 13.5 :

(i) $\Rightarrow$ (ii) : Sei $B' \subset B$ und B' ein Erzeugendensystem von V_K. Falls $B' \subsetneq B$, so gibt es ein $x \in B$ mit $x \notin B'$. Da B' ein Erzeugendensystem ist, gibt es $x_1',..,x_n' \in B'$, so daß sich x darstellen läßt als $x = \sum_{i=1}^{n} \alpha_i x_i'$ für gewisse $\alpha_i \in K$. Das bedeutet aber, daß $\{x, x_1',..,x_n'\}$ nicht frei ist. Daher ist B nicht frei. Wspr. Daher ist B' = B, dh. B ist minimal.

(ii) $\Rightarrow$ (i) : Zu zeigen ist, daß B frei ist. Wäre B l.a., so gäbe es nach Lemma 13.6 ein $x \in B$ mit $x \in [B \setminus \{x\}] \Rightarrow [x] \subset [B \setminus \{x\}]$ $\Rightarrow [B \setminus \{x\}] = [x] + [B \setminus \{x\}] = [x \cup (B \setminus \{x\})] = [B] = V_K$; dh. $B \setminus \{x\}$ ist ein Erzeugendensystem von V_K. Das ist ein Widerspruch zur Minimalität von B.

(i) $\Rightarrow$ (iii) : Sei $B \subset B'$, und B' sei frei. Falls $B \subsetneq B'$, so gibt es ein $x \in B'$ mit $x \notin B$. Da B ein Erzeugendensystem ist, ist $x \in [B]$ $\Rightarrow$ $B \cup \{x\}$ ist nicht frei $\Rightarrow$ B' ist nicht frei, Wspr. Daher ist B = B' ; dh. B ist maximal.

(iii) $\Rightarrow$ (i) : Zu zeigen ist, daß B ein Erzeugendensystem ist. Wäre B kein Erzeugendensystem, so gäbe es ein $x \in V_K$ mit $x \notin [B]$. Nach Lemma 13.7 folgt: $B \cup \{x\}$ ist frei. Das ist ein Widerspruch zur Maximalität von B. QED

Bemerkung: Man beachte, daß die Schlüsse (i) $\Rightarrow$ (ii) und (i) $\Rightarrow$ (iii) auch für beliebige Moduln gültig sind. Dagegen haben wir für die Schlüsse in umgekehrter Richtung die Lemmata 13.6 , 13.7 benutzt, in deren Beweis entscheidend die Tatsache einging, daß jedes $\lambda \in K^*$ ein multiplikatives Inverses besitzt.
Tatsächlich zeigen die vorhin diskutierten Beispiele (p.194/195), daß diese Implikationen nicht gelten:
Jede einelementige Teilmenge $\neq \{o\}$ von $\mathbb{Q}$ ist eine maximale freie Menge im $\mathbb{Z}$-Modul $\mathbb{Q}$, aber keine Basis.
In jeder endlichen abelschen Gruppe $\neq 0$ gibt es wegen der Endlichkeit trivialerweise minimale Erzeugendensysteme, aber kein Basissystem.
Wir können aber recht einfach zeigen, daß in jedem Vektorraum (sogar Modul) maximale freie Teilmengen existieren.
Wir zeigen sogar noch etwas mehr:

Satz 13.8 : Sei E ein Erzeugendensystem von V_K. Sei $\mathfrak{F}_E$ die Menge aller freien Teilmengen von E.
Dann gibt es zu jedem $F \in \mathfrak{F}_E$ eine Basis B von V_K mit $F \subset B \subset E$.

Beweis: Wir zeigen, daß es zu jedem $F \in \mathfrak{F}_E$ ein maximales Element $B \in \mathfrak{F}_E$ gibt mit $F \subset B$. Dazu verwenden wir das Zornsche Lemma (Satz 6.6):
Zunächst ist $\mathfrak{F}_E$ nicht leer, da $\emptyset \in \mathfrak{F}_E$. Sei $\mathfrak{K} \subset \mathfrak{F}_E$ und $\mathfrak{K}$ eine Kette.
Sei $S := \bigcup_{J \in \mathfrak{K}} J$

Beh.: $S \in \mathfrak{F}_E$
Bew.: Es ist $S \subset E$; denn falls $s \in S$, so ist $s \in J$ für ein $J \in \mathfrak{K}$.

Da $J \subset E$, ist $s \in E$.
Wir zeigen, daß S frei ist. Falls $S = \emptyset$, ist S frei. Sei nun $S \neq \emptyset$. Wäre S l.a., so gäbe es eine Darstellung

$$\sum_{i=1}^{n} \alpha_i x_i = 0 \text{ mit gewissen } x_i \in S \text{ und Skalaren } \alpha_i, \text{ für die} \quad (510)$$

mindestens ein $\alpha_j \neq 0$ ist. Da $x_i \in S = \bigcup_{J \in \mathcal{K}} J$ für alle i, gibt es ein $J_i \in \mathcal{K}$, so daß $x_i \in J_i$. Die Menge

$\bar{J} := \{J_i \mid 1 \leq i \leq n\}$ ist endlich, ferner eine Kette und hat daher nach 6.3 ein größtes Element J_k; dh. es gilt:

$$\bigwedge_{i=1,.,n} J_k \supset J_i \,.\Rightarrow \bigwedge_{i=1,.,n} x_i \in J_k.$$ Dann besagt (510), daß J_k nicht frei ist. Das ist ein Widerspruch. Also ist S frei und damit $S \in \mathcal{F}_E$ <u>qed</u>

Trivialerweise ist S eine obere Schranke für die Kette $\mathcal{K}$. Damit sind die Voraussetzungen des Zornschen Lemmas erfüllt, und wir erhalten nach 6.6:
Es gibt zu jedem $F \in \mathcal{F}_E$ ein maximales Element $B \in \mathcal{F}_E$ mit $F \subset B$.

Es bleibt zu zeigen, daß B eine Basis von V_K ist. Den Beweis dazu können wir fast wörtlich vom Beweis (iii) $\Rightarrow$(i) von Th. 13.5 übernehmen: Wir zeigen, daß B ein Erzeugendensystem von V_K ist. Wäre B kein Erzeugendensystem, so ist $E \not\subset [B]$. Daher gibt es ein $x \in E$ mit $x \notin [B]$. Nach Lemma 13.7 folgt: $B \cup \{x\}$ ist frei. Da aber $B \cup \{x\} \subset E$, ist das ein Widerspruch zur Maximalität von B in $\mathcal{F}_E$. <u>QED</u>

Die Aussage des letzten Beweisteils wollen wir getrennt formulieren:

<u>Korollar 13.9</u> : Eine maximale freie Teilmenge eines Erzeugendensystems ist eine Basis. <u>QED</u>

<u>Bemerkung</u>: Der Leser beachte, daß der Beweisteil von 13.8, in dem gezeigt wird: Zu jedem $F \in \mathcal{F}_E$ gibt es ein maximales $B \in \mathcal{F}_E$ mit $F \subset B \subset E$, auch für Moduln gültig ist. Aber es gilt i.a. nicht, wie bereits an früherer Stelle bemerkt, daß dies dann auch eine

Basis ist.

Aus dem Satz 13.8 ergeben sich eine Reihe wichtiger Sätze als Folgerungen:

Theorem 13.1o : Jeder Vektorraum besitzt eine Basis.

Theorem 13.11 : In jedem Vektorraum kann jede freie Teilmenge zu einer Basis des Vektorraums ergänzt werden.

Theorem 13.12 : In jedem Vektorraum läßt sich aus jedem Erzeugendensystem des Vektorraums eine Teilmenge des Erzeugendensystems auswählen, die Basis des Vektorraums ist.

Theorem 13.13 : (Steinitzscher Austauschsatz)

Sei B eine Basis von V_K und F eine freie Teilmenge von V_K.
Dann gibt es einen Teil $B' \subset B$, so daß
$F \cap B' = \emptyset$ und
$F \cup B'$ eine Basis von V_K ist.

Bevor wir diese Theoreme beweisen, erläutern wir das wichtige Theorem 13.13: Es besagt:
Wenn B eine Basis ist und F eine beliebige freie Menge, so kann ich aus B gewisse Vektoren (unter Umständen unendlich viele), die nicht in F liegen, zu der Menge F hinzufügen und erhalte dadurch eine neue Basis von V_K.
Man beachte, daß 13.11 eine schwache Form von 13.13 ist. In 13.11 wird ausgesagt, daß sich eine freie Menge auf irgendeine Weise zu einer Basis ergänzen läßt. 13.13 sagt, daß man dazu sogar Elemente aus einer beliebigen fest vorgegebenen Basis verwenden kann. Formulieren wir 13.13 zum besseren Verständnis noch einmal für den Fall, daß B und F endliche Mengen sind:

<u>Theorem 13.13'</u> : <u>Steinitzscher Austauschsatz im endlichen Fall</u>:

Sei $\{b_1,..,b_n\}$ eine (n-elementige) Basis von V_K und $\{f_1,..,f_m\}$ eine (m-elementige) freie Teilmenge von V_K.
Dann gilt, nach eventueller Umnumerierung der b_i:
$\{f_1,...,f_m,b_r,...,b_n\}$ ist eine $((m+1+n-r)$ - elementige$)$ Basis von V_K.
Speziell gilt also : $m \leq n$.
(Beachte, daß B' auch leer sein kann, wenn nämlich $\{f_1,..,f_m\}$ bereits eine Basis von V_K ist)

<u>Korollar 13.14</u> : In jedem endlich erzeugten Vektorraum hat jede Basis gleichviel Elemente.
(In 13.13' gilt also: $r = m+1$)

<u>Beweise</u>:

<u>13.1o</u>: Setze $E := V$ und $F := \emptyset$ und verwende dann 13.8. <u>QED</u>

<u>13.11</u>: F sei frei. Setze $E := V$ und wende 13.8 an. <u>QED</u>

<u>13.12</u>: E sei ein Erzeugendensystem. Setze $F := \emptyset$ und wende 13.8 an. <u>QED</u>

<u>13.13</u>: Setze $E := F \cup B$. E ist ein Erzeugendensystem, da bereits B ein Erzeugendensystem ist. Es ist $F \subset F \cup B$, und F ist frei nach Voraussetzung. Nach 13.8 gibt es dann eine Basis C von V_K mit: $F \subset C \subset F \cup B$. Dann läßt sich C schreiben als $C = F \cup B'$ mit $B' \subset B$, $F \cap B' = \emptyset$. Man wähle nämlich $B' := C \setminus F$. <u>QED</u>

<u>13.14</u>:Seien B,B' Basissysteme von V_K. Nach 13.13' folgt aus
B Basis und B' frei : $|B| \geq |B'|$,
B' Basis und B frei : $|B'| \geq |B|$. <u>QED</u>

<u>Definition 13.15</u> : Sei V_K ein endlich erzeugter Vektorraum über K.
Dann bezeichnen wir als die <u>Dimension von V_K</u>, in Zeichen: $\dim_K V$, oder oft einfach: dim V, die natürliche Zahl

$$\dim_K V := |B| ,$$

wo B eine beliebige Basis von V_K ist.

Man beachte, daß diese Definition erst vermöge 13.14 sinnvoll ist. Statt von endlich erzeugten Vektorräumen sprechen wir im folgenden auch von endlich-dimensionalen Vektorräumen. Vektorräume, für die wir den Dimensionsbegriff nicht erklärt haben, nicht endlich erzeugte also, bezeichnen wir oft auch als unendlich-dimensionale Vektorräume ($\dim_K V = \infty$).
Wir bemerken, daß man sogar für nicht notwendig endlich erzeugte Vektorräume einen Dimensionsbegriff formulieren kann, der im Spezialfall der endlich erzeugten Vektorräume mit dem unseren übereinstimmt. Diese "allgemeinen" Dimensionen sind aber für nicht endlich erzeugte Vektorräume keine natürlichen Zahlen mehr, sondern sog. Kardinalzahlen. Wir können darauf nicht weiter eingehen und verweisen auf das Buch von Bourbaki: "Algèbre lineaire".

Korollar 13.16 : Sei U ein Unterraum von V_K. Jede Basis von U_K läßt sich zu einer Basis von V_K erweitern.

Beweis: Sei B eine Basis von U_K. B ist frei in V_K und läßt sich nach 13.11 zu einer Basis von V_K erweitern. QED

Korollar 13.17 : V_K sei endlich-dimensional. Dann gilt:
Jeder Unterraum U von V_K ist endlich-dimensional, und es gilt: $\dim_K U \leq \dim_K V$.

Beweis: U hat eine Basis B, die sich zu einer Basis B' von V_K erweitern läßt. Da V_K endlich-dimensional ist, ist B' und damit auch B endlich, und es gilt $|B| \leq |B'|$. QED

Korollar 13.18 : Sei V_K ein n-dimensionaler K-Vektorraum.
Dann gilt:

(i) Jedes Erzeugendensystem von V_K enthält mindestens n Vektoren.

(ii) n freie, paarweis verschiedene Vektoren sind eine Basis von V_K.

(iii) Jede freie Menge von V_K hat höchstens n Vektoren.

(iv) Ein Erzeugendensystem mit n Vektoren ist eine Basis von V_K.

Beweise:

(i) Jedes Erzeugendensystem enthält eine Basis, die nach Voraussetzung n Elemente hat.

(ii) n freie Vektoren sind eine maximale Zahl freier Vektoren nach 13.13'. Nach 13.5 bilden sie daher eine Basis von V_K.

(iii) Jede freie Menge läßt sich zu einer Basis ergänzen, die nach Voraussetzung n Elemente enthält.

(iv) Ein Erzeugendensystem mit n Vektoren ist ein minimales Erzeugendensystem nach (i); nach 13.5 eine Basis von V_K. QED

Beispiele:

a) Sei $\dim_K V = n$. Um zu zeigen, daß n paarweis verschiedene Vektoren $x_1,..,x_n \in V_K$ eine Basis von V_K sind, reicht es zu zeigen:

$\{x_1,..,x_n\}$ ist ein Erzeugendensystem oder
$\{x_1,..,x_n\}$ ist frei

b) Es ist $\dim(K^n) = n$, da die kanonische Basis genau n Elemente hat. Auf p.190, Beisp.d) hatten wir gezeigt, daß eine gewisse dreielementige Teilmenge von $\mathbb{R}^3$ eine Basis von $\mathbb{R}^3$ ist. Nach a) hätte es gereicht zu zeigen: Die Teilmenge ist frei.

c) Gegeben sei ein Erzeugendensystem $E = \{e_1,..,e_n\}$ eines Vektorraums V_K. Man bestimme eine Basis von V_K, die in E enthalten ist! Im endlichen Fall haben wir das Zornsche Lemma in 6.3,(iii) bewiesen. Der Beweis dazu liefert uns auch ein Konstruktionsverfahren zur Bestimmung eines maximalen freien Teils von E:

Man wähle eine beliebige freie Teilmenge $F = \{e_1,..,e_m\}$ $(m \leq n)$ von E (nach eventueller Umnumerierung der e_i).

Dann untersuche man die Mengen

$$F_i^{(1)} := F \cup \{e_i\} \quad \text{für jedes i mit } m+1 \leq i \leq n$$

auf lineare Unabhängigkeit. Wenn alle $F_i^{(1)}$ l.a. sind, so ist F ein maximaler freier Teil von E und damit Basis.

Sei im andern Fall i_1 eine Zahl, so daß $F_{i_1}^{(1)}$ frei ist (oBdA. können wir für i_1 die kleinste Zahl k wählen, so daß $F_k^{(1)}$ frei ist).

Dann untersuche man die Mengen

$$F_i^{(2)} := F_{i_1}^{(1)} \cup \{e_i\} \quad \text{für jedes i mit } i_1+1 \leq i \leq n$$

auf lineare Unabhängigkeit.

Nach endlich vielen Schritten führt dieser Prozeß schließlich zu einer Basis $F_{i_k}^{(k)}$.

d) Wir rechnen ein konkretes Beispiel zu c):

In $\mathbb{R}^4$ betrachte man den Unterraum

$U := [e_1,e_2,e_3,e_4,e_5]$ mit

$e_1 := (0,1,2,3)$

$e_2 := (0,-1,-2,-3)$

$e_3 := (0,0,0,1)$

$e_4 := (1,0,-1,2)$

$e_5 := (2,1,0,1)$

Frei ist die Teilmenge $\{e_1,e_3\}$, da e_1 kein skalares Vielfaches von e_3 ist und umgekehrt. Es ist $e_2 = -e_1$. Daher ist $\{e_1,e_3,e_2\}$ l.a. Wir untersuchen $\{e_1,e_3,e_4\}$.

Sei $\lambda_1 e_1 + \lambda_3 e_3 + \lambda_4 e_4 = 0$

$$\Rightarrow \begin{cases} (a) \; \lambda_4 = 0 \\ (b) \; \lambda_1 = 0 \\ (c) \; 2\lambda_1 - \lambda_4 = 0 \\ (d) \; 3\lambda_1 + \lambda_3 + 2\lambda_4 = 0 \end{cases} \quad \Rightarrow (\lambda_1, \lambda_3, \lambda_4) = 0$$

$\Rightarrow \{e_1,e_3,e_4\}$ l.u.

Zu untersuchen bleibt $\{e_1,e_3,e_4,e_5\}$.
Wendet man das übliche Verfahren an, so ergibt sich :
$\{e_1,e_3,e_4,e_5\}$ ist l.a.
$\Rightarrow \{e_1,e_3,e_4\}$ ist Basis von U. Es ist $\dim_{\mathbb{R}} U = 3$.

e) Gegeben sei eine freie Menge $F = \{f_1,..,f_m\}$ und eine Basis $B = \{b_1,..,b_n\}$ von V_K.
Man ergänze F mit Hilfe von Elementen $b_i \in B$ zu einer Basis von V_K!
Lösung: Man wende das unter c) beschriebene Verfahren auf das Erzeugendensystem $F \cup B$ an und auf die freie Menge $F \subset F \cup B$.

Korollar 13.19 : Sei U ein Unterraum von V_K mit $\dim U = \dim V < \infty$.
Dann ist $U = V$.

Beweis: Wähle eine Basis B in U. B ist frei in V und wegen $\dim U = \dim V$ nach 13.18,(ii) eine Basis von V.
$\Rightarrow U = [B] = V$ QED

Beispiel: Jeder eindimensionale Vektorraum V_K enthält nur die beiden trivialen Unterräume 0 und V; denn sei U ein Unterraum von V. Dann ist $\dim U = 0$ ($\Rightarrow U = 0$) oder $\dim U = 1$ ($\Rightarrow U = V$ nach 13.19).

Mit Hilfe unserer jetzigen Kenntnisse können wir 13.3 erweitern:

Satz 13.2o : V_K , W_K seien Vektorräume über K. $F \subset V$ sei frei und $\bar{f} : F \longrightarrow W_K$ eine Abbildung.
Dann gibt es eine lineare Abbildung
$f : V_K \longrightarrow W_K$,
die $\bar{f}$ fortsetzt, dh. für die gilt: $f|_F = \bar{f}$.
f ist genau dann durch $\bar{f}$ eindeutig bestimmt, wenn F eine Basis von V_K ist ; $(W_K \neq 0)$.

Beweis: Man ergänze F zu einer Basis B und definiere auf B eine Abbildung $\bar{\bar{f}}$ durch

$$\bar{\bar{f}}|_F := \bar{f} \quad \text{und} \quad \bar{\bar{f}}|_{B\setminus F} := 0 \text{ (Nullabbildung)} \tag{520}$$

(Man kann $\bar{\bar{f}}|_{B\setminus F}$ auch ganz beliebig definieren)

Nun wende man 13.3' an.-

Falls F eine Basis ist, hatten wir bereits in 13.3' festgestellt, daß f eindeutig bestimmt ist.

Sei nun $W_K \neq 0$ und F keine Basis. Dann ist F keine maximale freie Menge; dh. es gibt ein $x \in V_K$ mit $x \notin F$, so daß $F \cup \{x\}$ frei ist. Man ergänze $F \cup \{x\}$ zu einer Basis B von V_K und definiere

$$\bar{\bar{f}}_1 : B \longrightarrow W_K \quad \text{wie in (520)}$$

Dann definiere man eine Abbildung

$$\bar{\bar{f}}_2 : B \longrightarrow W_K \quad \text{durch}$$

$$\bar{\bar{f}}_2|_F := \bar{f} \quad , \quad \bar{\bar{f}}_2(x) := a \text{ mit } a \in W_K \text{ und } a \neq o \quad \text{, sowie}$$

$$\bar{\bar{f}}_2|_{(B\setminus(F\cup\{x\}))} := 0 \text{ (oder beliebig)}$$

Nach 13.3' gibt es dann Erweiterungen f_1, f_2 zu $\bar{\bar{f}}_1$ bzw. $\bar{\bar{f}}_2$. Diese linearen Abbildungen haben aber zumindest für das Element $x \in V_K$ verschiedene Werte. QED

Korollar 13.21 : Seien V_K , W_K Vektorräume über K. U sei ein Unterraum von V_K und

$$f : U_K \longrightarrow W_K$$

eine lineare Abbildung. Dann läßt sich f zu einer linearen Abbildung von V_K nach W_K erweitern; dh. es gibt eine lineare Abbildung

$$g : V_K \longrightarrow W_K$$

mit $g|_U = f$.

Beweis: Sei B eine Basis von U. Dann ist B frei in V_K. Nach 13.2o erweitere man $f|_B$ zu einer linearen Abbildung g von V_K nach W_K. Es ist $g|_U = f$, da $g|_B = f|_B$ (vgl. 11.7) QED

<u>Definition 13.22</u> : V,W seien K-Vektorräume. Eine lineare Abbildung $f : V \longrightarrow W$ heißt

(i) <u>Retraktion</u> , wenn es eine lineare Abbildung $g : W \longrightarrow V$ gibt mit

$$f \circ g = id_W \qquad (530)$$

(ii) <u>Koretraktion</u>, wenn es eine lineare Abbildung $h : W \longrightarrow V$ gibt mit

$$h \circ f = id_V \qquad (540)$$

<u>Es folgt unmittelbar:</u>

1) Jede Abbildung g, die (530) erfüllt, ist selbst eine Koretraktion; jede Abbildung h , die (540) erfüllt, ist selbst eine Retraktion (g,h linear).

2) Jede Retraktion ist surjektiv, jede Koretraktion injektiv. Das haben wir bereits allgemeiner in 1.6 bewiesen.

3) Jeder Isomorphismus f ist eine Retraktion und eine Koretraktion. Man kann nämlich $g := h := f^{-1}$ setzen.

4) Die Umkehrung von 3) gilt ebenfalls: Eine lineare Abbildung f, die eine Retraktion und eine Koretraktion ist, ist ein Isomorphismus. In diesem Fall sind g,h eindeutig bestimmt, und es gilt: $g = h = f^{-1}$.

<u>Bew.</u>: Die erste Behauptung ist klar. Sei nun $f \circ g = id_W$.
$\Rightarrow g = f^{-1} \circ f \circ g = f^{-1} \circ id_W = f^{-1}$. Entsprechend für h. <u>qed</u>

Als offene Frage bleibt bestehen:
Ist jede injektive lineare Abbildung bereits eine Koretraktion und jede surjektive lineare Abbildung bereits eine Retraktion? Wir wollen zunächst an einem Beispiel zeigen, daß diese Fragen für Moduln zu verneinen sind:
Sei $V := a\mathbb{Z}$, $W := \mathbb{Z}$; V,W aufgefaßt als $\mathbb{Z}$-Moduln.
Die Inklusion $i : a\mathbb{Z} \longrightarrow \mathbb{Z}$ ist eine injektive lineare Abbildung, da die $a\mathbb{Z}$ Untermoduln von $\mathbb{Z}$ sind.
Gäbe es eine lineare Abbildung $h : \mathbb{Z} \longrightarrow a\mathbb{Z}$ mit

$h \circ i = id_{a\mathbb{Z}}$, so gilt speziell:

$a = id_{a\mathbb{Z}}(a) = h(i(a)) = h(a)$.

Andererseits ist $h(1) = ap$ für ein $p \in \mathbb{Z}$.

$\Rightarrow h(a) = a.h(1)$, da h linear.

$= a^2 p. \Rightarrow a = a^2 p \Rightarrow 1 = ap \Rightarrow a = 1$.

Falls wir also in unserem Beispiel $a \neq 1$ wählen, erhalten wir einen Widerspruch.

i ist also linear und injektiv, aber keine Koretraktion.-

Als Gegenbeispiel für eine surjektive lineare Abbildung, die keine Retraktion ist, betrachten wir die kanonische $\mathbb{Z}$-lineare Abbildung $\pi : \mathbb{Z} \longrightarrow \mathbb{Z}_a$ ($a \neq o$, $a \neq 1$).

Um zu zeigen, daß π eine Retraktion ist, benötigten wir eine lineare Abbildung $g : \mathbb{Z}_a \longrightarrow \mathbb{Z}$ mit $\pi \circ g = id_{\mathbb{Z}_a}$.

Sei $g : \mathbb{Z}_a \longrightarrow \mathbb{Z}$ linear. Dann ist $g(1) = z$ für ein $z \in \mathbb{Z}$.

$\Rightarrow o = g(o) = g(a.1) = a.g(1) = az. \Rightarrow z = o$

Die einzige lineare Abbildung von $\mathbb{Z}_a$ nach $\mathbb{Z}$ ist also die Nullabbildung. Es ist aber $\pi \circ 0 = 0 \neq id_{\mathbb{Z}_a}$.

Um so wichtiger ist, daß für Vektorräume die Aussagen gelten. Der wesentliche Grund ist, daß Vektorräume im Gegensatz zu Moduln immer Basissysteme besitzen:

Satz 13.23 : V,W seien K-Vektorräume. $f : V \longrightarrow W$ sei linear.

Dann gilt:

(i) f injektiv $\Longleftrightarrow$ f Koretraktion

(ii) f surjektiv $\Longleftrightarrow$ f Retraktion

Beweis: Die Beweisteile " $\Leftarrow$ " sind bereits in Satz 1.6 bewiesen.

(i) Sei f injektiv. B sei eine Basis von V. Dann ist f(B) frei in W nach 13.2 . Die Abbildung

$$f|_B : B \longrightarrow f(B)$$

ist bijektiv. Sie besitzt also eine inverse Abbildung $\bar{g} := (f|_B)^{-1}$.

Da f(B) frei ist, läßt sich nach 13.2o die Abbildung $\bar{g}$ zu einer linearen Abbildung $g : W \longrightarrow V$ fortsetzen.

Wir behaupten: $g \circ f = id_V$.

Dazu reicht es nach 11.7 zu zeigen, daß $(g \circ f)|_B = id|_B$ ist.

Sei also $b \in B$. Dann gilt:

$(g \circ f)(b) = g(f(b)) = (f|_B)^{-1} f(b) = b$ <u>qed</u>

(ii) Sei f surjektiv. B sei eine Basis von V. Dann ist f(B) ein Erzeugendensystem von W nach 13.2. Die Menge f(B) enthält daher eine Basis B' von W. Wir definieren eine Abbildung

$\bar{g} : B' \longrightarrow V$, wie folgt:

Für jedes $b' \in B'$ wählen wir aus der Menge $f^{-1}(b')$ ein beliebiges $x_{b'}$ aus. Man beachte, daß dies möglich ist, da wegen $b' \in f(B)$ diese Mengen nicht leer sind. Dann sei

$$\bigwedge_{b' \in B'} \bar{g}(b') := x_{b'} .$$

$\bar{g}$ läßt sich nach 13.2o zu einer linearen Abbildung $g : W \longrightarrow V$ erweitern.

Wir behaupten: $f \circ g = id_W$.

Dazu reicht es nach 11.7 zu zeigen, daß $(f \circ g)|_{B'} = id|_{B'}$ ist.

Sei also $b' \in B'$. Dann gilt:

$(f \circ g)(b') = f(\bar{g}(b')) = f(x_{b'}) = b'$ nach Wahl von $x_{b'}$ <u>QED</u>

Wir haben in 13.2 und 13.3 festgestellt, daß sich lineare Abbildungen vollständig charakterisieren lassen durch ihr Verhalten auf Basissystemen.

Betrachten wir nun <u>endlich-dimensionale</u> Vektorräume! Da also lineare Abbildungen dann durch Abbildungen zwischen <u>endlichen</u> Mengen (nämlich den Basissystemen) charakterisiert sind, können wir einige Resultate von § 1 über endliche Mengen und Abbildungen zwischen ihnen auf lineare Abbildungen zwischen endlich-dimensionalen Vektorräumen anwenden.

Betrachten wir zunächst Satz 1.10. Er liefert für endlich-dimensionale Vektorräume das folgende Resultat, das vollkommen analog zu 1.10 ist:

Satz 13.24 : V,W seien endlich-dimensionale K-Vektorräume.
$f : V \longrightarrow W$ sei K-linear. Dann gilt:

(i) f injektiv $\Rightarrow$ $\dim V \leq \dim W$
Die Gleichheit gilt genau dann, wenn f sogar bijektiv ist.

(ii) f surjektiv $\Rightarrow$ $\dim V \geq \dim W$
Die Gleichheit gilt genau dann, wenn f sogar bijektiv ist.

Beweis: Sei B Basis von V, C Basis von W.
(i) f injektiv $\Rightarrow$ $f|_B$ injektiv und f(B) frei, nach 13.2.
$\Rightarrow \dim W \geq |f(B)| = |B| = \dim V$, nach 1.1o (550)
Falls f bijektiv ist, ist f(B) sogar eine Basis von W, und es gilt daher: $\dim V = \dim W$.
Falls umgekehrt $\dim V = \dim W$ und f injektiv ist, folgt aus (550): $|f(B)| = \dim W \Rightarrow$ f(B) ist Basis nach 13.18
$\Rightarrow$ f ist bijektiv nach 13.2

(ii) f surjektiv $\Rightarrow$ f(B) ist Erzeugendensystem von W nach 13.2
$\Rightarrow \dim W \leq |f(B)| \leq |B| = \dim V$, nach 1.1o
Falls zusätzlich gilt: $\dim V = \dim W$, folgt: $|f(B)| = |B|$ und $|f(B)| = \dim W$. $\Rightarrow$ f(B) ist Basis nach 13.18, und $f|_B$ ist injektiv nach 1.1o. $\Rightarrow$ f ist bijektiv nach 13.2 QED

Korollar 13.25 : Jeder lineare Endomorphismus eines endlich-dimensionalen Vektorraums ist ganau dann bijektiv, wenn er injektiv oder surjektiv ist. QED

Man beachte, daß diese Aussage falsch ist für unendlich-dimensionale Vektorräume. Als Beispiel betrachten wir den Vektorraum $K^{(\mathbb{N})}$ mit der kanonischen Basis $E = \{e_i \mid i \in \mathbb{N}\}$. Wir definieren einen Endomorphismus von $K^{(\mathbb{N})}$, indem wir ihn auf E definieren:
Sei $\bigwedge_{i \in \mathbb{N}} f(e_i) := e_{i+1}$.
Es ist $f(E) \subset E$; daher ist f(E) frei. Ferner ist $f|_E$ injektiv.
Nach 13.2 folgt: f ist injektiv. f ist aber nicht surjektiv,

da $e_o \notin f(E)$, daher auch $e_o \notin [f(E)]$, mithin $f(E)$ kein Erzeugendensystem ist (vgl. 13.2).
Der Leser überlege sich ein entsprechendes Beispiel für einen linearen Endomorphismus, der zwar surjektiv, aber nicht injektiv ist.

Bevor wir zum nächsten Satz kommen, wollen wir eine nützliche Konvention treffen:
Wir hatten bisher die Begriffe Erzeugendensystem, freie Menge, Basis für Teilmengen definiert. Wir wollen diese Definitionen auch auf Familien anwenden können:
Eine Familie $e = (e_i)_{i\in I}$ in V_K heißt <u>Erzeugendensystem</u> von V_K, wenn die Menge $\{e_i \mid i \in I\}$ ein Erzeugendensystem von V_K ist.
$e = (e_i)_{i\in I}$ heißt <u>frei</u> in V_K, wenn die Familie e <u>injektiv</u> ist und die Menge $\{e_i \mid i \in I\}$ frei in V_K ist.
e heißt <u>Basis</u> von V_K, wenn e ein freies Erzeugendensystem von V_K ist.

Wir wollen nun versuchen, einen Überblick über die Struktur aller Vektorräume über K zu bekommen. Wir sahen schon am Ende von Beisp. d),p.168, daß jeder eindimensionale Vektorraum über K zum Vektorraum K isomorph ist. Diese Aussage läßt sich nun sofort verallgemeinern:

<u>Satz 13.26</u> : V_K sei ein beliebiger K-Vektorraum und $f = (f_i)_{i\in I}$ eine Familie in V_K. Sei b_f die folgende K-lineare Abbildung:

$$b_f : K^{(I)} \longrightarrow V_K, \quad (\alpha_i)_{i\in I} \longmapsto \sum_{i\in I} \alpha_i f_i$$

(Dabei ist die rechte Summe über alle $i \in I$ zu bilden, für die $\alpha_i \neq o$ ist. Das sind aber nur endlich viele, so daß die Summe sinnvoll ist)
<u>Es gilt</u>:

Es gilt:

(i) f frei in V_K $\Longleftrightarrow$ b_f injektiv

(ii) f ist Erzeugendensystem in V_K $\Longleftrightarrow$ b_f surjektiv

(iii) f ist Basis von V_K $\Longleftrightarrow$ b_f bijektiv

Beweis: Wir bestimmen zunächst, wie b_f auf der kanonischen Basis $E = \{e_i \mid i \in I\}$ von $K^{(I)}$ operiert:

$b_f(e_i) = \sum_{j \in I} e_{ij} f_j = f_i$ nach der Definition von E (vgl.p.190)

Daher ist b_f die lineare Fortsetzung der Abbildung

$e_i \longmapsto f_i$ (für alle $i \in I$),

nach (500), und ist daher eine lineare Abbildung.

Die Aussagen (i),(ii),(iii) folgen jetzt unmittelbar aus 13.2 QED

Theorem 13.27 : (Klassifikation von endlich erzeugten Vektorräumen)

Alle endlich erzeugten Vektorräume über K sind bis auf Isomorphie eindeutig durch ihre Dimension charakterisiert.

Das bedeutet:

Wenn U,V endlich erzeugte K-Vektorräume sind, dann gilt:

$\dim U = \dim V \Longleftrightarrow U \cong V$.-

Insbesondere ist $V \cong K^{\dim V}$ für jeden solchen Vektorraum.

Beweis: Falls $U \cong V$, so wird eine Basis von U durch den Isomorphismus auf eine Basis von V mit gleichviel Elementen abgebildet.

Daher ist $\dim U = \dim V$.-

Sei nun $\dim U = \dim V =: n$. Wir wählen eine Basis $c = (c_1,..,c_n)$ von U. Nach 13.26 folgt: $b_c : K^n \longrightarrow U$ ist ein Isomorphismus. Entsprechend gilt:

Sei $d = (d_1,..,d_n)$ eine Basis von V. Dann ist $b_d : K^n \longrightarrow V$ ein Isomorphismus.

Daher ist $(b_d) \circ (b_c)^{-1}$ ein Isomorphismus von U auf V. QED

Die Isomorphie zwischen einem endlich erzeugten K-Vektorraum V und $K^{\dim V}$ werden wir im Laufe dieses Buches oft benutzen. Sie erlaubt uns, bei bestimmten Problemen im Raum V, dieses Problem in $K^{\dim V}$ zu lösen (was meistens einfacher ist) und das Ergebnis vermöge des Isomorphismus wieder in V zu interpretieren. Wir werden später dafür genügend viele Beispiele kennenlernen (siehe §§ 19,20,21).

Man beachte , daß <u>nicht</u> gilt:
Jeder endlich erzeugte Modul über R ist isomorph zu einem R-Modul R^n für geeignetes n.
<u>Beispiel</u>: $2.\mathbb{Z}_4$ ist ein Untermodul des Ringes $\mathbb{Z}_4$.
$2.\mathbb{Z}_4$ hat genau zwei Elemente und kann nicht zu einem Raum $(\mathbb{Z}_4)^n$ mit 4^n Elementen isomorph sein.

Zum Abschluß dieses § en wollen wir einige Aussagen über <u>endliche</u> Vektorräume machen. Die endlichen Vektorräume sind offenbar genau die endlich-dimensionalen Vektorräume über endlichen Körpern.
Genauer gilt: Jeder n-dimensionale Vektorraum über einem Körper mit q Elementen hat genau q^n Elemente. (560)
<u>Bew.</u>: $V \cong K^{\dim V}$, und $K^{\dim V}$ hat genau q^n Elemente. <u>qed</u>
Wir wollen untersuchen, welche Werte für q möglich sind.
Sei K ein Körper mit q Elementen. Die Charakteristik von K sei p (vgl.Def.7.6). Wir hatten früher schon bemerkt, daß p eine Primzahl ist. Wiederholen wir den Beweis kurz:
Angenommen p wäre keine Primzahl; dann gibt es natürliche Zahlen m,n mit $1 < m,n < p$, so daß $m.n = p$. Dann ist $o = p.1 = (m.1)(n.1)$. Da $m.1 \neq o$ nach Definition von p, folgt: $n.1 = o$. Das ist ein Widerspruch, da p die kleinste natürliche Zahl ($\neq o$) sein sollte, für die $p.1 = o$ ist. <u>qed</u>
In K ist als Untergruppe $\mathbb{Z}.1$ enthalten.
<u>Beh.</u>: $\mathbb{Z}.1$ ist körperisomorph zu $\mathbb{Z}_p$

Bew.: Jedem $r \in \mathbb{Z}_p$ ordne man $r.1 \in \mathbb{Z}.1 \subset K$ zu. Der Leser verifiziere, daß diese Abbildung ein Ringhomomorphismus $\neq 0$ ist, dessen Bild $\mathbb{Z}.1$ ist. Nach 7.8 folgt die Behauptung. qed

Für jeden Körper der Charakteristik $p \neq o$ ist also $\mathbb{Z}.1$ ein Unterkörper von K, der zu $\mathbb{Z}_p$ isomorph ist. Der Unterkörper $\mathbb{Z}.1$ von K heißt auch Primkörper von K. Wir bezeichnen ihn auch mit P(K).
Der Leser zeige als Übung: P(K) ist der kleinste Unterkörper von K. P(K) ist der Durchschnitt aller Unterkörper von K. *)

Nach Beisp. c),p.138 ist K ein Vektorraum über P(K).
Damit erhalten wir zusammenfassend den folgenden Satz:

Satz 13.28 : (i) Jeder endliche Körper hat p^n Elemente, wo p eine Primzahl ($\geqslant 2$) ist. Genauer gilt:
$p = \mathrm{Char}(K)$ und $n = \dim_{P(K)} K$, wo P(K) der Primkörper von K ist.

(ii) Sei V_K ein endlicher Vektorraum über K. Dann ist K ein endlicher Körper und V_K endlichdimensional.
Es gilt:

$$|V_K| = p^{n.m} ,$$

mit $p = \mathrm{Char}(K)$, $n = \dim_{P(K)} K$, $m = \dim_K V$,
wo P(K) der Primkörper von K ist. QED

Wir interessieren uns nun für die Anzahl der Basissysteme in einem n-dimensionalen Vektorraum über einem Körper K mit q Elementen. Allgemeiner bestimmen wir zunächst die Anzahl t_k^n von freien k-Tupeln in einem n-dimensionalen Vektorraum V über einem Körper K mit q Elementen.

Beh.: $$t_k^n = \prod_{i=o}^{k-1} (q^n - q^i)$$

Bew.: Vollständige Induktion nach k. Sei im folgenden $\mathfrak{F}_k(V)$ die Menge aller freien k-Tupel in V.
Induktionsanfang für k = 1: Dann ist $\mathfrak{F}_1(V) = V \setminus \{o\}$

*) Man beachte, daß diese Überlegungen auch für nicht notwendig endliche Körper der Charakteristik $p \neq o$ gelten.

$\Rightarrow t_1^n = q^n - 1$ nach 13.28.-

Sei t_k^n bereits bestimmt. Wir bestimmen t_{k+1}^n.

Sei $(f_1,..,f_{k+1}) \in \mathfrak{F}_{k+1}(V)$.

$\Rightarrow (f_1,..,f_k) \in \mathfrak{F}_k(V)$ und $f_{k+1} \notin [f_1,..,f_k]$.

Falls umgekehrt ein $(f_1,..,f_k) \in \mathfrak{F}_k(V)$ gegeben ist und ein $f_{k+1} \notin [f_1,..,f_k]$, so ist nach 13.7 $(f_1,..,f_k,f_{k+1}) \in \mathfrak{F}_{k+1}(V)$.

$[f_1,..,f_k]$ ist ein k-dimensionaler Unterraum von V; er hat nach 13.28 genau q^k Elemente. V selbst hat q^n Elemente. Daher gibt es $q^n - q^k$ Elemente $x \in V$ mit $x \notin [f_1,..,f_k]$. Diese Zahl ist unabhängig von der speziellen Wahl der $f_1,..,f_k$.

Nach der obigen Überlegung gilt daher:

$$t_{k+1}^n = (q^n - q^k).t_k^n$$

Nach Induktionsannahme folgt:

$$t_{k+1}^n = (q^n - q^k).\prod_{i=o}^{k-1}(q^n-q^i) = \prod_{i=o}^{k}(q^n-q^i)$$ <u>qed</u>

Speziell gilt also:

$$t_n^n = \prod_{i=o}^{n-1}(q^n-q^i)$$

Nach 13.18 ist t_n^n die Anzahl der n-Tupel in V, die eine Basis von V_K sind.

Wir bestimmen nun noch die Anzahl der n-elementigen <u>Mengen</u> in V, die eine Basis von V_K sind.

Jedes $(f_1,..,f_n) \in \mathfrak{F}_n(V)$ bestimmt eine Basis $\{f_1,..,f_n\}$.

Genau die Tupel $(f_{\sigma(1)},..,f_{\sigma(n)}) \in \mathfrak{F}_n(V)$ mit $\sigma \in S_n$ bestimmen offenbar dieselbe Basismenge. Nach 1.12 folgt:

In V gibt es genau

$\frac{t_n^n}{n!}$ verschiedene n-elementige Teilmengen von V, die eine Basis von V_K sind. <u>qed</u>

Zuletzt fragen wir noch nach der Anzahl der k-dimensionalen Unterräume von V_K ($\dim_K V = n$). Wir behalten die Bezeichnungen von eben bei.

Jedes $f \in \mathfrak{F}_k(V)$ definiert genau einen k-dimensionalen Unterraum von V, nämlich $[f_1,..,f_k]$.

Sei g ein anderes Element von $\mathfrak{F}_k(V)$. Es gilt $[g_1,..,g_k] = [f_1,..,f_k]$ genau dann, wenn $g \in \mathfrak{F}_k([f_1,..,f_k])$.

Da $|\mathfrak{F}_k([f_1,..,f_k])| = t_k^k$ ist, bestimmen also t_k^k Elemente $g \in \mathfrak{F}_k(V)$ denselben k-dimensionalen Unterraum von V.

Da aber jeder k-dimensionale Unterraum von V sich auf diese Weise erhalten läßt, folgt:

Die Anzahl der k-dimensionalen Unterräume von V ist gegeben durch

$$\frac{t_k^n}{t_k^k} = \prod_{i=o}^{k-1} \frac{q^n - q^i}{q^k - q^i}$$

Nachträglich können wir in all diese Formeln noch den Fall k=o aufnehmen, wenn wir vereinbaren, daß "leere" Produkte immer gleich 1 sein sollen.

Zusammenfassend erhalten wir:

Satz 13.29 : Sei V ein n-dimensionaler Vektorraum über einem Körper K mit q Elementen (Beachte: $q = p^m$, wo p eine Primzahl ist, nach 13.28). Dann gilt:

(i) V_K hat genau $\prod_{i=o}^{n-1}(q^n-q^i)$ n-Tupel von Vektoren aus V, die eine Basis von V_K sind.

(ii) V_K hat genau $\frac{1}{n!} \cdot \prod_{i=o}^{n-1}(q^n-q^i)$ n-elementige Teilmengen, die eine Basis von V_K sind.

(iii) V_K hat genau $\prod_{i=o}^{k-1} \frac{q^n - q^i}{q^k - q^i}$ k-dimensionale Unterräume.

QED

Korollar 13.30 : Sei V ein n-dimensionaler Vektorraum über einem endlichen Körper. Dann gilt für jedes k mit $o \leq k \leq n$: V hat genauso viele k-dimensionale Unterräume wie (n-k)-dimensionale.

Beweis: Wir zeigen, daß $\prod_{i=o}^{k-1} \frac{q^n - q^i}{q^k - q^i} = \prod_{i=o}^{n-k-1} \frac{q^n - q^i}{q^{n-k} - q^i}$.

Sei oBdA. $k \leq n-k$. Dann gilt:

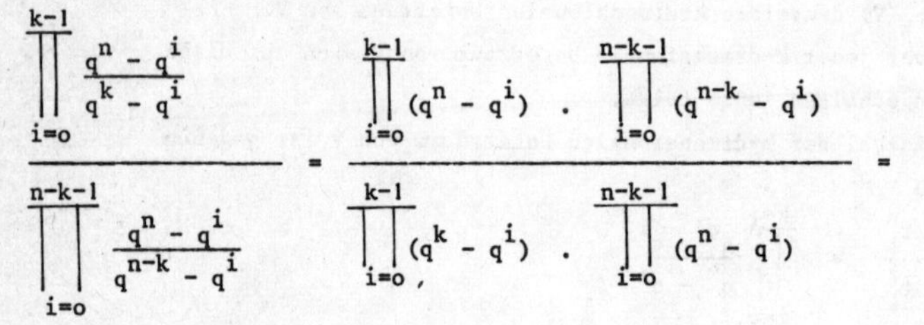

$$\frac{\prod_{i=o}^{k-1} \frac{q^n - q^i}{q^k - q^i}}{\prod_{i=o}^{n-k-1} \frac{q^n - q^i}{q^{n-k} - q^i}} = \frac{\prod_{i=o}^{k-1} (q^n - q^i) \cdot \prod_{i=o}^{n-k-1} (q^{n-k} - q^i)}{\prod_{i=o}^{k-1} (q^k - q^i) \cdot \prod_{i=o}^{n-k-1} (q^n - q^i)} =$$

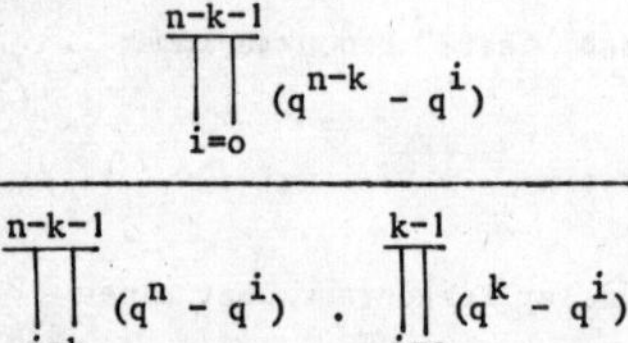

$$= \frac{\prod_{i=o}^{n-k-1} (q^{n-k} - q^i)}{\prod_{i=k}^{n-k-1} (q^n - q^i) \cdot \prod_{i=o}^{k-1} (q^k - q^i)}$$ durch Kürzen.

Wir formen jetzt nur den Nenner weiter um: Nenner =

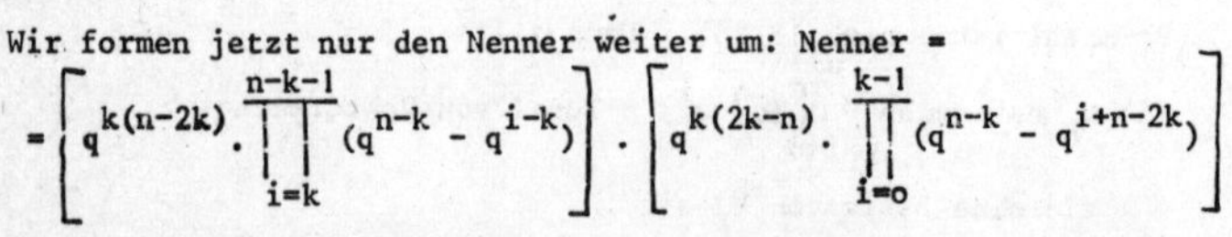

$$= \left[q^{k(n-2k)} \cdot \prod_{i=k}^{n-k-1} (q^{n-k} - q^{i-k}) \right] \cdot \left[q^{k(2k-n)} \cdot \prod_{i=o}^{k-1} (q^{n-k} - q^{i+n-2k}) \right]$$

Die Terme $q^{k(n-2k)}$ und $q^{k(2k-n)}$ heben sich gegenseitig weg. Der Nenner läßt sich dann durch Umbenennung der Indizes schreiben als:

$$\prod_{i=o}^{n-2k-1} (q^{n-k} - q^i) \cdot \prod_{i=n-2k}^{n-k-1} (q^{n-k} - q^i) = \prod_{i=o}^{n-k-1} (q^{n-k} - q^i)$$

Das ist aber der Zähler des Bruches, so daß der Bruch gleich 1 wird. Damit ist die Behauptung bewiesen. QED

Wir bemerken noch, daß wir später in allgemeinerem Zusammenhang auf die Aussage von Kor. 13.30 zurückkommen werden.
Wir werden sehen, daß es bei beliebigen endlich-dimensionalen Vektorräumen (K also nicht notwendig endlich) eine bijektive Abbildung zwischen der Menge der k-dimensionalen Unterräume von V_K und der Menge der (n-k)-dimensionalen Unterräume von V_K gibt ($n = \dim_K V$).
Kor. 13.3o erweist sich damit als Spezialfall einer allgemeineren Aussage.

§ 14 : Direkte Produkte und direkte Summen

Für einen Körper K hatten wir in § 8 und § 13 die K-Vektorräume K^I und $K^{(I)}$ für eine beliebige Menge I definiert. Wir wollen diese Definition verallgemeinern.

Sei $(V_i)_{i\in I}$ eine Familie von K-Vektorräumen. Dann können wir das cartesische Produkt dieser Familie betrachten (vgl. Def. 2.3). Wir erinnern daran, daß galt:

$$\bigtimes_{i\in I} V_i = \left\{ (v_i)_{i\in I} \;\middle|\; \bigwedge_{i\in I} v_i \in V_i \right\} \qquad (570)$$

Die Elemente von $\bigtimes_{i\in I} V_i$ sind also Familien von Vektoren, deren i-te Komponente jeweils aus V_i ist.

Als Spezialfall haben wir den Raum K^I. In diesem Fall sind nämlich alle V_i gleich K.

Betrachten wir die Definition der Vektorraum-Struktur auf K^I (vgl. 8.3), so stellen wir fest, daß sich diese Definition unmittelbar verallgemeinern läßt. Den Beweis des folgenden Satzes überlassen wir dem Leser. Man braucht nur zu kontrollieren, daß sich die entsprechenden Beweisteile von 8.3 übertragen lassen:

Satz 14.1 : Sei $(V_i)_{i\in I}$ eine Familie von K-Vektorräumen. Dann läßt sich auf dem cartesischen Produkt $\bigtimes_{i\in I} V_i$ dieser Familie die Struktur eines K-Vektorraums einführen durch die folgende Definition:

$$(v_i)_{i\in I} + (w_i)_{i\in I} := (v_i + w_i)_{i\in I} \qquad (580)$$

$$\alpha.(v_i)_{i\in I} := (\alpha v_i)_{i\in I} \quad , \alpha \in K \qquad (590)$$

QED

Man addiert und multipliziert mit einem Skalar also "komponentenweise".

Das Nullelement in diesem Vektorraum (das wir wie üblich einfach mit "0" bezeichnen) ist die Nullfamilie, das ist die Familie, bei der für jedes $i \in I$ die i-te Komponente der Nullvektor von V_i ist.

Zu einem $(v_i)_{i \in I}$ ist das additiv Inverse gegeben durch die Familie $(-v_i)_{i \in I}$.

Man beachte, daß die Verknüpfungszeichen "+" und "." auf den rechten Seiten der Gleichungen (580),(590) verschiedene Bedeutungen haben. Bei der i-ten Komponente bezeichnen sie die Vektoraddition und die Multiplikation mit einem Skalar im Vektorraum V_i.

Führen wir einige Standardbezeichnungen ein:

Die Menge $\bigtimes_{i \in I} V_i$, versehen mit der obigen Vektorraumstruktur, bezeichnen wir mit $\prod_{i \in I} V_i$, und nennen diesen Vektorraum das <u>direkte Produkt der Familie von Vektorräumen</u> $(V_i)_{i \in I}$.

Falls I endlich ist, etwa $I = [1,n] \subset \mathbb{N}^*$, schreiben wir auch: $V_1 \pi \ldots \pi V_n$. Daneben behalten wir in diesem Fall auch die alte Bezeichnung $V_1 \times \ldots \times V_n$ bei.

Falls $(V_i)_{i \in I}$ eine konstante Familie ist, etwa $V_i = V$ für alle i, verwenden wir die bereits früher für den Spezialfall V = K eingeführte Bezeichnung V^I.

In Beisp.c),p.189 hatten wir den Vektorraum $K^{(I)}$ definiert. Auch diese Definition läßt sich sofort verallgemeinern:

Sei $(V_i)_{i \in I}$ eine Familie von K-Vektorräumen. Dann bezeichnen wir mit $\coprod_{i \in I} V_i$ den Unterraum von $\prod_{i \in I} V_i$, der wie folgt definiert ist:

$$(v_i)_{i \in I} \in \coprod_{i \in I} V_i \;:\Longleftrightarrow\; v_i = o \text{ für fast alle } i \in I \text{ (vgl.p.190)}$$

Der Leser zeige, daß dies tatsächlich ein Unterraum von $\prod_{i\in I} V_i$

ist. Den K-Vektorraum $\coprod_{i\in I} V_i$ bezeichnen wir als die

<u>direkte Summe der Familie von Vektorräumen</u> $(V_i)_{i\in I}$.

Falls I endlich ist, etwa $I = [1,n] \subset \mathbb{N}^*$, so schreiben wir auch $V_1 \amalg \ldots \amalg V_n$.

Falls $(V_i)_{i\in I}$ konstant ist, etwa $V_i = V$ für alle $i \in I$, so verwenden wir, wie früher für V = K, die Bezeichnung $V^{(I)}$.

Offensichtlich gilt:

<u>Korollar 14.2</u> : Sei $(V_i)_{i\in I}$ eine Familie von K-Vektorräumen.

Dann gilt:

$$\prod_{i\in I} V_i = \coprod_{i\in I} V_i \iff \text{I ist endlich}$$ <u>QED</u>

<u>Satz 14.3</u> : I , J seien Indexmengen. Sei $f: I \longrightarrow J$ eine bijektive Abbildung. Sei $(V_i)_{i\in I}$ eine Familie von K-Vektorräumen. Sei $(V_j)_{j\in J}$ die folgende Familie von K-Vektorräumen:

$$\bigwedge_{j\in J} V_j := V_{f^{-1}(j)}$$

Dann gilt:

$$\prod_{i\in I} V_i \cong \prod_{j\in J} V_j \qquad (600)$$

$$\coprod_{i\in I} V_i \cong \coprod_{j\in J} V_j \qquad (610)$$

<u>Korollar 14.4</u> : Sei σ eine Permutation der Indexmenge I.

Dann gilt für jede Familie $(V_i)_{i\in I}$ von K-Vektorräumen

$$\prod_{i\in I} V_i \cong \prod_{i\in I} V_{\sigma(i)} \qquad (620)$$

$$\coprod_{i\in I} V_i \cong \coprod_{i\in I} V_{\sigma(i)} \qquad (630)$$

<u>Korollar 14.5</u> : I , J seien Indexmengen. Sei $f : I \longrightarrow J$ eine bijektive Abbildung. Sei V ein K-Vektorraum. Dann ist

$$V^I \cong V^J \tag{640}$$

$$V^{(I)} \cong V^{(J)} \tag{650}$$

(vgl. den Spezialfall Beisp. p.193)

<u>Beweise der Korollare</u>:

Kor.14.4 folgt aus Satz 14.3, indem man I = J setzt und $f := \sigma^{-1}$.

QED

Kor.14.5 folgt aus Satz 14.3, indem man für $(V_i)_{i\in I}$ die konstante Familie $(V)_{i\in I}$ wählt.

QED

<u>Beweis von Satz 14.3</u> :

Sei $(v_i)_{i\in I} \in \prod_{i\in I} V_i$. Wir geben eine Abbildung g auf $\prod_{j\in J} V_{f^{-1}(j)}$ an durch

$$g : (v_i)_{i\in I} \longmapsto (v_{f^{-1}(j)})_{j\in J}$$

g ist ein Isomorphismus. Der Leser führe die Einzelheiten des Beweises aus.

Ferner gilt offensichtlich: $g(\coprod_{i\in I} V_i) = \coprod_{j\in J} V_{f^{-1}(j)}$,

so daß auch (610) gilt.

QED

Korollar 14.4 besagt anschaulich: In einer direkten Summe oder einem direkten Produkt kommt es bis auf Isomorphie nicht auf die Reihenfolge der einzelnen Glieder an.

Etwa im endlichen Fall ist $V_1 \amalg V_2 \amalg \ldots\ldots \amalg V_n \cong V_{\sigma(1)} \amalg V_{\sigma(2)} \amalg \ldots$
$\ldots \amalg V_{\sigma(n)}$ für jedes $\sigma \in S_n$

Noch konkreter: Für jedes Tripel von Vektorräumen über K: (V_1, V_2, V_3) gilt z.B.:

$V_1 \amalg V_2 \amalg V_3 \cong V_1 \amalg V_3 \amalg V_2 \cong V_2 \amalg V_1 \amalg V_3 \cong V_2 \amalg V_3 \amalg V_1 \cong$
$\cong V_3 \amalg V_1 \amalg V_2 \cong V_3 \amalg V_2 \amalg V_1$.

Satz 14.6 : Sei $(V_i)_{i\in I}$ eine Familie von K-Vektorräumen.

Dann gilt:

(i) Die kanonischen Projektionen

$$p_j : \prod_{i\in I} V_i \longrightarrow V_j$$

$$(v_i)_{i\in I} \longmapsto v_j$$

sowie

$$p_j \Big|_{\coprod_{i\in I} V_i} : \coprod_{i\in I} V_i \longrightarrow V_j$$

$$(v_i)_{i\in I} \longmapsto v_j$$

sind für jedes $j\in I$ lineare Abbildungen.

Wir bezeichnen der Einfachheit halber die Abbildung $p_j\big|_{\coprod_{i\in I} V_i}$ ebenfalls mit p_j (für jedes $j\in I$)

(ii) Die kanonischen Injektionen

$$q_j : V_j \longrightarrow \coprod_{i\in I} V_i$$

$$v_j \longmapsto (v_i)_{i\in I} \quad \text{mit } v_i = o \text{ für } i \neq j$$

sind lineare Abbildungen für jedes $j\in I$.

(iii) Es gilt für alle $i,j\in I$

$$p_i \circ q_j = \begin{cases} 0 & \text{für } i \neq j \\ id_{V_i} & \text{für } i = j \end{cases}$$

Insbesondere ist also q_j injektiv und $p_j : \prod_{i\in I} V_i \longrightarrow V_j$ und $p_j : \coprod_{i\in I} V_i \longrightarrow V_j$ surjektiv.

(für alle $j\in I$)

Beweis: Elementare Rechnung mit linearen Abbildungen. Bleibt als Rechenübung dem Leser überlassen. QED

Seien $(V_i)_{i\in I}$ und $(W_i)_{i\in I}$ zwei Familien von Vektorräumen. $(f_i)_{i\in I}$ sei eine Familie von linearen Abbildungen

$$f_i : V_i \longrightarrow W_i \quad \text{(für jedes } i \in I)$$

Dann definieren wir zwei Abbildungen

$$\prod_{i\in I} f_i : \prod_{i\in I} V_i \longrightarrow \prod_{i\in I} W_i \tag{660}$$

$$(x_i)_{i\in I} \longmapsto (f_i(x_i))_{i\in I}$$

$$\coprod_{i\in I} f_i : \coprod_{i\in I} V_i \longrightarrow \coprod_{i\in I} W_i \tag{670}$$

$$\coprod_{i\in I} f_i := \prod_{i\in I} f_i \,\Big|\, \coprod_{i\in I} V_i$$

Der Beweis, daß durch (660),(670) lineare Abbildungen definiert werden, bleibt als leichte Übung dem Leser überlassen.

Es gilt für die Familie $(id_{V_i})_{i\in I}$:

$$\prod_{i\in I} (id_{V_i}) = id_{\left(\prod_{i\in I} V_i\right)} \tag{680}$$

$$\coprod_{i\in I} (id_{V_i}) = id_{\left(\coprod_{i\in I} V_i\right)} \tag{690}$$

Wenn $(U_i)_{i\in I}$, $(V_i)_{i\in I}$, $(W_i)_{i\in I}$ Familien von K-Vektorräumen sind und $(f_i)_{i\in I}$, $(g_i)_{i\in I}$ Familien von linearen Abbildungen mit

$$f_i : U_i \longrightarrow V_i$$

$$g_i : V_i \longrightarrow W_i \quad \text{(für jedes } i \in I),$$

dann gilt: (700)

$$\prod_{i\in I} (g_i \circ f_i) = \left(\prod_{i\in I} g_i\right) \circ \left(\prod_{i\in I} f_i\right) : \prod_{i\in I} U_i \longrightarrow \prod_{i\in I} W_i$$

$$\coprod_{i\in I} (g_i \circ f_i) = \left(\coprod_{i\in I} g_i\right) \circ \left(\coprod_{i\in I} f_i\right) : \coprod_{i\in I} U_i \longrightarrow \coprod_{i\in I} W_i$$

(710)

Die Beweise von (680),(690),(700),(710) seien dem Leser als leichte Übung überlassen.

Die Eigenschaften (680),(700) sind für die "Vorschrift" $\prod_{i \in I}$, die jeder Familie $(V_i)_{i \in I}$ von K-Vektorräumen den K-Vektorraum $\prod_{i \in I} V_i$ zuordnet und jeder Familie $(f_i)_{i \in I}$ von K-linearen Abbildungen die K-lineare Abbildung $\prod_{i \in I} f_i$ zuordnet, typisch.

Wir werden (680),(700) später in allgemeinerer Form wieder aufgreifen und solche "Vorschriften", die (680),(700) erfüllen, Funktoren nennen (vgl. Band 3).

Der Leser beweise zum Abschluß den folgenden einfachen Satz:

Satz 14.7 : Sei I eine Indexmenge. $(V_i)_{i \in I}$ und $(W_i)_{i \in I}$ seien Familien von K-Vektorräumen. Ferner sei für jedes $i \in I$

$$f_i : V_i \longrightarrow W_i$$

ein Isomorphismus.

Dann ist

$$\prod_{i \in I} V_i \cong \prod_{i \in I} W_i \quad \text{unter der Abbildung} \quad \prod_{i \in I} f_i$$

$$\coprod_{i \in I} V_i \cong \coprod_{i \in I} W_i \quad \text{unter der Abbildung} \quad \coprod_{i \in I} f_i$$

Insbesondere gilt also:

Wenn $f : V \longrightarrow W$ ein K-Isomorphismus von Vektorräumen ist, so ist

$$V^I \cong W^I \quad \text{unter } f^I := \prod_{i \in I} f$$

$$V^{(I)} \cong W^{(I)} \quad \text{unter } f^{(I)} := \coprod_{i \in I} f$$

QED

§ 15 : Lineare Unabhängigkeit und direkte Summen von Unterräumen

Wir werden uns im folgenden mit direkten Summen von Familien von Unterräumen (eines fest vorgegebenen K-Vektorraums V_K) beschäftigen. Sei im folgenden V ein K-Vektorraum.

Sei $(U_i)_{i\in I}$ eine Familie von Unterräumen von V. Wenn wir ein $(u_i)_{i\in I} \in \coprod_{i\in I} U_i$ gegeben haben, können wir die Summe

$$\sum_{i\in I} u_i \in V \tag{720}$$

betrachten. Der Leser beachte, daß diese Schreibweise sinnvoll ist, auch wenn I unendlich ist, denn da $(u_i)_{i\in I} \in \coprod_{i\in I} U_i$, sind nur endlich viele der u_i von Null verschieden, so daß die Summe (720) tatsächlich nur über endlich viele Indizes zu erstrecken ist (vgl. Bem. in Satz 13.26). Ohne daß wir im folgenden immer wieder darauf hinweisen, wollen wir also in diesem Fall stets die Schreibweise (720) verwenden. Wenn eine Summe der Form (720) auftritt, sei stets vorausgesetzt, daß $(u_i)_{i\in I} \in \coprod_{i\in I} U_i$; dh. also, daß nur endlich viele u_i von Null verschieden sind.

Wir bemerken, daß sich durch diese Konvention auch die Schreibweisen beim Begriff der linearen Unabhängigkeit von Vektoren vereinfacht. Nach 13.26 bedeutet nämlich:

$(f_i)_{i\in I}$ ist eine l.u. Familie in V_K $\Leftrightarrow$

$\Leftrightarrow$ b_f injektiv $\Leftrightarrow$ ker $b_f = 0$

$\Leftrightarrow$ für jedes $(\alpha_i)_{i\in I} \in K^{(I)}$ gilt: $\sum_{i\in I} \alpha_i f_i = 0 \Rightarrow \bigwedge_{i\in I} \alpha_i = o$.

Nach 13.26 und unserer Konvention von p.32 ist dies auch auf Mengen anwendbar: M l.u. in V_K bedeutet :

Für jedes $(\alpha_m)_{m\in M} \in K^{(M)}$ gilt: $\sum_{m\in M} \alpha_m . m = o \Rightarrow \bigwedge_{m\in M} \alpha_m = o$

Entsprechend bedeutet: M ist l.a.:
Es gibt ein $(\alpha_m)_{m\in M} \in K^{(M)}$ mit $(\alpha_m)_{m\in M} \neq 0$, so daß $\sum_{m\in M} \alpha_m . m = 0$.
Diese Schreibweisen sind also wesentlich handlicher als die bisherigen und sollen im folgenden verwendet werden.

Satz 15.1: Sei $(U_i)_{i\in I}$ eine Familie von Unterräumen von V_K. Die Abbildung S sei definiert durch

$$S : \coprod_{i\in I} U_i \longrightarrow V$$

$$(u_i)_{i\in I} \longmapsto \sum_{i\in I} u_i$$

Dann gilt:
(i) S ist linear
(ii) $\operatorname{im} S = \sum_{i\in I} U_i$

Beweis: (i) Wir schreiben statt $(u_i)_{i\in I}$ $(\in \coprod_{i\in I} U_i)$ einfach (u_i) .-
Dann gilt für (u_i), $(v_i) \in \coprod_{i\in I} U_i$, $\alpha \in K$:

$$S((u_i) + (v_i)) = S((u_i + v_i)) = \sum_{i\in I} (u_i + v_i) = \sum_{i\in I} u_i + \sum_{i\in I} v_i$$

$$= S((u_i)) + S((v_i)).-$$

$$S(\alpha (u_i)) = S((\alpha u_i)) = \sum_{i\in I} (\alpha u_i) = \alpha \sum_{i\in I} u_i = \alpha . S((u_i)) .-$$

(ii) Es ist $S((u_i)) \in \sum_{i\in I} U_i$; denn $S((u_i)) = \sum_{i\in I} u_i$ läßt sich schreiben als $\sum_{k=1}^{m} u_{i_k}$, indem man alle (bis auf mindestens eins) der u_i aus der Summe wegläßt, die gleich Null sind.
Wenn umgekehrt ein Element $\sum_{k=1}^{m} u_{i_k} \in \sum_{i\in I} U_i$ gegeben ist, so läßt es sich als Bild eines Elements $(v_i) \in \coprod_{i\in I} U_i$ unter der Abbildung S schreiben. Man definiere nämlich

$$v_i := \begin{cases} u_{i_k} & \text{für } i = i_k \\ o & \text{sonst} \end{cases}$$

QED

Bemerkung: Wir sehen, daß wir mit unserer neuen Schreibweise für Summen, die Summe $\sum_{i \in I} U_i$ von Unterräumen U_i von V_K auch einfach definieren können als

$$\sum_{i \in I} U_i := \left\{ \sum_{i \in I} u_i \;\middle|\; (u_i)_{i \in I} \in \coprod_{i \in I} U_i \right\} \tag{730}$$

Im Beweis von eben haben wir gezeigt, daß diese Definition äquivalent mit unserer ursprünglichen Definition ist (6.13) .

Die Abbildung S ist i.a. nicht injektiv, was wir an einem einfachen Beispiel sehen können:

Sei $U \subset V_K$, U ein Unterraum und von 0 verschieden. Betrachten wir $S : U \amalg U \longrightarrow V$. Sei $u \neq o \wedge u \in U$. Dann ist $S((u,-u)) = 0$, aber $(u,-u) \neq (o,o)$. S ist also nicht injektiv.

Definition 15.2 : Eine Familie $(U_i)_{i \in I}$ von Unterräumen von V_K heißt linear unabhängig ("l.u."), wenn gilt:

Die Abbildung

$$S : \coprod_{i \in I} U_i \longrightarrow V$$

ist injektiv.

Die Familie heißt linear abhängig ("l.a."), wenn sie nicht linear unabhängig ist.

(Wir bemerken, daß gemäß unserer allgemeinen Übereinkunft aus § 2 damit auch definiert ist, wann eine Menge von Unterräumen von V_K linear unabhängig bzw. linear abhängig heißt)

Falls $(U_i)_{i \in I}$ l.u. ist, ist S ein Isomorphismus von $\coprod_{i \in I} U_i$ auf $\sum_{i \in I} U_i$. Oft wird wegen dieser Isomorphie die Summe $\sum_{i \in I} U_i$ ebenfalls direkte Summe genannt, was manchmal zu Verwirrungen führen kann. Da aber diese Bezeichnungsweise allgemein üblich ist, wollen wir sie ebenfalls verwenden:

Definition 15.3 : Falls eine Familie $(U_i)_{i\in I}$ von Unterräumen von V_K l.u. ist, bezeichnet man die Summe der Unterräume $\sum_{i\in I} U_i$ auch als (innere)direkte Summe der U_i und schreibt statt $\sum_{i\in I} U_i$ auch $\bigoplus_{i\in I} U_i$.

Machen wir uns das noch einmal klar:
Gegeben sei eine Familie $(U_i)_{i\in I}$ von Unterräumen U_i von V_K.
Dann können wir immer die Summe $\sum_{i\in I} U_i$ dieser Unterräume betrachten. Falls die Familie $(U_i)_{i\in I}$ linear unabhängig ist, so schreibt man statt $\sum_{i\in I} U_i$ auch $\bigoplus_{i\in I} U_i$.

Falls also $\bigoplus_{i\in I} U_i$ überhaupt definiert ist, gilt also immer:

$$\bigoplus_{i\in I} U_i = \sum_{i\in I} U_i$$

$\bigoplus_{i\in I} U_i$ heißt innere direkte Summe der U_i. Falls Verwechslungen zu befürchten sind, wollen wir die direkte Summe $\coprod_{i\in I} U_i$ auch als die äußere direkte Summe der U_i bezeichnen.
Im allgemeinen wird aber stets aus dem Zusammenhang hervorgehen, welche Art von direkter Summe gemeint ist.

Falls $\bigoplus_{i\in I} U_i$ überhaupt definiert ist (falls also $(U_i)_{i\in I}$ l.u. ist), gilt nach 15.1 stets:

$$\coprod_{i\in I} U_i \cong \bigoplus_{i\in I} U_i \quad \text{unter der kanonischen Abbildung S.}$$

Falls die Indexmenge I endlich ist, etwa $I = [1,n] \subset \mathbb{N}$, schreibt man statt $\bigoplus_{i\in [1,n]} U_i$ auch $\bigoplus_{i=1}^{n} U_i$ oder $U_1 \oplus \ldots . \oplus U_n$.

Lediglich Umformulierungen der ursprünglichen Definition 15.2 sind die folgenden beiden Korollare:

Korollar 15.4 : Eine Familie $(U_i)_{i\in I}$ von Unterräumen von V_K ist genau dann linear unabhängig, wenn gilt:

$$\bigwedge_{(u_i)\in \coprod U_i} \left(\sum_{i\in I} u_i = 0 \Rightarrow \bigwedge_i u_i = o \right)$$

Korollar 15.5 : Eine Familie $(U_i)_{i\in I}$ von Unterräumen von V_K ist genau dann linear unabhängig, wenn gilt:

Jedes Element aus $\sum_{i\in I} U_i$ läßt sich auf genau eine Weise als $\sum_{i\in I} u_i$ schreiben; dh. wenn gilt:

$$\sum_{i\in I} u_i = \sum_{i\in I} u_i' \text{ , so folgt: } \bigwedge_i u_i = u_i' \quad (u_i, u_i' \in U_i)$$

Beweise: 15.5 ist eine explizite Beschreibung der Tatsache, daß die Abbildung S injektiv ist. QED

15.4 ist eine explizite Beschreibung der Tatsache, daß ker S = 0 . QED

Den Begriff der linearen Unabhängigkeit von Unterräumen hatten wir für Familien von Unterräumen definiert. Allerdings ergibt sich sofort aus der Definition, daß es dabei auf die "Reihenfolge" der Unterräume nicht ankommt.

Zum Beispiel: (U_1,U_2,U_3) sei ein Tripel von linear unabhängigen Unterräumen. Dann ist auch etwa (U_2,U_3,U_1) oder (U_3,U_1,U_2) l.u., so daß wir oft auch einfach sagen:

"Die Unterräume U_1,U_2,U_3 sind l.u."

Präzisieren wir diese Aussage im allgemeinen Fall:

Sei I eine Indexmenge und f eine Permutation von I. Sei $(U_i)_{i\in I}$ eine Familie von Unterräumen von V_K. Dann gilt:

$$(U_i)_{i\in I} \text{ l.u.} \Longrightarrow (U_{f(i)})_{i\in I} \text{ l.u.}$$

Bew.: Wir betrachten die kanonische Abbildung

$$S : \coprod_{i\in I} U_i \longrightarrow V \qquad (740)$$

$$(u_i)_{i\in I} \longmapsto \sum_{i\in I} u_i$$

Wir haben eine entsprechende Abbildung für $\coprod_{i\in I} U_{f(i)}$, die wir hier mit S_f bezeichnen wollen, um sie nicht mit der Abbildung (740) zu verwechseln :

$$S_f : \coprod_{i\in I} U_{f(i)} \longrightarrow V$$

$$(u_{f(i)})_{i\in I} \longmapsto \sum_{i\in I} u_{f(i)}$$

Da die Vektoraddition kommutativ ist, gilt: $\sum_{i\in I} u_i = \sum_{i\in I} u_{f(i)}$.

Daher gilt: $S = S_f \circ g$, wo $g : \coprod_{i\in I} U_i \longrightarrow \coprod_{i\in I} U_{f(i)}$

der kanonische Isomorphismus von 14.4 ist.

$\Rightarrow S_f = S\circ g^{-1}$. Da S injektiv ist nach Voraussetzung und g^{-1} bijektiv ist, ist auch S_f injektiv. qed

Illustrieren wir die allgemeine Definition an einem Spezialfall:

Satz 15.6 : Zwei Unterräume U,U' von V_K sind l.u. genau dann, wenn $U\cap U' = 0$.

Beweis: Seien U,U' l.u. und $x\in U\cap U'$. $\Rightarrow x\in U \wedge x\in U'$. Da U' ein Unterraum ist, ist auch $-x\in U'$. Außerdem gilt: $x + (-x) = o$.
Da U,U' l.u. sind, folgt : $x = o$.-
Wenn umgekehrt U,U' l.a. sind, so gibt es ein Paar $(u,u')\in U \amalg U'$ mit $(u,u') \neq (o,o)$, aber $u + u' = 0$.
$\Rightarrow u = -u' \Rightarrow u\in U'$, da U' ein Unterraum ist und $u'\in U'$ ist.
Da auch $u\in U$ ist, folgt: $u\in U\cap U'$. Ferner ist $u \neq o$; dh. es gilt: $U\cap U' \neq 0$. QED

Wenn wir zwei Unterräume U,U' von V_K haben, so ist also die (innere) direkte Summe $U \oplus U'$ genau dann definiert, wenn $U \cap U' = 0$.

<u>Korollar 15.7</u> : Wenn eine Familie $(U_i)_{i \in I}$ von Unterräumen von V_K linear unabhängig ist; dann gilt:

$U_k \cap U_j = 0$ für $k \neq j$. $(k,j \in I)$

Insbesondere ist also $(U_i)_{i \in I}$ stets eine <u>injektive</u> Familie.

<u>Beweis</u>: Den Beweis können wir im wesentlichen von 15.6 übernehmen:

Sei $k \neq j$ und $x \in U_k \cap U_j$. Dann sei $(u_i) \in \coprod_{i \in I} U_i$ definiert durch

$$u_i := \begin{cases} x \text{ für } i = k \\ -x \text{ für } i = j \\ o \text{ sonst} \end{cases}$$

Da $(U_i)_{i \in I}$ l.u. ist, folgt wegen $\sum_{i \in I} u_i = o$: $x = o$ <u>QED</u>

Die Umkehrung des Satzes gilt nicht, falls $|I|>2$. Dazu betrachten wir das folgende Gegenbeispiel:

x,y seien linear unabhängige Vektoren von V_K. Dann ist

$\{x , y , x+y\}$ l.a., und nach dem folgenden Satz ist dann auch

$\{[x] , [y] , [x+y]\}$ l.a.

Trotzdem gilt: $[x] \cap [y] = 0$

$[x] \cap [x+y] = 0$

$[y] \cap [x+y] = 0$.-

Untersuchen wir nun, wie der Begriff der linearen Unabhängigkeit von Unterräumen mit dem Begriff der linearen Unabhängigkeit von Vektoren zusammenhängt!

Bei Vektoren gilt: Der Nullvektor ist immer l.a.

Bei Unterräumen gilt: Der Nullraum ist stets l.u., wie sich sofort aus 15.4 ergibt.

Abgesehen von diesem pathologischen Fall stimmen die beiden Begriffe aber so "gut wie möglich" überein:

Satz 15.8 : Sei M eine Teilmenge von V_K mit $0 \notin M$. Dann gilt:
M l.u. $\Leftrightarrow$ Die Menge $\{[m] \mid m \in M\}$ von eindimensionalen Unterräumen von V_K ist l.u.

Beweis: Als Übung. QED

Wir untersuchen jetzt den Zusammenhang zwischen linearen Abbildungen und der linearen Unabhängigkeit von Unterräumen:

Satz 15.9 : $f : V_K \longrightarrow W_K$ sei linear. $(U_i)_{i\in I}$ sei eine Familie von Unterräumen von V_K ; $(\tilde{U}_i)_{i\in I}$ sei eine Familie von Unterräumen von W_K. Dann gilt:

(i) f injektiv $\Rightarrow [(U_i)_{i\in I}$ l.a. $\Rightarrow (f(U_i))_{i\in I}$ l.a.$]$

(ii) f injektiv $\Rightarrow [(U_i)_{i\in I}$ l.u. $\Rightarrow (f(U_i))_{i\in I}$ l.u.$]$

(iii) f surjektiv $\Rightarrow [(\tilde{U}_i)_{i\in I}$ l.a. $\Rightarrow (f^{-1}(\tilde{U}_i))_{i\in I}$ l.a.$]$

(iv) f injektiv $\Rightarrow [(\tilde{U}_i)_{i\in I}$ l.u. $\Rightarrow (f^{-1}(\tilde{U}_i))_{i\in I}$ l.u.$]$

Beweis: Wir benutzen 15.4.

(iv) Sei $(\tilde{U}_i)_{i\in I}$ l.u. Sei $\sum_{i\in I} x_i = 0$ mit $(x_i) \in \coprod_{i\in I} f^{-1}(\tilde{U}_i)$
$\Rightarrow 0 = \sum_{i\in I} f(x_i)$. Da $(f(x_i))_{i\in I} \in \coprod_{i\in I} \tilde{U}_i$, folgt:
$\bigwedge_{i\in I} f(x_i) = o \Rightarrow \bigwedge_{i\in I} x_i = o$, da f injektiv

(i) Sei $(f(U_i))_{i\in I}$ l.u. $\Rightarrow (f^{-1}f(U_i))_{i\in I}$ l.u. nach (iv)
$\Rightarrow (U_i)_{i\in I}$ l.u., da $f^{-1}f(U_i) = U_i$ für jedes i wegen der Injektivität von f (vgl. 1.9)

(ii) Sei $(U_i)_{i\in I}$ l.u. Sei $\sum_{i\in I} f(x_i) = o$ mit $(x_i) \in \coprod_{i\in I} U_i$
$\Rightarrow f(\sum_{i\in I} x_i) = o \Rightarrow \sum_{i\in I} x_i = o$, da f injektiv
$\Rightarrow \bigwedge_{i\in I} x_i = o$, da $(U_i)_{i\in I}$ l.u. $\Rightarrow \bigwedge_{i\in I} f(x_i) = o$

(iii) Sei $(f^{-1}(\tilde{U}_i))_{i\in I}$ l.u. Sei $\sum_{i\in I} y_i = o$ mit $(y_i) \in \coprod_{i\in I} \tilde{U}_i$

Da f surjektiv ist, gibt es für jedes i ein $x_i \in V$, so daß $y_i = f(x_i)$.

$\Rightarrow\ 0 = \sum_{i \in I} f(x_i) = f(\sum_{i \in I} x_i)$. Dann ist

$z := \sum_{i \in I} x_i \in \ker f$.

$\Rightarrow (\sum_{i \in I} x_i) - z = o$. Wir schreiben diese Gleichung als

$\sum_{i \in I \setminus \{i_1\}} x_i + (x_{i_1} - z) = o$ für ein $i_1 \in I$

Nun ist $x_i \in f^{-1}(\widetilde{U}_i)$, da $f(x_i) = y_i \in \widetilde{U}_i$ (für alle $i \neq i_1$)

und $x_{i_1} - z \in f^{-1}(\widetilde{U}_{i_1})$, da $f(x_{i_1} - z) = f(x_{i_1}) - f(z) = f(x_{i_1}) =$

$= y_{i_1} \in \widetilde{U}_{i_1}$ wegen $z \in \ker f$.

Da $(f^{-1}(\widetilde{U}_i))_{i \in I}$ l.u. ist , folgt: $\bigwedge_{i \in I \setminus \{i_1\}} x_i = o \ \wedge\ x_{i_1} - z = o$

$\Rightarrow \bigwedge_{i \in I \setminus \{i_1\}} y_i = f(x_i) = o \ \wedge\ y_{i_1} = f(x_{i_1} - z) = o$

$\Rightarrow \bigwedge_{i \in I} y_i = o$

QED

Wir geben Gegenbeispiele dafür, daß (i) bis (iv) ohne Zusatzvoraussetzungen an f nicht richtig sind:

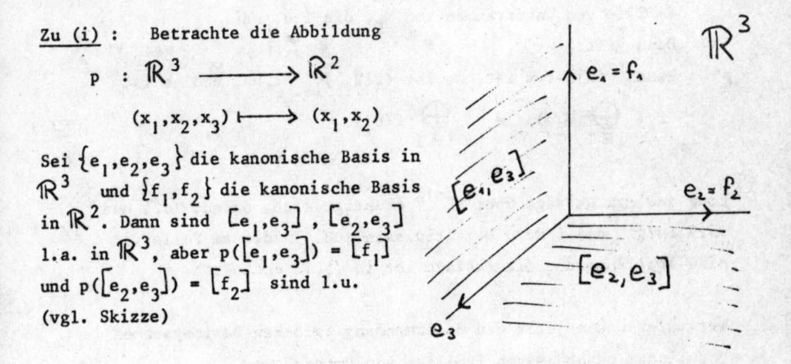

Zu (i) : Betrachte die Abbildung

$$p : \mathbb{R}^3 \longrightarrow \mathbb{R}^2$$

$$(x_1, x_2, x_3) \longmapsto (x_1, x_2)$$

Sei $\{e_1, e_2, e_3\}$ die kanonische Basis in $\mathbb{R}^3$ und $\{f_1, f_2\}$ die kanonische Basis in $\mathbb{R}^2$. Dann sind $[e_1, e_3]$, $[e_2, e_3]$ l.a. in $\mathbb{R}^3$, aber $p([e_1, e_3]) = [f_1]$ und $p([e_2, e_3]) = [f_2]$ sind l.u.
(vgl. Skizze)

Zu (ii) : (vgl. die Skizze)

$\mathbb{R}^2$ f_2 U_1 f_1 U_2

Wir wählen $V := \mathbb{R}^2$, $W := \mathbb{R}$.
Die Abbildung $p : \mathbb{R}^2 \longrightarrow \mathbb{R}$
sei die Projektion auf die erste Komponente. U_1, U_2 sind l.u., aber $p(U_1), p(U_2)$ sind l.a., da sie gleich sind.
(Exakter sei $U_1 := [f_1+f_2]$ und $U_2 := [f_1]$, wo $\{f_1,f_2\}$ die kanonische Basis von $\mathbb{R}^2$ ist)

Zu (iii) : Wir betrachten die Injektion

$$i : \mathbb{R}^2 \longrightarrow \mathbb{R}^3$$
$$(x_1,x_2) \longmapsto (x_1,x_2,o)$$

Die Unterräume $\widetilde{U}_1, \widetilde{U}_2$ von $\mathbb{R}^3$ seien gewählt wie in Gegenbeispiel (i). Sie sind l.a. , aber ihre Urbilder $[f_1],[f_2]$ sind l.u. in $\mathbb{R}^2$.
(vgl. Skizze zu (i))

Zu (iv) : Man kann Gegenbeispiel (i) direkt übernehmen.

Zusammen mit Satz 10.3 ergibt sich aus 15.9 :

Korollar 15.10 : $f : V_K \longrightarrow W_K$ sei linear. $(U_i)_{i\in I}$ sei eine Familie von Unterräumen von V_K, die l.u. sei.
Dann gilt:
Wenn f injektiv ist, so ist $(f(U_i))_{i\in I}$ l.u., und es ist

$$f\left(\bigoplus_{i\in I} U_i\right) = \bigoplus_{i\in I} f(U_i)$$

QED

Eine analoge Aussage über "f^{-1}" erübrigt sich, da aus lo.4 und 15.9 folgt, daß f dazu bijektiv sein muß. In diesem Falle ist f^{-1} eine Abbildung,und die Aussage ist in 15.lo enthalten.

Wir untersuchen jetzt den Zusammenhang zwischen Basissystemen und linear unabhängigen Familien von Unterräumen.

<u>Satz 15.11</u> : Sei F eine freie Menge von V_K.

$P(F) = \{F_i \mid i \in I\}$ sei eine Partition von F (vgl.5.4)

Dann gilt:

$$[F] = \bigoplus_{i \in I} [F_i]$$

<u>Beweis</u>: Da P(F) eine Partition von F ist, gilt: $F = \bigcup_{i \in I} F_i$

$\Rightarrow [F] = \left[\bigcup_{i \in I} F_i\right] = \sum_{i \in I} F_i$. Es bleibt zu zeigen, daß

$([F_i])_{i \in I}$ l.u. ist. Sei also $\sum_{i \in I} x_i \in \sum_{i \in I} [F_i]$ und $\sum_{i \in I} x_i = o$.

Für jedes $i \in I$ ist $x_i \in [F_i]$ und läßt sich daher schreiben als

$x_i = \sum_{f_{ij} \in F_i} \lambda_{ij} f_{ij}$, wo die f_{ij} paarweis verschieden sind.

Daher gilt: $\sum_{i \in I} \sum_{f_{ij} \in F_i} \lambda_{ij} f_{ij} = o$

Alle f_{ij} sind voneinander verschieden, da P(F) eine Partition ist.

Daher folgt:

$\bigwedge_{i,j} \lambda_{ij} = o$, da F frei ist. $\Rightarrow \bigwedge_i x_i = o$. <u>QED</u>

<u>Satz 15.12</u> : Sei $(U_i)_{i \in I}$ eine l.u. Familie von Unterräumen von V_K.

Sei jeweils F_i eine freie Teilmenge von U_i.

Dann gilt:

$\bigcup_{i \in I} F_i$ ist frei in V_K , und es ist $F_i \cap F_j = \emptyset$ für $i \neq j$.

<u>Beweis</u>: Die zweite Behauptung folgt aus 15.7.

Sei $\sum_{j=1}^{n} \lambda_j f_j = o$ mit $f_j \in \bigcup_{i \in I} F_i$ für alle j (750)

Da jedes f_j in genau einem der F_i liegt, können wir diese Summe in der Form

$\sum_{i \in I} x_i = 0$ mit $x_i = o$, <u>oder</u> $x_i = \sum_{k=1}^{m_i} \alpha_{ki} f_{ki}$ (für alle i aus einer endlichen Teilmenge $\tilde{I}$ von I)

schreiben, wobei $f_{ki} \in F_i$ für alle k,i und

$(\{\alpha_{ki} \mid 1 \leq k \leq m_i\})_{i \in \tilde{I}}$ eine Partition von $\{\lambda_j \mid 1 \leq j \leq n\}$ ist.

Da $(U_i)_{i \in I}$ l.u. ist, folgt:

$\sum_{k=1}^{m_i} \alpha_{ki} f_{ki} = o$ für jedes i; und da jedes F_i frei ist, folgt:

$\alpha_{ki} = o$ für alle i und k.

Das bedeutet, daß alle λ_j aus (750) gleich Null sind. QED

Korollar 15.13 : Sei $(U_i)_{i \in I}$ eine l.u. Familie von Unterräumen von V_K. Sei jeweils B_i eine Basis von U_i.
Dann gilt:
$\bigcup_{i \in I} B_i$ ist eine Basis von $\bigoplus_{i \in I} U_i$,
und es ist $B_i \cap B_j = \emptyset$ für $i \neq j$.

Beweis: Es ist $\left[\bigcup_{i \in I} B_i\right] = \sum_{i \in I} [B_i] = \sum_{i \in I} U_i = \bigoplus_{i \in I} U_i$.
Der Rest folgt aus 15.12. QED

Illustrieren wir diese Aussagen im endlichen Fall :

Zu Satz 15.11:

$\{x_1,..,x_n\}$ sei frei in V_K. Wenn wir beliebige Zahlen k_i $(1 \leq i \leq m)$ mit $1 < k_1 < k_2 < .... < k_m < n$ vorgeben, dann ist

$$[x_1,..,x_n] = [x_1,..,x_{k_1}] \oplus ... \oplus [x_{k_m+1},..,x_n]$$

Speziell für zwei Summanden:

$$[x_1,..,x_m,x_{m+1},..,x_n] = [x_1,..,x_m] \oplus [x_{m+1},...,x_n]$$

Zu Satz 15.13:

$U_1,..,U_n$ seien l.u. Unterräume von V_K.

$\{x_1,..,x_{k_1}\}$, $\{x_{k_1+1},..,x_{k_2}\}$, ... , $\{x_{k_{n-1}+1},...,x_{k_n}\}$

seien Basissysteme von beziehungsweise $U_1,U_2,..,U_n$.

Dann ist $\{x_1,..,x_{k_1},x_{k_1+1},.....,x_{k_n}\}$ eine Basis von

$U_1 \oplus .... \oplus U_n$ mit genau k_n Elementen.

Korollar 15.14 : $(U_i)_{i\in I}$ sei eine l.u. Familie von endlich-dimensionalen Unterräumen von V_K. Ferner sei I endlich.
Dann gilt:

$$\dim \bigoplus_{i\in I} U_i = \sum_{i\in I} \dim U_i$$

Beweis: $\dim \bigoplus_{i\in I} U_i = \left|\bigcup_{i\in I} B_i\right| = \sum_{i\in I} |B_i|$, da

$(B_i)_{i\in I}$ eine Partition von $\bigcup_{i\in I} B_i$ ist (vgl.5.5)

$= \sum_{i\in I} \dim U_i$ QED

Satz 15.15 : $(V_i)_{i\in I}$ sei eine Familie von K-Vektorräumen.
Für jedes $i\in I$ sei

$$q_i : V_i \longrightarrow \coprod_{i\in I} V_i$$

die i-te Injektion (vgl. 14.6).
Dann gilt:

$$\coprod_{i\in I} V_i = \bigoplus_{i\in I} q_i(V_i)$$

Beweis: Die $q_i(V_i)$ sind Unterräume von $\coprod_{i\in I} V_i$, da die q_i linear sind. Sei $(u_i) \in \coprod_{i\in I} V_i$. Dann ist

$(u_i) = \sum_{i\in I} q_i(u_i)$, und diese Darstellung ist offenbar eindeutig. Nach 15.5 ist damit alles bewiesen. QED

Satz 15.16 : $(V_i)_{i\in I}$ sei eine Familie von K-Vektorräumen. Für jedes $i\in I$ sei B_i eine Basis von V_i.
Dann ist $\bigcup_{i\in I} q_i(B_i)$ eine Basis von $\coprod_{i\in I} V_i$;
und es ist $q_i(B_i)\cap q_j(B_j) = \emptyset$ für $i \neq j$.

<u>Beweis:</u> Da B_i Basis von V_i ist und $q_i : V_i \longrightarrow q_i(V_i)$ ein Isomorphismus, ist $q_i(B_i)$ Basis von $q_i(V_i)$.
Der Rest folgt aus 15.15 und 15.13. <u>QED</u>

<u>Bemerkung</u>: Die in Satz 15.16 angegebene Basis von $\coprod_{i \in I} V_i$ heißt die <u>kanonische Basis</u> von $\coprod_{i \in I} V_i$ bzgl. der Familie $(B_i)_{i \in I}$ von Basissystemen der V_i.

Dies ist eine Verallgemeinerung der kanonischen Basis von $K^{(I)}$ (vgl.Beisp. c),p.189). Der Zusammenhang ist der folgende: $K^{(I)}$ ist ein Spezialfall einer direkten Summe $\coprod_{i \in I} V_i$, nämlich für die konstante Familie $(K)_{i \in I}$.
In K haben wir als kanonische Basis die Menge $\{1\}$. Nach dem Satz 15.16 ist dann $\bigcup_{i \in I} \{q_i(1)\}$ eine Basis von $K^{(I)}$.
Das Element $(v_j)_{j \in I} := q_i(1)$ ist dann nach der Definition der q_i gegeben durch:

$$v_j = \begin{cases} 0 & \text{für } i \neq j \\ 1 & \text{für } i = j \end{cases}$$

Das war unsere ursprüngliche Definition von Beisp.c),p.189.

Allgemeiner ist die folgende Familie eine Basis von $K^{(I)}$:

$$b = (b_i)_{i \in I} \qquad (b_i = (b_{ij})_{j \in I} \text{ für jedes } i \in I)$$

$$b_{ij} := \begin{cases} 0 \text{ für } i \neq j \\ x_i \text{ für } i = j \end{cases} ,$$

wobei die x_i beliebige Elemente von K^* sind (für jedes $i \in I$)
(Man beachte den Spezialfall K^n für $I = [1,n] \subset \mathbb{N}$).-

Bemerken wir noch, daß die in 15.16 angegebene Basis von $\coprod_{i \in I} V_i$ keine Basis von $\prod_{i \in I} V_i$ ist, falls I nicht endlich ist.
Wir konstruieren dazu ein Element in $\prod_{i \in I} V_i$, das sich nicht als Linearkombination dieser Basis darstellen läßt:

Aus jeder Basis B_i wählen wir ein Element b_i aus. (760)
Dann läßt sich $(b_i)_{i\in I}$ nicht als Linearkombination der Menge $\bigcup_{i\in I} q_i(B_i)$ darstellen.

Der Leser überlege sich in Analogie zu dem Beweis in Beisp.f), p.174/175 einen exakten Beweis.

Korollar 15.17 : $(V_i)_{i\in I}$ sei eine Familie von endlich-dimensionalen K-Vektorräumen über der endlichen Indexfamilie I. Dann gilt:

$$\dim \coprod_{i\in I} V_i = \sum_{i\in I} \dim V_i$$

Beweis: $\dim \coprod_{i\in I} V_i = \dim \bigoplus_{i\in I} q_i(V_i) = \sum_{i\in I} \dim q_i(V_i)$ nach 15.14.

$= \sum_{i\in I} \dim V_i$, da $q_i : V_i \longrightarrow q_i(V_i)$ Isomorphismen sind.

QED

Insbesondere gilt also für eine konstante Familie $(V)_{i\in I}$ (I endlich) :

$$\dim V^{(I)} = |I|.\dim V$$

§ 16 : Komplemente von Unterräumen

Definition 16.1 : Sei V_K ein K-Vektorraum, U ein Unterraum von V_K. Ein Unterraum W von V heißt Komplement von U (in V), wenn gilt:

$V = U \oplus W$ (dh. also : $V = U + W$ und $U \cap W = 0$)

Satz 16.2 : Jeder Unterraum U eines Vektorraums V hat ein Komplement.

Beweis: Die Fälle $U = 0$ und $U = V$ sind trivial.
Sei nun U ein nicht trivialer Unterraum von V. Wähle eine Basis B von U und ergänze B zu einer Basis $\bar{B}$ von V.
Sei $W := [\bar{B} \setminus B]$.
Dann ist $\{B , \bar{B} \setminus B\}$ offensichtlich eine Partition von $\bar{B}$.
Nach 15.11 folgt: $V = [\bar{B}] = [B] \oplus [\bar{B} \setminus B] = U \oplus W$ QED

Beispiel: Sei $x \in \mathbb{R}^2 \setminus \{0\}$. Ein Komplement von $[x]$ ist $[y]$, wo y ein beliebiger von x und 0 verschiedener Vektor aus $\mathbb{R}^2$ ist. (vgl. Skizze)

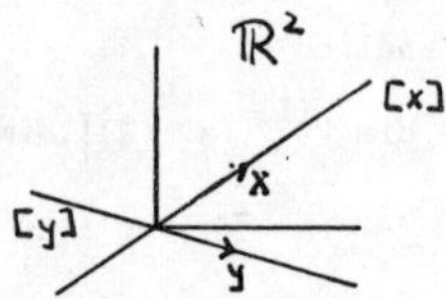

Das Komplement eines Unterraums ist i.a. nicht eindeutig bestimmt, da wir eine Basis eines fest vorgegebenen Unterraums auf verschiedene Weisen zu einer Basis des Gesamtraums erweitern können.

Wir greifen wieder auf ein Beispiel aus der Modul-Theorie zurück, um zu zeigen, daß die Aussage von 16.2 dort i.a. nicht gilt:

Im $\mathbb{Z}$-Modul $\mathbb{Z}$ hat jeder nicht triviale Untermodul kein Komplement in $\mathbb{Z}$. Seien nämlich $p\mathbb{Z}$, $q\mathbb{Z}$ zwei nicht triviale Untermoduln von $\mathbb{Z}$ (Jeder Untermodul ist ja von dieser Form). Dann ist $pq \in p\mathbb{Z} \cap q\mathbb{Z}$. Daher sind zwei nicht triviale Untermoduln von $\mathbb{Z}$ stets l.a. Folglich kann ein nicht trivialer Untermodul von $\mathbb{Z}$ kein Komplement haben.

Korollar 16.3 : V sei ein endlich-dimensionaler K-Vektorraum. U sei ein Unterraum von V. Dann gilt für jedes Komplement W von U :

$$\dim W + \dim U = \dim V$$

Beweis: Kor. 15.14 QED

Lemma 16.4 : $f : V_K \longrightarrow W_K$ sei linear. U sei ein beliebiges Komplement von ker f in V_K.

Dann gilt:

$$f|_U : U \longrightarrow \operatorname{im} f$$

ist ein Isomorphismus.

Beweis: $\ker (f|_U) = \ker f \cap U = 0$, da U ein Komplement von ker f ist (vgl. 10.6).

Zu zeigen bleibt, daß $f|_U$ surjektiv auf im f ist.

Sei also $y \in \operatorname{im} f$. $\Rightarrow \bigvee_{x \in V} f(x) = y$. Da $V = \ker f \oplus U$, gibt es $a \in \ker f$ und $b \in U$ mit $x = a + b$.

$\Rightarrow y = f(x) = f(a+b) = f(a) + f(b) = f(b)$, da $a \in \ker f$

$\Rightarrow b \in U$ ist Urbild zu $y \Rightarrow f|_U : U \longrightarrow \operatorname{im} f$ ist surjektiv QED

Aus diesem Lemma ergeben sich eine Reihe von interessanten Sätzen:

Satz 16.5 : U sei ein Unterraum von V_K. Dann ist jedes Komplement von U isomorph zu dem Quotientenraum V/U.

Beweis: W sei ein Komplement von U in V. Da U der Kern der linearen Abbildung $\pi_U : V \longrightarrow V/U$ ist, folgt nach dem Lemma:
$W \cong \mathrm{im}(\pi_U) = V/U$. QED

Korollar 16.6 : Sei U ein Unterraum von V_K. Eine Basis von V/U erhält man in der folgenden Weise:
Man wähle eine Basis B in U, erweitere B zu einer Basis $\bar{B}$ von V. Dann ist $\pi_U(\bar{B} \setminus B)$ Basis von V/U.
Umgekehrt erhält man jede Basis von V/U auf diese Weise.

Beweis: $\bar{B} \setminus B$ ist Basis eines Komplements W von U (vgl. 15.11).
Da $\pi_U|_W$ ein Isomorphismus ist, folgt die erste Behauptung.-
Sei umgekehrt eine Basis C von V/U gegeben. Wähle ein beliebiges Komplement W von U in V_K. Da die Abbildung $(\pi_U|_W)^{-1}$ ein Isomorphismus ist, ist $(\pi_U|_W)^{-1}(C)$ eine Basis von W.
Wähle eine beliebige Basis B in U. Dann ist
$\bar{B} := B \cup (\pi_U|_W)^{-1}(C)$ nach 15.13 eine Basis von V, und es gilt:
$\pi_U(\bar{B} \setminus B) = \pi_U((\pi_U|_W)^{-1}(C)) = C.$ QED

Im Falle von endlicher Dimension ergeben sich einige Dimensionsformeln.
Zunächst eine Definition:

Definition 16.7 : $f : V_K \longrightarrow W_K$ sei linear. Falls im f endlichdimensional ist, bezeichnet man die natürliche Zahl dim (im f) als den Rang der linearen Abbildung f,
Bezeichnung : rg f

Insbesondere ist also rg f definiert, wenn V_K endlichdimensional ist.
Falls V_K und W_K endlich-dimensional sind, gilt:

$$\mathrm{rg}\, f \leq \text{Minimum von } \{\dim V, \dim W\}$$

<u>Satz 16.8</u> : (<u>Rangformel</u>)

$f : V_K \longrightarrow W_K$ sei linear und $\text{rg } f < \infty$ (dh. der Rang von f sei definiert). Dann gilt:

$$\text{rg } f = \dim V - \dim \ker f$$

<u>Beweis</u>: Aus dem Lemma folgt: im f ist isomorph zu einem Komplement von ker f. Nach 15.14 folgt die Behauptung. <u>QED</u>

<u>Beispiele</u>:

a) Aus 16.8 folgt nochmals eine bereits früher bewiesene Behauptung:
f sei eine lineare Abbildung zwischen Vektorräumen gleicher Dimension. Dann gilt:

$$f \text{ injektiv} \Longleftrightarrow f \text{ surjektiv} \Longleftrightarrow f \text{ bijektiv}$$

(vgl. 13.24 und 13.25)

b) V_K sei ein endlichdimensionaler Vektorraum. Wir betrachten lineare Abbildungen $f : V \longrightarrow K$.
Welche Dimension können die Kerne solcher Abbildungen haben?
im f ist Unterraum von K, und daher gilt:
im f = 0 oder im f = K.
Im ersten Fall ist f = 0 (Nullabbildung) und ker f = V.
Im zweiten Fall ist $f \neq 0$. Es ist dim im f = dim K = 1.
Nach der Rangformel folgt:

$$\dim \ker f = \dim V - 1.$$

Man bezeichnet Unterräume eines Vektorraums V der Dimension dim V - 1 auch oft als (lineare) <u>Hyperebenen</u> von V.
Wir können daher zusammenfassen:
Die Kerne von nicht trivialen linearen Abbildungen eines endlichdimensionalen Vektorraums in den Körper K sind stets Hyperebenen des Vektorraums.
Wir bemerken, daß diese Aussage auch richtig bleibt für unendlich-dimensionale Vektorräume, wenn der Begriff "Hyperebene" allgemeiner gefaßt wird. Wir werden darauf gleich zurückkommen.

<u>Satz 16.9</u> : V_K sei ein endlich-dimensionaler Vektorraum.
U sei ein Unterraum von V. Dann gilt:

$$\dim U + \dim V/U = \dim V$$

<u>Beweis</u>: $U = \ker(\pi_U)$; $V/U = \operatorname{im}(\pi_U)$. Aus der Rangformel folgt die Behauptung. <u>QED</u>

<u>Definition 16.10</u> : V_K sei ein (nicht notwendig endlich-dimensionaler) Vektorraum. U sei ein Unterraum von V_K. Falls V/U endlichdimensional ist, bezeichnen wir die natürliche Zahl dim V/U als die <u>Kodimension</u> von U in V_K. Falls V/U unendlich-dimensional ist, sagen wir auch, U habe unendliche Kodimension.
<u>Bezeichnung</u>: $\operatorname{codim}_V U$ = Kodimension von U in V.

<u>Bemerkungen</u>:
1) Nach 16.5 ist die Kodimension eines Unterraums U in V gleich der Dimension eines beliebigen Komplements von U in V.

2) Falls V endlichdimensional ist, gilt nach 16.9:
$$\operatorname{codim}_V U = \dim V - \dim U$$

<u>Definition 16.11</u> : V_K sei ein Vektorraum über K. Ein Unterraum U von V_K heißt (lineare) <u>Hyperebene</u> in V, falls $\operatorname{codim}_V U = 1$.

Man beachte, daß im Falle endlicher Dimension gilt:
Die Hyperebenen von V_K sind genau die Unterräume U von V mit dim U = dim V - 1. Def. 16.11 steht also im Einklang mit der Definition aus dem vorangegangenen Beispiel b).

<u>Satz 16.12</u> : Die Hyperebenen von V_K sind genau die maximalen Elemente in der durch Inklusion geordneten Menge $\mathcal{U}(V) \setminus \{V\}$, wo $\mathcal{U}(V)$ der Verband aller Unterräume von V ist.

Beweis:

(i) U sei eine Hyperebene in V_K. Angenommen, U sei nicht maximal. Dann gibt es also einen Unterraum W von V mit $W \neq V$ und $U \subsetneqq W$.

W hat ein Komplement W' in V und U ein Komplement U' in W.

$\Rightarrow V = W' \oplus W = W' \oplus U' \oplus U$

$\Rightarrow W' \oplus U'$ ist Komplement von U in V.

$\Rightarrow \operatorname{codim}_V U = \dim W' \oplus U' = \dim W' + \dim U'$.

Da $W \neq V$ und $W \neq U$, folgt:

$\dim W' \geq 1$ und $\dim U' \geq 1 \Rightarrow \operatorname{codim}_V U \geq 2$; Widerspruch

(ii) U sei maximal. Angenommen, es ist $\operatorname{codim}_V U > 1$; dann gibt es ein U' mit $V = U \oplus U'$ und $\dim U' > 1$ (unter Umständen ist $\dim U'$ sogar ∞ ; dieser Fall läßt sich aber im folgenden ebenfalls formal mit einschließen).

U' hat eine Basis B mit $|B| > 1$. Sei $b \in B$. Dann ist

$V = U \oplus [b] \oplus [B \setminus \{b\}]$ und $[B \setminus \{b\}] \neq 0$

Dann ist $U \subsetneqq U \oplus [b] \subsetneqq V$. Das ist ein Widerspruch zur Maximalität von U. QED

Satz 16.13 : Sei $f : V_K \longrightarrow K$ linear und $f \neq 0$.

Dann ist ker f eine Hyperebene von V_K.

Beweis: Nach Lemma 16.4 ist $K = \operatorname{im} f \cong U$, wo U ein Komplement von ker f in V ist.

$\Rightarrow \operatorname{codim}_V(\ker f) = \dim U = \dim K = 1$. QED

Satz 16.14 : (Dimensionsformel)

U, U' seien endlich-dimensionale Unterräume eines Vektorraums V_K. Dann gilt:

$$\dim U+U' + \dim U \cap U' = \dim U + \dim U'$$

Beweis: Nach dem 1. Isomorphiesatz (10.7) ist $(U+U')/U \cong U'/(U \cap U')$. Nach 16.9 folgt die Behauptung. QED

<u>Beispiel</u>: In $\mathbb{R}^4$ seien die zweidimensionalen Unterräume

$$U_1 := [e_1 = (1,2,3,4) \quad , \quad e_2 = (o,1,o,1)]$$
$$U_2 := [e_3 = (o,o,o,1) \quad , \quad e_4 = (1,3,3,6)]$$

gegeben.

Welche Dimensionen haben $U_1 + U_2$ und $U_1 \cap U_2$?

Wegen der Dimensionsformel reicht es, eine der beiden Dimensionen zu bestimmen.

Bestimmen wir etwa $\dim(U_1+U_2)$:

$\{e_1,e_2,e_3,e_4\}$ ist l.a., da $e_4 = e_1+e_2+e_3$.

$\{e_1,e_2,e_3\}$ ist l.u., wie man leicht nachrechnet.

Daher ist $\dim (U_1 + U_2) = 3$

$\Rightarrow \dim (U_1 \cap U_2) = 1$ nach 16.14

§ 17 : Der Vektorraum $Hom_K(V,W)$

Wir werden uns nun mit Mengen von linearen Abbildungen beschäftigen und feststellen, welche Strukturen wir auf solchen Mengen einführen können.
Zunächst haben wir:

Satz 17.1 : V_K und W_K seien K-Vektorräume. Sei $Hom_K(V,W)$ die Menge aller K-linearen Abbildungen von V nach W.
Behauptung: $Hom_K(V,W)$ ist ein Unterraum von W^V, dem Vektorraum aller Abbildungen von V nach W.

Beweis: Die Nullabbildung ist linear; folglich ist $Hom_K(V,W) \neq \emptyset$.
Seien $f,g \in Hom_K(V,W)$. Dann ist $f+g \in Hom_K(V,W)$;
denn seien $x,y \in V$ und $\alpha \in K$. Dann gilt:
$(f+g)(x+y) = f(x+y) + g(x+y)$ nach der Definition der Addition in W^V.
$= f(x) + f(y) + g(x) + g(y)$, da f,g linear sind.
$= (f(x) + g(x)) + (f(y) + g(y)) = (f+g)(x) + (f+g)(y)$ nach Def. der Addition in W^V.-
$(f+g)(\alpha x) = f(\alpha x) + g(\alpha x)$ nach Def. der Addition in W^V
$= \alpha f(x) + \alpha g(x)$, da f,g linear sind.
$= \alpha(f(x) + g(x)) = \alpha((f+g)(x))$ nach Def. der Addition in W^V.-

Sei $f \in Hom_K(V,W)$ und $\beta \in K$. Dann ist $\beta . f \in Hom_K(V,W)$;
denn seien $x,y \in V$ und $\alpha \in K$. Dann gilt:
$(\beta f)(x+y) = \beta(f(x+y))$ nach Def. der Multiplikation mit einem Skalar in W^V ,
$= \beta(f(x) + f(y))$, da f linear ist,
$= \beta f(x) + \beta f(y) = (\beta f)(x) + (\beta f)(y)$ nach Def. der Multiplikation mit einem Skalar in W^V.-

$(\beta f)(\alpha x) = \beta(f(\alpha x))$ nach Def. der Multiplikation mit einem Skalar in W^V,

$= \beta(\alpha f(x))$, da f linear ist,

$= (\beta\alpha)f(x) = (\alpha\beta)f(x)$, da K kommutativ ist,

$= \alpha(\beta f(x)) = \alpha(\beta f)(x)$ nach Def. der Multiplikation mit einem Skalar in W^V. QED

Wir haben bereits eine weitere Operation mit linearen Abbildungen kennengelernt:

Wenn $f \in Hom_K(U,V)$ und $g \in Hom_K(V,W)$, dann ist $g \circ f \in Hom_K(U,W)$.

Wie verhalten sich die Operationen $+, ., \circ$ zueinander ?

Seien U_K, V_K, W_K K-Vektorräume. Dann gilt:

$f\circ(g+h) = f\circ g + f\circ h$ (1.Distributivgesetz) (770)

für $f \in Hom_K(V,W)$ und $g,h \in Hom_K(U,V)$

Bew.: Sei $x \in U$. Dann ist

$f\circ(g+h)(x) = f((g+h)(x)) = f(g(x) + h(x)) = f(g(x)) + f(h(x)) =$
$= (f\circ g)(x) + (f\circ h)(x) = (f\circ g + f\circ h)(x)$ qed

$(f+g)\circ h = f\circ h + g\circ h$ (2.Distributivgesetz) (780)

für $f,g \in Hom_K(V,W)$ und $h \in Hom_K(U,V)$

Bew.: analog qed

$\alpha.(f\circ g) = f\circ(\alpha g) = (\alpha f)\circ g$ (Assoziativgesetze) (790)

für $\alpha \in K$ und $f \in Hom_K(V,W)$ und $g \in Hom_K(U,V)$

Bew.: Sei $x \in U$. Dann ist

$(\alpha(f\circ g))(x) = \alpha(f\circ g)(x) = \alpha(f(g(x)) = f(\alpha g(x)) =$
$= f((\alpha g)(x)) = (f\circ(\alpha g))(x)$

Die zweite Gleichung zeigt man analog. qed

Beschränken wir uns nun auf den Fall des Vektorraums $Hom_K(V,V)$ für einen K-Vektorraum V_K. Man bezeichnet $Hom_K(V,V)$ auch oft mit $L_K(V)$. Wir wissen bereits, daß $L_K(V)$ ein K-Vektorraum ist. Ferner haben wir auf $L_K(V)$ die Operation " $\circ$ ".

Es gilt:

$L_K(V)$, versehen mit den Operationen $+, \cdot, \circ$,hat folgende Eigenschaften: $(V \neq 0)$

(i) $(L_K(V), +, \cdot)$ ist ein K-Vektorraum

(ii) $(L_K(V), +, \circ)$ ist ein Ring mit Eins

(iii) Es gilt

$\alpha(f \circ g) = (\alpha f) \circ g = f \circ (\alpha g)$

für $\alpha \in K \wedge f, g \in L_K(V)$

Bew.: (i) ist bewiesen.

(ii) " $\circ$ " ist assoziativ und $id_V \in L_K(V)$ ist das Einselement; das haben wir bereits früher gezeigt. Die Distributivgesetze haben wir in (770),(780) bewiesen.

(iii) Gleichung (790)   qed

Allgemein definiert man:

Definition 17.2 : Sei R ein kommutativer Ring mit Eins. Eine R-Algebra A ist ein Quadrupel $(A, +, \circ, \cdot)$ mit folgenden Eigenschaften:

(i) $(A, +, \cdot)$ ist ein R-Modul

(ii) $(A, +, \circ)$ ist ein Ring

(iii) Es ist $\alpha(x \circ y) = (\alpha x) \circ y = x \circ (\alpha y)$

für $\alpha \in R \wedge x, y \in A$.

A heißt R-Algebra mit Eins, wenn $(A, +, \circ)$ ein Ring mit Eins ist.

A heißt kommutative R-Algebra, wenn $\circ$ kommutativ ist.

Nach den Aussagen (i),(ii),(iii) von eben erhalten wir somit:

Satz 17.3 : Sei V_K ein K-Vektorraum. Dann ist ($L_K(V)$,+, $\circ$,.) eine K-Algebra mit Einselement. ($V \neq 0$) QED

In § 19 zeigen wir, daß diese Algebra für dim $V > 1$ nicht kommutativ ist. Der Leser überlege sich schon jetzt ein Gegenbeispiel!

Beispiel:

Wir geben ein Beispiel für eine R-Algebra:

Sei R ein kommutativer Ring mit 1 und R' ein Unterring von R mit $1_R \in R'$. Dann ist R in kanonischer Weise eine R'-Algebra mit Eins.

Wir definieren die Operationen auf R in der folgenden Weise:

"+" sei die Ringaddition von R,

"$\circ$" sei die Ringmultiplikation von R,

"." sei die Operation

$\alpha . x := \alpha \circ x$ für $\alpha \in R'$ und $x \in R$.

Der Leser prüfe nach, daß dies eine R'-Algebra-Struktur auf R ist, die ein Einselement hat.

Prominente Beispiele sind:

a) $\mathbb{C}$ ist eine kommutative $\mathbb{R}$ -Algebra mit Eins

b) $\mathbb{R}$ ist eine kommutative $\mathbb{Q}$ -Algebra mit Eins

c) $\mathbb{C}$ ist eine kommutative $\mathbb{Q}$ -Algebra mit Eins

d) Jeder Körper der Charakteristik p ist eine kommutative Algebra mit Eins über seinem Primkörper (vgl. p.213). ($p \neq 0$)
   Da die Primkörper zu den Körpern $\mathbb{Z}_p$ isomorph sind, läßt sich auch sagen:
   Jeder Körper der Charakteristik p ist eine kommutative $\mathbb{Z}_p$-Algebra mit Eins. (Beweis!) ($p \neq 0$)

e) Jeder Körper der Charakteristik o ist eine kommutative $\mathbb{Z}$-Algebra mit Eins (Beweis!)

Der Leser zeige, daß allgemeiner gilt:

Seien R',R kommutative Ringe mit Eins und $f:R' \longrightarrow R$ ein Ringhomomorphismus von Ringen mit Eins; dh. es gilt $f(1) = 1$.
Dann läßt sich R in kanonischer Weise zu einer kommutativen R'-Algebra mit Eins machen.
Gelten entsprechende Aussagen auch, wenn R nicht kommutativ ist oder $f(1) \neq 1$ ist?

In $L_K(V)$ liegt als Untermenge $GL_K(V)$, die Menge aller Automorphismen von V_K. Schon in 9.6 hatten wir festgestellt, daß $GL_K(V)$ eine Gruppe unter der Operation $\circ$ bildet, die sog. <u>allgemeine lineare Gruppe</u> von V_K.
Man beachte, daß $GL_K(V)$ nicht abgeschlossen ist bzgl. der Operationen "+" und ".", also <u>kein</u> Unterraum von $L_K(V)$ ist.
Es ist nämlich $id_V \in GL_K(V)$ und $-id_V \in GL_K(V)$, aber
$0 = id_V + (-id_V) \notin GL_K(V)$.
Ferner ist für jedes $f \in GL_K(V)$ die Abbildung $o.f = 0 \notin GL_K(V)$.

<u>Satz 17.4</u> : Seien V,W,V',W' K-Vektorräume.

$f : V' \longrightarrow V$

$g : W \longrightarrow W'$

seien Isomorphismen. Sei L(f,g) die folgende Abbildung

$$L(f,g) : Hom_K(V,W) \longrightarrow Hom_K(V',W')$$
$$h \longmapsto g \circ h \circ f$$

Es gilt:

(i) L(f,g) ist ein Isomorphismus von Vektorräumen

(ii) Falls $W := V$, $W' := V'$, $g := f^{-1}$, so ist $L(f,f^{-1})$ ein Isomorphismus von der Algebra $L_K(V)$ auf die Algebra $L_K(V')$; dh. $L(f,f^{-1})$ ist ein Vektorraum-Isomorphismus, und außerdem gilt:
$L(f,f^{-1})(h \circ h') = L(f,f^{-1})(h) \circ L(f,f^{-1})(h')$

(iii) Unter den Zusatzvoraussetzungen von (ii) ist
$L(f,f^{-1})\Big|_{GL_K(V)}$ ein Gruppenisomorphismus auf $GL_K(V')$

Beweis: Als Übung QED

Wir werden nun eine Basis von $Hom_K(V,W)$ anzugeben versuchen. In 13.4 hatten wir gesehen, daß, wenn wir eine Basis B von V vorgeben, die Menge $Hom_K(V,W)$ sich bijektiv abbilden läßt auf W^B unter der Abbildung

$$f \longmapsto (f(b))_{b\in B} \qquad (\ f \in Hom_K(V,W)\ )$$

Satz 17.5 : V,W seien K-Vektorräume, B sei eine Basis von V_K.
Die Abbildung

$$M_B \ :\ Hom_K(V,W) \longrightarrow W^B$$
$$f \longmapsto (f(b))_{b\in B}$$

ist ein Isomorphismus von Vektorräumen.

Beweis: Wegen 13.4 bleibt nur zu zeigen, daß M_B linear ist:

$$M_B(f+g) = ((f+g)(b))_{b\in B} = (\ f(b)+g(b)\ )_{b\in B} = (f(b))_{b\in B} + $$
$$+ \ (g(b))_{b\in B} = M_B(f) + M_B(g)$$
$$M_B(\alpha f) = ((\alpha f)(b))_{b\in B} = (\alpha f(b))_{b\in B} = \alpha(f(b))_{b\in B} = \alpha M_B(f)$$

für $\alpha \in K$ und $f,g \in Hom_K(V,W)$ QED

Korollar 17.6 : Für jeden K-Vektorraum V_K ist

$$Hom_K(K,V) \cong V_K$$

unter der Abbildung

$$f \longmapsto f(1)$$

QED

Falls B endlich ist, ist $W^B = W^{(B)}$, und nach 15.16 können wir eine Basis von W^B bestimmen. Vermöge des Isomorphismus M_B erhalten wir so eine Basis von $Hom_K(V,W)$.
Wir wollen dies explizit ausführen :
Sei C eine Basis von W_K. Dann ist nach 15.16 eine Basis von W^B gegeben durch

$$D := \bigcup_{b \in B} q_b(C) \quad ,$$

wo $q_b : W \longrightarrow W^B$ die b-te Injektion ist; dh. es gilt:

$$q_b(w)(b') = \begin{cases} o & \text{für } b' \neq b \\ w & \text{für } b' = b \end{cases} \qquad (w \in W)$$

Es gilt also:

$$D = \{ q_b(c) \in W^B \mid b \in B \wedge c \in C \}$$

$M_B^{-1}(D)$ ist dann eine Basis von $\mathrm{Hom}_K(V,W)$

$f_{cb} := M_B^{-1}(q_b(c))$ ist eine lineare Abbildung von V nach W

mit der Eigenschaft:

$$(f_{cb}(b'))_{b' \in B} = q_b(c)$$

nach Definition von M_B .

$$\Rightarrow \quad f_{cb}(b') = \begin{cases} o & \text{für } b' \neq b \\ c & \text{für } b' = b \end{cases}$$

Damit haben wir:

<u>Satz 17.7</u> : Seien V,W K-Vektorräume. V_K sei endlichdimensional. Seien B,C Basissysteme von V bzw. W. Dann ist die Menge

$$D := \{ f_{cb} \in \mathrm{Hom}_K(V,W) \mid b \in B \wedge c \in C \}$$

mit $\bigwedge_{b' \in B} \quad f_{cb}(b') := \begin{cases} o & \text{für } b' \neq b \\ c & \text{für } b' = b \end{cases}$

eine Basis von $\mathrm{Hom}_K(V,W)$. <u>QED</u>

Falls V_K nicht notwendig endlich-dimensional ist, gilt:
D ist frei, und ist genau dann Basis, wenn V_K endlich-dimensional ist.

Zum Beweis beachte man, daß diese Behauptung äquivalent ist zu:
Die kanonische Basis von $W^{(B)}$ ist frei in W^B, und ist genau dann eine Basis, wenn B endlich ist. Daß diese Aussage gilt, hatten wir bereits in einer Bemerkung auf p.238/239 festgestellt.

Wir wollen feststellen, wie die Komponenten einer beliebigen linearen Abbildung $g \in \mathrm{Hom}_K(V,W)$ bzgl. einer solchen Basis aussehen. Es gilt:

$$g = \sum_{(c,b) \in C \times B} \alpha_{cb} f_{cb} \qquad \alpha_{cb} \in K \text{ für alle } c,b$$

(beachte die Konvention über "unendliche" Summen zu Beginn von §15)

$$\Rightarrow g(b') = \sum_{(c,b) \in C \times B} \alpha_{cb} f_{cb}(b')$$

$$\Rightarrow g(b') = \sum_{c \in C} \alpha_{cb'} \cdot c \qquad \text{für alle } b' \in B \tag{800}$$

da $f_{cb}(b') = o$ für $b' \neq b$.

Da C eine Basis ist, ergeben sich somit die Komponenten $\alpha_{cb'}$ für jedes $(c,b') \in C \times B$ aus Gleichung (800).

<u>Beispiel</u>: Sei V_K endlich-dimensional und W_K endlich-dimensional.
Sei $B := \{b_1,..,b_n\}$ eine Basis von V_K,
$C := \{c_1,..,c_m\}$ eine Basis von W_K.
Der Einfachheit halber schreiben wir für das Basiselement $f_{c_j,b_i} \in \mathrm{Hom}_K(V, W)$ einfach f_{ji}.
Dann ist die Menge $D = \{f_{ji} \mid 1 \leq i \leq n \;, \; 1 \leq j \leq m\}$, wobei gilt

$$f_{ji}(b_k) = \begin{cases} o & \text{für } k \neq i \\ c_j & \text{für } k = i \end{cases}$$

eine Basis von $\mathrm{Hom}_K(V,W)$.
Jedes $g \in \mathrm{Hom}_K(V,W)$ läßt sich eindeutig schreiben als

$$g = \sum_{i=1}^{n} \sum_{j=1}^{m} \alpha_{ji} f_{ji} \quad \text{, wo die } \alpha_{ji} \text{ durch die Gleichung}$$

$$g(b_k) = \sum_{j=1}^{m} \alpha_{jk} c_j \qquad (1 \leq k \leq n) \tag{810}$$

bestimmt sind.
Im endlich-dimensionalen Fall werden wir auf diese Zusammenhänge später noch ausführlich zu sprechen kommen; wir wollen daher hier auch auf Beispiele verzichten (siehe § 19).

Korollar 17.8 : Wenn V_K, W_K endlich-dimensional sind, so ist

$$\dim \operatorname{Hom}_K(V,W) = (\dim V).(\dim W)$$

Beweis: Da M_B ein Isomorphismus ist, ist $\dim \operatorname{Hom}_K(V,W) = \dim W^B$.
Nach 15.17 folgt die Behauptung. QED

Falls K ein endlicher Körper ist, können wir die beiden folgenden Aussagen machen:

Satz 17.9 : Sei K ein endlicher Körper mit $|K| = p$.
V,W seien endlichdimensionale Vektorräume über K.
Dann gilt:

$$\left| \operatorname{Hom}_K(V,W) \right| = p^{(\dim V).(\dim W)}$$

Beweis: $\left|\operatorname{Hom}_K(V,W)\right| = \left|W^B\right| = |W|^{|B|} = (p^{\dim W})^{\dim V}$
nach 13.28. (Folgt auch aus 17.8 und 13.28) QED

Satz 17.10 : Sei K ein endlicher Körper mit $|K| = p$.
V,W seien endlichdimensionale Vektorräume über K gleicher Dimension n. Dann gibt es genau

$$\prod_{i=o}^{n-1} (p^n - p^i)$$ verschiedene Isomorphismen von V nach W.

Insbesondere ist also

$$\left| GL_K(V) \right| = \prod_{i=o}^{n-1} (p^n - p^i)$$

Beweis: Wir haben den Isomorphismus $M_B : \operatorname{Hom}_K(V,W) \longrightarrow W^B$.
Ein $(x_b)_{b\in B} \in W^B$ ist genau dann das Bild eines Isomorphismus aus $\operatorname{Hom}_K(V,W)$, wenn $(x_b)_{b\in B}$ eine Basis von W ist (13.2).
Die Behauptung folgt nun aus 13.29 QED

Zum Abschluß dieses Paragraphen geben wir an, wie sich die Bildungen Hom, $\coprod$, $\prod$ zueinander verhalten. Der Leser kann den etwas langatmigen Beweis zunächst überschlagen und mit § 18 fortfahren.

Theorem 17.11 : $(V_i)_{i\in I}$ und $(W_i)_{i\in I}$ seien Familien von K-Vektorräumen; V,W seien K-Vektorräume. Dann gilt:

(i) $\mathrm{Hom}_K(\coprod_{i\in I} V_i, W) \cong \prod_{i\in I} \mathrm{Hom}_K(V_i, W)$

(ii) $\mathrm{Hom}_K(V, \prod_{i\in I} W_i) \cong \prod_{i\in I} \mathrm{Hom}_K(V, W_i)$

Beweis:

(i) (a) Wir geben zunächst eine Abbildung

$$F : \mathrm{Hom}_K(\coprod_{i\in I} V_i, W) \longrightarrow \prod_{i\in I} \mathrm{Hom}_K(V_i, W) \text{ an}$$

Sei $f \in \mathrm{Hom}_K(\coprod_{i\in I} V_i, W)$. Dann läßt sich für jedes $i \in I$ eine Abbildung $f_i \in \mathrm{Hom}_K(V_i, W)$ definieren durch $f_i := f\circ q_i$, wo q_i die i-te Injektion von V_i in $\coprod_{j\in I} V_j$ sei.

Dann definieren wir:

$$F(f) := (f_i)_{i\in I} = (f\circ q_i)_{i\in I} \tag{820}$$

Die Abbildung F ist linear; denn für $\alpha, \beta \in K$; $f,g \in \mathrm{Hom}_K(\coprod_{i\in I} V_i, W)$ ist $F(\alpha f + \beta g) = ((\alpha f + \beta g)\circ q_i)_{i\in I} = (\alpha(f\circ q_i) + \beta(g\circ q_i))_{i\in I}$ $= \alpha(f\circ q_i)_{i\in I} + \beta(g\circ q_i)_{i\in I} = \alpha F(f) + \beta F(g)$

(b) Wir definieren nun eine Abbildung

$$G : \prod_{i\in I} \mathrm{Hom}_K(V_i, W) \longrightarrow \mathrm{Hom}_K(\coprod_{i\in I} V_i, W)$$

Sei $(g_i)_{i\in I} \in \prod_{i\in I} \mathrm{Hom}_K(V_i,W)$; dh. für jedes $i \in I$ sei $g_i \in \mathrm{Hom}_K(V_i,W)$. Nach p.223 ergibt sich dann eine lineare Abbildung

$$\coprod_{i\in I} g_i \;:\; \coprod_{i\in I} V_i \longrightarrow W^{(I)}$$

Von $W^{(I)}$ gelangen wir mit Hilfe der kanonischen Abbildung

$$S : W^{(I)} \longrightarrow W \qquad \text{(vgl. 15.1)}$$

wieder in W. Wir definieren

$$G((g_i)_{i\in I}) \;:=\; S \circ \coprod_{i\in I} g_i \tag{830}$$

Angewendet auf ein $(x_i)_{i\in I} \in \coprod_{i\in I} V_i$ bedeutet das also:

$$\left[G((g_i)_{i\in I})\right]((x_i)_{i\in I}) = \sum_{i\in I} g_i(x_i) \tag{840}$$

Die Abbildung G ist linear; denn für $(g_i),(f_i) \in \prod_{i\in I} \mathrm{Hom}_K(V_i,W)$ und $\alpha,\beta \in K$ gilt:

$$G(\alpha(f_i) + \beta(g_i)) = G((\alpha f_i + \beta g_i)_{i\in I}) = S \circ \coprod_{i\in I} (\alpha f_i + \beta g_i) =$$

$$= S \circ (\alpha \coprod_{i\in I} f_i + \beta \coprod_{i\in I} g_i) \quad \text{nach dem folgenden Lemma .}$$

$$= \alpha\, S \circ \coprod_{i\in I} f_i + \beta\, S \circ \coprod_{i\in I} g_i = \alpha G((f_i)) + \beta G((g_i))$$

Lemma 17.12 : Seien $(V_i)_{i\in I}$, $(W_i)_{i\in I}$ Familien von K-Vektorräumen. $(u_i)_{i\in I}$ und $(v_i)_{i\in I}$ seien Familien von linearen Abbildungen mit $u_i, v_i \in \mathrm{Hom}_K(V_i,W_i)$ für jedes $i \in I$.

Seien $\alpha,\beta \in K$. Dann gilt:

$$\prod_{i\in I} (\alpha u_i + \beta v_i) = \alpha \prod_{i\in I} u_i + \beta \prod_{i\in I} v_i$$

$$\coprod_{i\in I} (\alpha u_i + \beta v_i) = \alpha \coprod_{i\in I} u_i + \beta \coprod_{i\in I} v_i$$

<u>Beweis</u>: Die zweite Behauptung folgt durch Einschränken des Definitionsbereichs der Abbildungen aus der ersten.

Sei $(x_i)_{i\in I} \in \prod_{i\in I} V_i$. Dann ist

$$\left(\prod_{i\in I} (\alpha u_i + \beta v_i)\right)((x_i)) = ((\alpha u_i + \beta v_i)(x_i)) = (\alpha u_i(x_i) + \beta v_i(x_i)) =$$

$$= \alpha (u_i(x_i)) + \beta (v_i(x_i)) = \alpha \left(\prod_{i\in I} u_i\right)((x_i)) + \beta \left(\prod_{i\in I} v_i\right)((x_i)) =$$

$$= \left(\alpha \prod_{i\in I} u_i + \beta \prod_{i\in I} v_i\right)((x_i))$$ <u>QED</u>

<u>Wir fahren fort im Beweis des Theorems:</u>

(c) Es bleibt zu zeigen, daß $G\circ F = id$ und $F\circ G = id$, die identischen Abbildungen jeweils auf den richtigen Vektorräumen genommen.

Sei $f \in Hom_K(\coprod_{i\in I} V_i, W)$ und $(x_i)_{i\in I} \in \coprod_{i\in I} V_i$.

Zu zeigen ist $(G\circ F)(f) = f$; dh. für jedes (x_i) :

$[(G\circ F)(f)]((x_i)_{i\in I}) = f((x_i)_{i\in I})$.-

<u>Bew.</u>: $[(G\circ F)(f)]((x_i)) = [G((f\circ q_i)_{i\in I})]((x_i))$ nach Def. von F

$= \sum_{i\in I} (f\circ q_i)(x_i)$ nach Def. von G (vgl. (840))

$= f\left(\sum_{i\in I} q_i(x_i)\right) = f((x_i)_{i\in I})$ <u>qed</u>

Sei $(g_i)_{i\in I} \in \prod_{i\in I} Hom_K(V_i, W)$. Zu zeigen ist

$(F\circ G)((g_i)_{i\in I}) = (g_j)_{j\in I}$

$\Leftrightarrow F(G((g_i)_{i\in I})) = (g_j)_{j\in I} \Leftrightarrow (G((g_i)_{i\in I})\circ q_j)_{j\in I} = (g_j)_{j\in I}$

$\Leftrightarrow G((g_i)_{i\in I})\circ q_j = g_j$ für alle $j \in I$. (850)

Sei für jedes $j \in I$ der Vektor $x_j \in V_j$. Dann ist

$$\left[G((g_i)_{i\in I})\circ q_j\right](x_j) = G((g_i)_{i\in I})(q_j(x_j)) = \sum_{i\in I} g_i(q_j(x_j))$$

Das Tupel $q_j(x_j)$ ist gleich Null an allen Stellen außer an der j-ten, wo sein Wert gleich x_j ist. Daher

$= g_j(x_j)$, womit (850) gezeigt ist.

(ii)

(a) Wir geben zunächst eine Abbildung

$$F \; : \; \mathrm{Hom}_K(V, \prod_{i\in I} W_i) \longrightarrow \prod_{i\in I} \mathrm{Hom}_K(V, W_i) \text{ an}$$

Sei $f : V \longrightarrow \prod_{i\in I} W_i$ linear. Dann ist für jedes $i \in I$

$p_i \circ f \; : \; V \longrightarrow W_i$ linear, wo p_i die i-te Projektion ist.

Wir definieren daher:

$$F(f) \;:=\; (p_i \circ f)_{i\in I} \tag{860}$$

Man zeigt analog zu (a),Teil (i), daß F linear ist.

(b) Wir definieren eine Abbildung

$$G \; : \; \prod_{i\in I} \mathrm{Hom}_K(V, W_i) \longrightarrow \mathrm{Hom}_K(V, \prod_{i\in I} W_i) \; :$$

Sei $(g_i)_{i\in I} \in \prod_{i\in I} \mathrm{Hom}_K(V, W_i)$. Dann ist

$$\prod_{i\in I} g_i \; : \; V^I \longrightarrow \prod_{i\in I} W_i$$

linear (vgl.p.223). Von V in V^I gelangen wir durch die kanonische Abbildung Δ, die sog. <u>Diagonalabbildung</u>, die (für beliebiges I und jeden Vektorraum V_K) definiert ist durch

$$\Delta : V \longrightarrow V^I$$
$$x \longmapsto (x)_{i\in I} \quad \text{(konstante Familie)}$$

Δ ist offensichtlich (für jede Indexmenge I) linear.

Wir definieren nun:

$$G((g_i)_{i\in I}) := \prod_{i\in I} g_i \circ \Delta \tag{870}$$

(Man beachte die Dualität bei der Definition der Isomorphismen bei (i) und (ii) !)

Angewendet auf ein Element $x \in V$ bedeutet (870):

$$G((g_i)_{i\in I})(x) = (g_i(x))_{i\in I}$$

Daß G linear ist, zeigt man analog zu (b),Teil (i), ebenfalls unter Verwendung von Lemma 17.12.

(c) Wir zeigen: $G\circ F = id$ und $F\circ G = id$.

Sei $f \in Hom_K(V, \prod_{i\in I} W_i)$ und $x \in V$. Zu zeigen ist

$[(G\circ F)(f)](x) = f(x)$.

Beides sind Elemente aus $\prod_{i\in I} W_i$. Es reicht zu zeigen, daß die Komponenten dieser Tupel gleich sind, daß also für jedes $i \in I$ gilt:

$p_i[((G\circ F)(f))(x)] = p_i(f(x))$.

Die linke Seite ist gleich

$= p_i\left[G((p_i\circ f)_{i\in I})(x)\right] = p_i\left[((p_i\circ f)(x))_{i\in I}\right] = p_i(f(x))$ <u>qed</u>

Sei $(g_i)_{i\in I} \in \prod_{i\in I} Hom_K(V,W_i)$. Zu zeigen ist

$$(F\circ G)((g_i)_{i\in I}) = (g_i)_{i\in I}$$

$$\Longleftrightarrow (p_i \circ G((g_i)_{i\in I}))_{i\in I} = (g_i)_{i\in I}$$

$$\Longleftrightarrow p_i \circ G((g_i)_{i\in I}) = g_i \quad \text{für jedes } i \in I$$

Sei $x \in V$. Dann ist

$$p_i\left[(G((g_i)_{i\in I}))(x)\right] = p_i((g_i(x)_{i\in I})) = g_i(x) \quad .-$$

Man beachte, daß es gereicht hätte zu zeigen (in (i) und (ii)), daß F oder G linear sind (und nicht beide); warum? QED

Korollar 17.13 : $(V_i)_{i\in I}$ sei eine Familie von K-Vektorräumen.

W sei ein K-Vektorraum. $(u_i)_{i\in I}$ sei eine Familie von linearen Abbildungen mit $u_i \in \mathrm{Hom}_K(V_i, W)$.

Dann gibt es genau eine lineare Abbildung f, so daß für jedes $i \in I$ die Diagramme

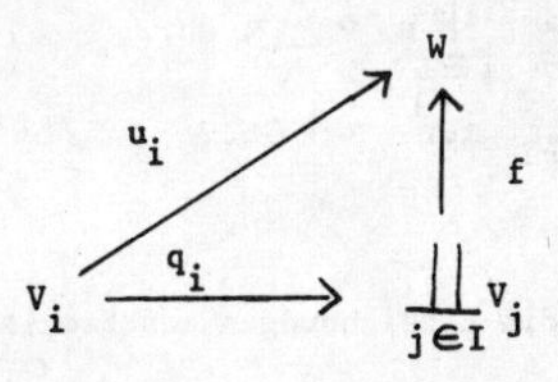

(880)

kommutieren.

Es ist nämlich $f = S \circ \coprod_{i\in I} u_i$; dh. $f((x_i)_{i\in I}) = \sum_{i\in I} u_i(x_i)$

für $(x_i) \in \coprod_{i\in I} V_i$

Beweis: Wir verwenden die Bezeichnungen des Beweises zu Theorem 17.11, Teil (i).

Daher gibt es genau ein $f \in \mathrm{Hom}_K(\coprod_{j\in I} V_j, W)$ mit $F(f) = (u_i)_{i\in I}$.

Nach der Definition von F gilt:

$$f \circ q_i = u_i \quad \text{für alle } i \in I .$$

Dies ist äquivalent mit der Kommutativität von (880).

Da $f = G((u_i)_{i\in I})$, folgt nach der Definition von G die zweite Behauptung des Korollars. QED

Korollar 17.14 : $(W_i)_{i\in I}$ sei eine Familie von K-Vektorräumen. V sei ein K-Vektorraum. $(u_i)_{i\in I}$ sei eine Familie von linearen Abbildungen mit $u_i \in \mathrm{Hom}_K(V,W_i)$ für jedes $i\in I$.

Dann gibt es genau eine lineare Abbildung g, so daß für jedes $i \in I$ die Diagramme

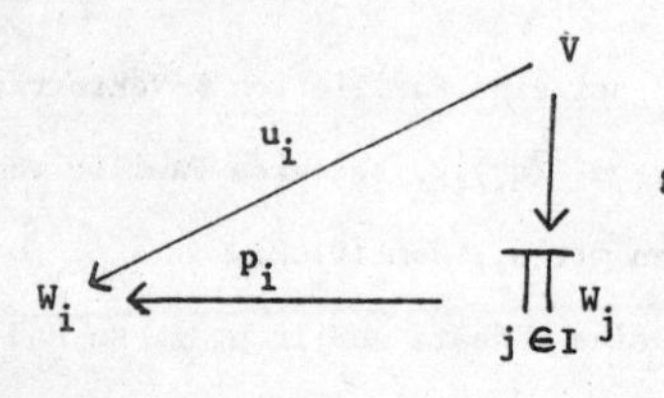

(890)

kommutieren.

Es ist nämlich $g = \prod_{i\in I} u_i \circ \Delta$; dh.

$g(x) = (u_i(x))_{i\in I}$ für $x \in V$.

Beweis: Wir verwenden die Bezeichnungen des Beweises von Theorem 17.11, Teil (ii).

Daher gibt es genau ein $g \in \mathrm{Hom}_K(V, \prod_{j\in I} W_j)$ mit $F(g) = (u_i)_{i\in I}$

Nach Definition von F heißt das:

$p_i \circ g = u_i$ für jedes $i \in I$.

Dies ist äquivalent mit der Kommutativität von (890).

Da $g = G((u_i)_{i\in I})$, folgt nach der Definition von G die zweite Behauptung des Korollars. QED

§ 18 : Der Dualraum eines Vektorraums

Der Körper K sei im folgenden stets fest gewählt.
Wir werden uns in diesem § en mit dem Vektorraum $Hom_K(V,K)$ (für einen fest vorgegebenen Vektorraum V) und seinen Beziehungen zum Raum V befassen.
Dieser Vektorraum heißt der <u>Dualraum</u> des Vektorraums V, und seine Elemente, lineare Abbildungen von V in K, heißen auch <u>Linearformen</u> oder <u>lineare Funktionen</u> auf V.
Wir führen die folgende Standardbezeichnung ein :

$$V^* := Hom_K(V,K)$$

Gegeben sei eine lineare Abbildung $u : V \longrightarrow W$. Dann läßt sich eine Abbildung

$$u^T : W^* \longrightarrow V^*$$

definieren durch:

$$u^T(w^*) := w^* \circ u \quad \text{für } w^* \in W^*$$

u^T heißt <u>die zu u transponierte Abbildung</u>.

u^T ist für jedes lineare u eine lineare Abbildung:

$$u^T(\alpha w^* + \beta x^*) = (\alpha w^* + \beta x^*) \circ u = \alpha (w^* \circ u) + \beta (x^* \circ u) =$$
$$= \alpha u^T(w^*) + \beta u^T(x^*) \quad \text{für } \alpha, \beta \in K \text{ und } w^*, x^* \in W^*.$$

Wir bemerken, daß die Abbildung u^T nichts anderes ist als die Abbildung $L(u, id_K) : Hom_K(W,K) \longrightarrow Hom_K(V,K)$ mit den Bezeichnungsweisen von Satz 17.4, nur daß hier die lineare Abbildung u nicht von vornherein als bijektiv vorausgesetzt wird.

Wir zeigen einige elementare Eigenschaften von "^{T}" :

Seien $u \in Hom_K(V,W)$ und $v \in Hom_k(U,V)$. Dann ist

$$(u \circ v)^T = v^T \circ u^T \tag{900}$$

Bew.: Sei $w^* \in W^*$. Dann ist $(u \circ v)^T(w^*) = w^* \circ u \circ v = (w^* \circ u) \circ v =$
$= u^T(w^*) \circ v = v^T(u^T(w^*)) = (v^T \circ u^T)(w^*)$ **qed**

Ferner gilt für jeden Vektorraum V trivialerweise :

$$(id_V)^T = id_{V^*} \quad ; \text{ und} \tag{910}$$

$$0^T = 0 \quad \text{(Nullabbildungen)} \tag{920}$$

Als Folgerung von (910) ergibt sich:
Wenn $u \in Hom_K(V,W)$ ein Isomorphismus ist, so gilt:

$$(u^T)^{-1} = (u^{-1})^T \tag{930}$$

(insbesondere heißt das : u^T ist ein Isomorphismus)

Der Leser zeige, daß außerdem gilt:

Die Abbildung

$$^T : Hom_K(V,W) \longrightarrow Hom_K(W^*,V^*) \tag{940}$$

ist für jedes Paar (V,W) von K-Vektorräumen eine lineare Abbildung.

Wir bemerken an dieser Stelle, was für den ganzen § en als stillschweigende Konvention gelten soll:
Eigentlich müßten wir die Abbildung (940) genauer bezeichnen; denn wenn wir ein anderes Paar (X,Y) von K-Vektorräumen nehmen, ergibt sich eine andere Abbildung "^{T}" . Wir sollten also exakter etwa " $^T{}_{V,W}$ " schreiben. Aus Bequemlichkeit und da kaum Mißverständnisse zu befürchten sind, bezeichnet man aber alle diese Abbildungen mit "^{T}". Falls es erforderlich ist, werden wir allerdings "^{T}" in der exakteren Form bezeichnen.
Wir weisen jetzt schon darauf hin, daß die entsprechende Konvention auch für die später einzuführenden Abbildungen j (18.3) und $^\perp$ (18.8) gelten sollen.

Wir erinnern daran, daß ein ähnlicher Fall bereits in § 15 aufgetreten war: Dort hatten wir die Summenabbildung S (15.1), die wir ebenfalls nicht näher bezeichneten.

Definition 18.1 : V,W seien K-Vektorräume. Unter einer Bilinearform auf (V,W) versteht man eine Abbildung

$$\langle \, , \rangle \; : V \times W \longrightarrow K$$

mit den folgenden Eigenschaften:

(i) $\langle \alpha x + \beta x' \, , y \rangle = \alpha \langle x,y \rangle + \beta \langle x',y \rangle$

"Linearität im ersten Faktor"

(ii) $\langle x \, , \alpha y + \beta y' \rangle = \alpha \langle x,y \rangle + \beta \langle x,y' \rangle$

"Linearität im zweiten Faktor"

für $x,x' \in V$; $y,y' \in W$; $\alpha, \beta \in K$

Satz 18.2 : Die Abbildung

$$\langle \, , \rangle \; : V^* \times V \longrightarrow K$$
$$(x^*,y) \longmapsto \langle x^*,y \rangle := x^*(y)$$

ist eine Bilinearform auf (V^*,V) , die sog. kanonische Bilinearform auf (V^*,V).

Beweis: (i) folgt aus der Definition der Vektorraum-Struktur auf $V^* = \mathrm{Hom}_K(V,K)$
(ii) folgt, da jedes $x^* \in V^*$ eine lineare Abbildung ist. QED

Wir wollen im folgenden statt $x^*(y)$ stets die Bezeichnung $\langle x^*,y \rangle$ für $x^* \in V^*, y \in V$ verwenden.

Für die transponierte Abbildung gilt in dieser Schreibweise:

$$\langle u^T x^* \, , y \rangle = \langle x^* , uy \rangle \tag{950}$$

für $u \in \mathrm{Hom}_K(V,W)$, $x^* \in W^*$, $y \in V$

(Wir schreiben im folgenden bei Abbildungen statt f(x) oft einfach fx, falls keine Verwechslungen zu befürchten sind)

Sei V gegeben. Zum Dualraum V^* können wir wiederum den Dualraum $V^{**} := (V^*)^*$ betrachten, den sog. <u>Bidualraum</u> von V. Entsprechend sind V^{***}, V^{****}, usw. definiert.

Zwischen einem Vektorraum V und seine Bidualraum V^{**} gibt es eine enge Beziehung nach dem folgenden Satz :

<u>Satz 18.3</u> : Sei V ein Vektorraum. Die Abbildung

$$j : V \longrightarrow V^{**}$$
$$x \longmapsto j(x) \quad \text{mit} \quad j(x)(y^*) := \langle y^*, x \rangle \quad \text{für } y^* \in V^*$$

ist linear und injektiv.

<u>Beweis</u>: Zunächst bemerken wir, daß $j(x) \in V^{**}$, da $\langle\,,\,\rangle$ linear im ersten Faktor ist.
Entsprechend ist j selbst eine lineare Abbildung, da $\langle\,,\,\rangle$ linear im zweiten Faktor ist.
Zu zeigen bleibt, daß j injektiv ist:
Sei $x \in V$ und $j(x) = 0$. Zu zeigen ist: $x = 0$.
Wenn $x \neq 0$, so ist $\{x\}$ frei, und daher gibt es eine Linearform $z^* \in V^*$ mit $\langle z^*, x \rangle \neq 0$ (nach 13.20)
Das bedeutet: $j(x)(z^*) \neq 0 \Rightarrow j(x) \neq 0$ <u>Wspr</u>. <u>QED</u>

Die Frage ist, wann j auch surjektiv ist. Wir werden darauf gleich zurückkommen.
Bemerken wir noch, daß wir die Abbildung j aus 18.3, gemäß unserer Konvention, genauer mit j_V bezeichnen, wo diese Genauigkeit nötig ist.

<u>Satz 18.4</u> : Sei B eine Basis von V. Die Menge

$B^* := \{x_b^* \in V^* \mid b \in B\}$, die definiert ist durch

$$\langle x_b^*, b' \rangle := \begin{cases} 0 \text{ für } b' \neq b \\ 1 \text{ für } b' = b \end{cases} \quad \text{für jedes } b \in B,\ b' \in B$$

ist frei in V^*;
B^* ist genau dann eine Basis von V^*, wenn V endlichdimensional ist.
In diesem Falle ist $\dim V^* = \dim V$.

Beweis: Dies ist ein Spezialfall des allgemeineren Satzes 17.7 (mit der darauffolgenden Zusatzbemerkung) QED

Die Menge B^* heißt das duale System zur Basis B; falls V endlich-dimensional ist, die duale Basis zu B in V^*.

Definition 18.5 : Ein Vektorraum V heißt reflexiv, wenn die kanonische Abbildung $j : V \longrightarrow V^{**}$ ein Isomorphismus ist.

Satz 18.6 : Ein Vektorraum ist genau dann reflexiv, wenn er endlich-dimensional ist.

Beweis: Wenn der Vektorraum V endlichdimensional ist, gilt:
$\dim V^* = \dim \mathrm{Hom}_K(V,K) = \dim V$ nach 17.8
$\Rightarrow \dim V^{**} = \dim V^* = \dim V$
$\Rightarrow$ j ist ein Isomorphismus, da j injektiv ist (13.24).-

Sei V nun unendlichdimensional. Sei B eine Basis von V. Sei B^* das duale System in V^*. Da B^* frei ist, gibt es eine lineare Abbildung

$z^{**} : V^* \longrightarrow K$ mit

$z^{**}(x_b^*) = 1$ für jedes $x_b^* \in B^*$ (nach Satz 13.20)

Beh.: $z^{**} \notin \mathrm{im}\, j$

Bew.: Angenommen es gäbe ein $y \in V$ mit $j(y) = z^{**}$, so hätten wir für jedes $b \in B$:

$1 = z^{**}(x_b^*) = j(y)(x_b^*) = \langle x_b^*, y\rangle$

Nun ist $y = \sum_{b' \in B} \alpha_{b'} . b'$, wo fast alle $\alpha_{b'} = o$ sind.

$$\Rightarrow 1 = \langle x_b^*, y\rangle = \langle x_b^*, \sum_{b' \in B} \alpha_{b'} . b'\rangle = \sum_{b' \in B} \alpha_{b'} \langle x_b^*, b'\rangle$$

da $\langle\, ,\, \rangle$ auf dem zweiten Faktor linear ist.

$= \alpha_b$ nach der Definition von B^*.

Für jedes $b \in B$ gilt also: $\alpha_b = 1$.
Das ist ein Widerspruch zur Tatsache, daß fast alle $\alpha_{b'} = 0$ sind.

QED

Sei $u \in \mathrm{Hom}_K(V,W)$. Dann ist $u^T \in \mathrm{Hom}_K(W^*,V^*)$ und
$u^{TT} := (u^T)^T \in \mathrm{Hom}_K(V^{**},W^{**})$.
Die lineare Abbildung u^{TT} ist gewissermaßen eine Fortsetzung der linearen Abbildung u, wenn man V und W vermöge der injektiven linearen Abbildungen j_V bzw. j_W mit Unterräumen von V^{**} bzw. W^{**} identifiziert.

Exakter gilt:
Für jedes Paar (V,W) von Vektorräumen und jedes $u \in \mathrm{Hom}_K(V,W)$ kommutiert das folgende Diagramm

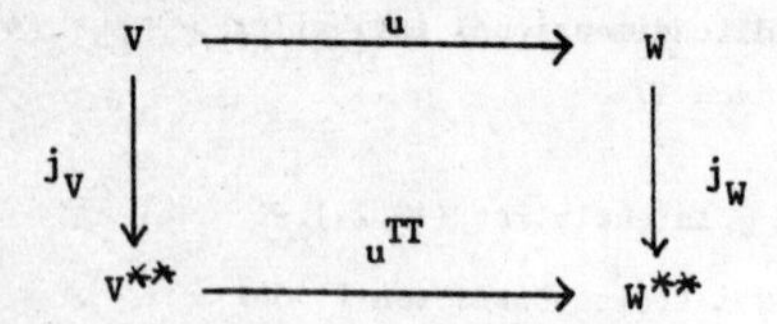

(960)

Bew.: Zu zeigen ist: $j_W \circ u = u^{TT} \circ j_V$.
Sei $x \in V$. Dann ist für jedes $y^* \in W^*$:
$(j_W \circ u)(x)(y^*) = j_W(ux)(y^*) = \langle y^*, ux \rangle$ und
$(u^{TT} \circ j_V)(x)(y^*) = (u^{TT}(j_V(x)))(y^*) = j_V(x)(u^T(y^*)) =$
$= \langle u^T(y^*), x \rangle = \langle y^*, ux \rangle$

qed

Falls V und W endlichdimensional sind, identifiziert man wegen der kanonischen Isomorphismen j die Räume V und V^{**} bzw. W und W^{**}. Unter dieser Identifizierung entspricht wegen (960) der linearen Abbildung $u \in \mathrm{Hom}_K(V,W)$ die lineare Abbildung u^{TT}. Man identifiziert also u mit u^{TT}.
Wir werden zwar in diesem §en noch ganz genau sein und immer beachten, ob wir in V oder V^{**} operieren, in späteren §en jedoch werden wir für endlichdimensionale Vektorräume automatisch diese Identifizierungen vornehmen.

Wir werden uns von nun an auf endlich-dimensionale Vektorräume beschränken. Wenn nichts Gegenteiliges bemerkt ist, sei also V stets ein endlich-dimensionaler K-Vektorraum.

Satz 18.7 : Die Abbildung

$$^{T} : \mathrm{Hom}_K(V,W) \longrightarrow \mathrm{Hom}_K(W^*,V^*) \qquad (970)$$

ist ein Isomorphismus von K-Vektorräumen.

Beweis: Daß ^{T} eine lineare Abbildung ist, galt allgemein (vgl. (940)). Daß die Abbildung injektiv ist, gilt ebenfalls allgemein:

Sei $u^T = 0 \Rightarrow u^{TT} = 0 \Rightarrow u = 0$, da j_W injektiv ist (aus Diagramm (960)).

Es bleibt zu zeigen, daß ^{T} surjektiv ist:

Sei $u^* \in \mathrm{Hom}_K(W^*,V^*)$.

Beh.: $j_W^{-1} \circ u^{*T} \circ j_V$ ist ein Urbild zu u^*.

Bew.: $(j_W^{-1} \circ u^{*T} \circ j_V)^T = j_V^T \circ u^{*TT} \circ (j_W^{-1})^T$ nach (900)

$= j_V^T \circ (j_{V^*} \circ u^* \circ j_{W^*}^{-1}) \circ (j_W^{-1})^T$, da (960) für die Vektorräume $V^*, W^*, V^{***}, W^{***}$ kommutiert,

$$= (j_V^T \circ j_{V^*}) \circ u^* \circ (j_W^T \circ j_{W^*})^{-1} \text{ nach (930)} \qquad (980)$$

Nun ist $j_V^T \circ j_{V^*} = id_{V^*}$ für jeden Vektorraum V ;

denn sei $x^* \in V^*$ und $y \in V$. Dann ist

$id_{V^*}(x^*)(y) = \langle x^*, y\rangle = \langle j_V(y), x^*\rangle = \langle j_{V^*}(x^*), j_V(y)\rangle$

$= \langle j_V^T(j_{V^*}(x^*)), y\rangle = (j_V^T \circ j_{V^*})(x^*)(y)$.-

Daher ist (980) gleich u^*. QED

Fassen wir für endlich-dimensionale Vektorräume noch einmal zusammen, was wir über die duale Basis wissen:

(Wir verwenden für Basen die Tupelschreibweise)

Es ist $\dim V^* = \dim V$.

Wenn $b = (b_1,..,b_n)$ eine Basis von V ist, so ist

$b^* = (b_1^*,..,b_n^*)$ eine Basis von V^*. Die Basis b^* heißt die <u>duale Basis zu b von V^*</u> und ist definiert durch

$$\langle b_i^*, b_j \rangle = \delta_{ij} \quad \text{mit} \tag{990}$$

$$\delta_{ij} = \begin{cases} 0 \text{ für } i \neq j \\ 1 \text{ für } i = j \end{cases} \tag{1000}$$

$(1 \leq i,j \leq n)$

(δ_{ij} , das stets durch (1000) definiert sei, heißt <u>Kroneckersymbol</u> und soll im folgenden stets Verwendung finden. Der Leser beachte, daß an verschiedenen Stellen dieses Buches bereits Definitionen der Art (990) vorkamen. Wir hätten bereits damals das Kroneckersymbol einführen können)

Für ein beliebiges $x^* \in V^*$ gilt:

$$x^* = \sum_{i=1}^{n} \langle x^*, b_i \rangle \, b_i^* \quad , \tag{1010}$$

für beliebiges $x \in V$ gilt:

$$x = \sum_{i=1}^{n} \langle b_i^*, x \rangle \, b_i \tag{1020}$$

Gleichung (1010) folgt aus dem allgemeinen Fall der Gleichung (810). Wir wiederholen der Übersichtlichkeit halber hier diesen Beweis in unserem speziellen Fall:

Da b^* eine Basis von V^* ist, gibt es Skalare $\alpha_i \in K$ mit

$$x^* = \sum_{i=1}^{n} \alpha_i b_i^*$$

Die α_i sind eindeutig bestimmt. Wenden wir beide Seiten der Gleichung auf $b_j \in B$ an (für jedes j), so ergibt sich:

$$\langle x^*, b_j \rangle = \sum_{i=1}^{n} \alpha_i \langle b_i^*, b_j \rangle = \sum_{i=1}^{n} \alpha_i \delta_{ij} = \alpha_j \, ,$$

womit wir (1010) haben. <u>qed</u>

Gleichung (1o2o) zeigt man entweder direkt (indem man b_j für jedes j auf (1o2o) anwendet) oder indem man folgende Überlegung anstellt:

Sei b^{**} die duale Basis zu b^* in V^{**}. Dann gilt trivialerweise:

$$\bigwedge_i b_i^{**} = j(b_i) \qquad (1o3o)$$

Das Element $j(x) \in V^{**}$ läßt sich nach (1o1o) schreiben als

$$j(x) = \sum_{i=1}^{n} \langle j(x), b_i^* \rangle b_i^{**} = j\left(\sum_{i=1}^{n} \langle b_i^*, x \rangle b_i \right)$$

Da j ein Isomorphismus ist, folgt (1o2o).

<u>Definition 18.8</u> : Sei U ein Unterraum von V. Dann sei

$$U^{\perp} := \{ y^* \in V^* \mid \bigwedge_{x \in U} \langle y^*, x \rangle = 0 \}$$

$$(= \{ y^* \in V^* \mid y^*(U) = 0 \})$$

$U^{\perp}$ heißt <u>der zu U orthogonale Unterraum</u> von V^*; denn:

<u>Satz 18.9</u> : Für jeden Unterraum U von V ist $U^{\perp}$ ein Unterraum von V^*.

<u>Beweis</u>: Es ist $U^{\perp} = \bigcap_{x \in U} \ker j(x)$, wo $j : V \longrightarrow V^{**}$ der kanonische Isomorphismus ist. <u>QED</u>

<u>Beispiel</u>: $V^{\perp} = 0 \subset V^*$

$0^{\perp} = V^*$

Der Leser beachte, daß "$\perp$" abhängt von dem Vektorraum V, in dem die Operation $\perp$ definiert ist. Betrachten wir zum Beispiel den Unterraum 0 von V, so ist in dem Vektorraum 0 natürlich ebenfalls die Operation $\perp$ definiert, und hier gilt :

$0^{\perp} = 0 \; (= 0^*)$

Wenn nichts Gegenteiliges bemerkt ist, verstehen wir unter "$\perp$" immer die Operation $\perp$ im Vektorraum V.

Satz 18.1o : U sei ein Unterraum von V. Dann gilt:

$$\dim U^{\perp} = \operatorname{codim}_V U$$

Beweis: Wir betrachten die Einschränkungsabbildung

$$E : V^* \longrightarrow U^*$$
$$f \longmapsto E(f) := f|_U = f \circ i_U ,$$

wo $i_U : U \longrightarrow V$ die Inklusionsabbildung ist.
Die Abbildung E ist offensichtlich linear; ((78o) und (79o)).
E ist surjektiv; denn sei $h \in U^*$ gegeben. h läßt sich nach 13.21 zu einer Linearform $f \in V^*$ erweitern (dh. es gibt ein $f \in V^*$ mit $E(f) = f|_U = h$).
Es ist $\ker E = \{ f \in V^* | f|_U = o \} = \{ f \in V^* | f(U) = 0 \} = U^{\perp}$ nach Def. 18.8

$\Rightarrow \dim U^{\perp} + \dim U = \dim U^{\perp} + \dim U^*$ nach 18.4
$= \dim V^*$ nach der Überlegung von eben und der Rangformel (16.8)
$= \dim V$

QED

Satz 18.11 : Sei U ein Unterraum von V. Dann gilt:

$$U^{\perp\perp} := (U^{\perp})^{\perp} = j(U) ,$$

wo $j : V \longrightarrow V^{**}$ der kanonische Isomorphismus ist.

Beweis: $j(U) \subset U^{\perp\perp}$; denn sei $j(x) \in j(U) \Rightarrow x \in U$

$$\Rightarrow \bigwedge_{u^* \in U^{\perp}} \langle u^*, x \rangle = o$$

$$\Rightarrow \bigwedge_{u^* \in U^{\perp}} \langle j(x), u^* \rangle = 0$$

$$\Rightarrow j(x)(U^{\perp}) = 0 \Rightarrow j(x) \in U^{\perp\perp}$$

Nun ist $\dim U^{\perp\perp} = \operatorname{codim} U^{\perp} = \dim U = \dim j(U)$, da j ein Isomorphismus ist.

QED

<u>Theorem 18.12</u> : Die Abbildung

$\perp : U \longmapsto U^{\perp}$

ist ein (vollständiger) Verbands-Antiisomorphismus vom vollständigen Verband $\mathcal{U}(V)$ aller Unterräume von V auf den vollständigen Verband $\mathcal{U}(V^*)$ aller Unterräume von V^*. (vgl.p.108)

Insbesondere gilt also für jede Familie $(U_i)_{i\in I}$ von Unterräumen von V :

(i) $\left(\bigcap_{i\in I} U_i\right)^{\perp} = \sum_{i\in I} U_i^{\perp}$

(ii) $\left(\sum_{i\in I} U_i\right)^{\perp} = \bigcap_{i\in I} U_i^{\perp}$

<u>Beweis</u>: Nach 6.16 (duale Version) reicht es zu zeigen, daß $\perp$ ein Ordnungs-Antiisomorphismus ist.

$\perp$ ist injektiv; denn wenn $U^{\perp} = W^{\perp}$ für $U, W \in \mathcal{U}(V)$, so ist auch $U^{\perp\perp} = W^{\perp\perp}$. $\Rightarrow j(U) = j(W)$ nach 18.11

$\Rightarrow U = W$, da j ein Isomorphismus ist.

Wir zeigen, daß $\perp$ auch surjektiv ist:

Sei $\tilde{U} \in \mathcal{U}(V^*)$.

<u>Beh.</u>: $j^{-1}(\tilde{U}^{\perp})$ ist ein Urbild.

<u>Bew.</u>: $\tilde{U}^{\perp} = j_V(j_V^{-1}(\tilde{U}^{\perp})) = (j_V^{-1}(\tilde{U}^{\perp}))^{\perp\perp}$ nach 18.11

$\Rightarrow \tilde{U}^{\perp\perp} = (j_V^{-1}(\tilde{U}^{\perp}))^{\perp\perp\perp}$

$\Rightarrow j_{V^*}(\tilde{U}) = j_{V^*}((j_V^{-1}(\tilde{U}^{\perp}))^{\perp})$ nach 18.11

$\Rightarrow \tilde{U} = (j_V^{-1}(\tilde{U}^{\perp}))^{\perp}$ für $\tilde{U} \in \mathcal{U}(V^*)$ (1o4o)

<u>qed</u>

$\perp$ ist Ordnungs-Antihomomorphismus; denn wenn $U \subset W$, so ist trivialerweise $U^{\perp} \supset W^{\perp}$.

Falls umgekehrt $U^{\perp} \supset W^{\perp}$, so folgt: $U^{\perp\perp} \subset W^{\perp\perp}$

$\Rightarrow j(U) \subset j(W)$ nach 18.11.

$\Rightarrow U \subset W$.- (für $U, W \in \mathcal{U}(V)$) <u>QED</u>

<u>Satz 18.13</u> : Sei $f : V \longrightarrow W$ eine K-lineare Abbildung.

Dann gilt:

$$(\ker f)^{\perp} = \operatorname{im}(f^T) \tag{1o5o}$$

$$(\operatorname{im} f)^{\perp} = \ker(f^T) \tag{1o6o}$$

(in (1o5o) "$\perp$" in V gebildet; in (1o6o) in W gebildet)

<u>Beweis</u>:

(a) Wir zeigen: $\ker f^T \subset (\operatorname{im} f)^{\perp}$

Sei $y^* \in \ker f^T, \Longleftrightarrow f^T(y^*) = o$.

Sei $y \in \operatorname{im} f$. Dann gibt es ein $x \in V$ mit $f(x) = y$.

$\Longrightarrow \langle y^*, y\rangle = \langle y^*, f(x)\rangle = \langle f^T(y^*), x\rangle = \langle o, x\rangle = o$

$\Longrightarrow y^*(\operatorname{im} f) = o \Longrightarrow y^* \in (\operatorname{im} f)^{\perp}$

(b) Wir zeigen: $(\operatorname{im} f)^{\perp} \subset \ker f^T$

Sei $y^* \in (\operatorname{im} f)^{\perp}$. Wir behaupten: $y^* \in \ker f^T$; dh. $f^T(y^*) = o$

$\Longleftrightarrow \langle f^T(y^*), x\rangle = o$ für alle $x \in V$

$\Longleftrightarrow \langle y^*, f(x)\rangle = o$ für alle $x \in V$

Dies gilt aber, da $y^* \in (\operatorname{im} f)^{\perp}$

(c) Wir zeigen (1o5o) :

$(\ker f)^{\perp} = (j^{-1}(\ker f^{TT}))^{\perp}$ nach (96o)

$= (j^{-1}((\operatorname{im} f^T)^{\perp}))^{\perp}$ nach (1o6o), das ja bereits bewiesen ist.

$= \operatorname{im} f^T$ nach (1o4o) <u>QED</u>

<u>Korollar 18.14</u> : Sei $f: V \longrightarrow W$ eine K-lineare Abbildung.

Dann gilt für die Abbildung $f^T : W^* \longrightarrow V^*$:

$\operatorname{rg} f^T = \operatorname{rg} f$

Beweis: $\operatorname{rg} f^T = \dim \operatorname{im} f^T = \dim (\ker f)^{\perp}$ nach 18.13
$= \operatorname{codim} \ker f$ nach 18.10
$= \dim V - \dim \ker f = \operatorname{rg} f$ nach der Rangformel (16.8)

QED

Korollar 18.15 : Sei $f : V \longrightarrow W$ linear. Sei $f^T : W^* \longrightarrow V^*$ die transponierte lineare Abbildung.
Dann gilt:

(i) f injektiv $\Longleftrightarrow f^T$ surjektiv
(ii) f surjektiv $\Longleftrightarrow f^T$ injektiv
(iii) f bijektiv $\Longleftrightarrow f^T$ bijektiv

Beweis:
(i) f injektiv $\Rightarrow \ker f = 0 \Rightarrow (\ker f)^{\perp} = V^*$
$\Rightarrow \operatorname{im} f^T = V^*$ nach 18.13 $\Rightarrow f^T$ surjektiv

(ii) f surjektiv $\Rightarrow \operatorname{im} f = W \Rightarrow (\operatorname{im} f)^{\perp} = 0$
$\Rightarrow \ker f^T = 0$ nach 18.13 $\Rightarrow f^T$ injektiv

(iii) Schon in (930) bewiesen. Folgt auch aus (i),(ii)

Die Behauptungen "$\Leftarrow$" gelten jeweils, weil das, was wir bisher bewiesen haben, auch für f^T und f^{TT} gilt. Wegen (960) und da die kanonischen Abbildungen j Isomorphismen sind, folgt alles.

QED

Wir bemerken, daß Kor. 18.15 auch aus (900) folgt, wenn man beachtet, daß jede injektive lineare Abbildung eine Koretraktion und jede surjektive lineare Abbildung eine Retraktion ist.
(vgl. Def. 13.22 und Satz 13.23)
Insbesondere gelten also die "$\Rightarrow$" - Behauptungen des Korollars auch im unendlichdimensionalen Fall.

Sachwortverzeichnis

F

G

(Die restlichen Unterbegriffe für Gruppen schlage man bei den entsprechenden Sachworten nach)

H

I

Verzeichnis einiger Standardbezeichnungen

1) Logische Symbole und Mengensymbole

$\wedge$, $\vee$, $\neg$, $\Rightarrow$	und , oder , non (nicht) , impliziert
$\Leftrightarrow$, $=$	äquivalent , gleich
$:=$, $:\Leftrightarrow$ etc.	per definitionem gleich, per definitionem äquivalent etc.
$\neq$, $\not\Leftrightarrow$ etc.	nicht gleich, nicht äquivalent etc.
$\bigwedge_{x \in M} A(x)$	Für alle $x \in M$ gilt die Aussage $A(x)$
$\bigvee_{x \in M} A(x)$	Es gibt ein $x \in M$, für das die Aussage $A(x)$ gilt
$\overset{1}{\bigvee}_{x \in M} A(x)$	Es gibt genau ein $x \in M$, für das die Aussage $A(x)$ gilt
$\in$	Element von
$\cap$, $\bigcap_{i \in I} A_i$, $\bigcap_{M \in \mathfrak{M}} M$	Durchschnitt von Mengen
$\cup$, $\bigcup_{i \in I} A_i$, $\bigcup_{M \in \mathfrak{M}} M$	Vereinigung von Mengen
$A \setminus B$	Komplementärmenge von B in A
$\subset$, $\subsetneq$	Teilmenge von, echte Teilmenge von
$\bigtimes_{i \in I} A_i$, A^I , $\bigtimes_{i=1}^{n} A_i$, A^n , $A_1 \times \ldots \times A_n$	cartesische Produkte von Mengen
$\lvert A \rvert$	Anzahl der Elemente der Menge A
$\{x \in M \mid A(x)\}$	Menge aller x, für die A(x) gilt

2) Spezielle Mengen

$\emptyset$	leere Menge
$\mathbb{N}$	natürliche Zahlen (mit Null)
$[p,q]$ (für $p,q \in \mathbb{N}$)	$= \{i \in \mathbb{N} \mid p \leq i \leq q\}$
$(p,q]$ (für $p,q \in \mathbb{N}$)	$= \{i \in \mathbb{N} \mid p < i \leq q\}$
$[p,q)$ (für $p,q \in \mathbb{N}$)	$= \{i \in \mathbb{N} \mid p \leq i < q\}$
$\mathbb{Z}$	ganze Zahlen
$\mathbb{Q}$	rationale Zahlen
$\mathbb{R}$	reelle Zahlen
$\mathbb{C}$	komplexe Zahlen
A^*	$= A \setminus \{o\}$, wenn A eine Menge ist, in der ein Nullelement o ausgezeichnet ist
B^+	$= \{x \in B \mid x \geq o\}$ für $B = \mathbb{Z}, \mathbb{Q}, \mathbb{R}$
B^-	$= \{x \in B \mid x \leq o\}$ für $B = \mathbb{Z}, \mathbb{Q}, \mathbb{R}$
$\mathcal{P}(M)$	Potenzmenge

3) Abbildungen, Familien, lineare Abbildungen

$f : A \longrightarrow B$	f ist eine Abbildung von A nach B
$f : x \longmapsto y$	Das Element x wird durch die Abbildung f auf das Element y abgebildet
$f(C)$	Wenn $f: A \longrightarrow B$ und $C \subset A$: Menge aller Bilder von C unter der Abb. f
$f^{-1}(D)$	Wenn $f: A \longrightarrow B$ und $D \subset B$: Menge aller Urbilder von D unter der Abb. f
$f^{-1}(x)$	$= f^{-1}(\{x\})$
id_A (oder: id)	identische Abbildung auf einer Menge A
$f \circ g$	Hintereinanderausführung der Abbildungen f und g; zuerst g, dann f
f^{-1}	inverse Abbildung der bijektiven Abb. f

$f\|_C$	Wenn $f:A \longrightarrow B$ und $C \subset A$: Einschränkung von f auf C
$(x_i)_{i\in I}$	Familie von Elementen x_i über der Indexmenge I
$(x)_{i\in I}$	konstante Familie $(y_i)_{i\in I}$ mit $y_i = x$ für alle i
$(x_i)_{1\leq i\leq n}$ oder $(x_1,\ldots,x_n)$	n-Tupel
ker f , im f	Kern, Bild eines Homomorphismus
i_a	innerer Automorphismus einer Halbgruppe oder Gruppe mit dem Element a
sign	Vorzeichenabbildung von $\mathbb{R}^*$ in $\{+1,-1\}$
$\prod_{i\in I} f_i$, $\prod_{i=1}^{n} f_i$, f^I, $f_1 \times \ldots \times f_n$	induzierte lineare Abbildungen bei direkten Produkten von Vektorräumen
$\coprod_{i\in I} f_i$, $\coprod_{i=1}^{n} f_i$, $f^{(I)}$	induzierte lineare Abbildungen bei direkten Summen von Vektorräumen
S	Summenabbildung von einer (äußeren) direkten Summe einer Familie von Unterräumen eines Vektorraums V in V
rg f	Rang der linearen Abbildung f
u^T	transponierte lineare Abbildung der linearen Abbildung u
$j:V \longrightarrow V^{**}$	kanonische Abbildung eines Vektorraums in seinen Bidualraum
δ_{ij}	Kroneckersymbol
n!	$= 1\ldots n$ (Produkt von natürlichen Zahlen)
$\binom{n}{i}$	$= \frac{n!}{i!(n-i)!}$

4) Relationen, Ordnungen, Verbände

$\leq$	kleiner gleich (Zeichen für eine Ordnungsrelation)
$x < y$	$x \leq y \wedge x \neq y$
$\bigsqcap_{i \in I} x_i$, $\bigsqcup_{i \in I} x_i$	Infimum, Supremum über eine Familie
$x \sqcap y$, $x \sqcup y$	Imfimum, Supremum von zwei Elementen
inf M , sup M	Infimum, Supremum einer Menge
$\mathfrak{P}(M)$	vollständiger Verband der Teilmengen von M
$\mathfrak{U}(G)$	(G eine Gruppe) : vollständiger Verband der Untergruppen von G
$\mathfrak{W}(V)$	(V ein Modul oder Vektorraum) : vollständiger Verband der Untermoduln oder Unter-Vektorräume von V

5) Ringe, Körper

$\mathbb{Z}_p$	Ring der ganzen Zahlen modulo p
Char(R)	Charakteristik des Ringes R
Re(z) , Im(z)	Realteil, Imaginärteil der komplexen Zahl z
$\|z\|$	Betrag einer reellen oder komplexen Zahl z
S^1	Einheitskreis in $\mathbb{C}$
cis(r)	Funktion cos(r)+i.sin(r) von $\mathbb{R}$ nach $\mathbb{C}$
$\bar{z}$	konjugiert komplexe Zahl von $z \in \mathbb{C}$
P(K)	Primkörper des Körpers K

6) Gruppen, Moduln, Vektorräume

S_M , S_n — Permutationsgruppe der Menge M bzw. $[1,n]$

$Z(G)$ — Zentrum der Halbgruppe oder Gruppe G

$\sum_{i\in I} x_i$ — Summe über eine Familie $(x_i)_{i\in I}$ aus einer (äußeren) direkten Summe einer Familie von Unterräumen eines Vektorraums

G/U — Quotientengruppe (Quotientenmodul, Quotientenraum) einer Gruppe (eines Moduls, eines Vektorraums) G nach einem Normalteiler (einem Untermodul, einem Unterraum) U

π_U — Restklassenhomomorphismus von G auf G/U

$\sum_{i\in I} U_i$, $A + B$ — Summe der Untergruppen U_i (oder Untermoduln, Unterräume) , Summe der Untergruppen A,B (Untermoduln, Unterräume)

$\mathcal{L}(M)$, $[M]$ — lineares Erzeugnis der Teilmenge M in Moduln oder Vektorräumen

$\dim_K V$, $\dim V$ — Dimension des K-Vektorraums V

$\prod_{i\in I} V_i$, $\prod_{i=1}^{n} V_i$, V^I — direktes Produkt von Vektorräumen

$\coprod_{i\in I} V_i$, $\coprod_{i=1}^{n} V_i$, $V^{(I)}$, $V_1 \amalg \ldots \amalg V_n$ — direkte Summe von Vektorräumen

K^n — (K ein Körper) : K-Vektorraum der n-Tupel

$\bigoplus_{i\in I} V_i$, $\bigoplus_{i=1}^{n} V_i$, $V_1 \oplus \ldots \oplus V_n$ — (innere) direkte Summe von linear unabhängigen Unterräumen

$G \times_T H$ — semidirektes Produkt der Gruppen G,H bzgl. der Darstellung T

Δ_k — k-dimensionale Diagonale (über einem Ring)

$R.a$ — (R ein Ring, a ein Element aus einem R-Modul): $= \{r.a \mid r \in R\}$

$x + U$	(U eine Untergruppe einer abelschen Gruppe G und $x \in G$) : $= \{x + u \mid u \in U\}$
$\cong$	isomorph
$GL_R(V)$	allgemeine lineare Gruppe (=Automorphismengruppe) eines R-Moduls V (R-Vektorraums V)
V_R	= V ist ein R-Modul (oder R-Vektorraum)
$\text{codim}_V U$, codim U	Kodimension des Unterraums U im Vektorraum V
$\text{Hom}_K(V,W)$	Vektorraum der linearen Abbildungen von V nach W
$L_K(V)$	$= \text{Hom}_K(V,V)$
V^*, V^{**}	Dualraum, Bidualraum des Vektorraums V
$\langle \, , \, \rangle$	kanonische Bilinearform auf $V^* \times V$
b^*	(b eine Basis des Vektorraums V): duale Basis in V^*
$U^\perp$	(U ein Unterraum des Vektorraums V) : orthogonaler Unterraum zu U in V^*

Astronomie

Becker, F.
Einführung in die Astronomie – Methoden und Ergebnisse
261 S. mit Abb. (Bd. 8)

Becker, F.
Geschichte der Astronomie
201 S. mit Abb. (Bd. 298)

Bohrmann, A.
Bahnen künstlicher Satelliten
163 S. mit Abb. (Bd. 40)

Bucerius, H./Schneider, M.
Vorlesungen über Himmelsmechanik
Band 1: 207 S. mit Abb. (Bd. 143)

Bucerius, H./Schneider, M.
Vorlesungen über Himmelsmechanik
Band 2: 262 S. mit Abb. (Bd. 144)

Giese, R.-H.
Erde, Mond und benachbarte Planeten
250 S. mit Abb. (Bd. 705)

Giese, R.-H.
Weltraumforschung
Band 1: Physikalisch-Technische Voraussetzungen. 221 S. mit Abb. (Bd. 107)

Müller, R.
Astronomische Begriffe
186 S. mit Abb. (Bd. 57)

Schaifers, K.
Atlas zur Himmelskunde
(Bd. 308)

Voigt, H.-H.
Abriß der Astronomie
Band 1: 258 S. mit Abb. (Bd. 807)

Voigt, H.-H.
Abriß der Astronomie
Band 2: 296 S. mit Abb. (Bd. 819)

Zimmermann, O.
Astronomische Übungsaufgaben
116 S. mit Abb. (Bd. 127)

Philosophie

Glaser, I.
Sprachkritische Untersuchungen zum Strafrecht am Beispiel der Zurechnungsfähigkeit
131 S. (Bd. 516)

Kamlah, W.
Utopie, Eschatologie, Geschichtsteleologie
106 S. (Bd. 461)

Kamlah, W./Lorenzen, P.
Logische Propädeutik oder Vorschule des vernünftigen Redens
242 S. (Bd. 227)

Leinfellner, P.
Einführung in die Erkenntnis- und Wissenschaftstheorie
226 S. (Bd. 41)

Lorenzen, P.
Normative Logic and Ethics
89 S. (Bd. 236)

2a/2

Hochschultaschenbücher